Thomas Wagner

Der Mann,
dem es gelang,
den Sommer anzuhalten

Roman

Bibliographische Information der Deutschen Nationalbibliothek: Die Deutsche Nationalbibliothek verzeichnet diese Publikation in der Deutschen Nationalbibliografie; detaillierte bibliografische Daten sind im Internet über dnb.dnb.de abrufbar.

Die Bibelzitate auf Seite 305 und 306 sind der Elberfelder Bibel aus dem Jahre 1871 entnommen.

1. Auflage: März 2024

© 2024 Thomas Wagner

Covergestaltung: Evelyn König und Thomas Wagner

Herstellung und Verlag: BoD – Books on Demand, Norderstedt

ISBN: 9-783758-315275

1

Februar

Als Jakob Gottlieb Tennriegel gegen Mittag jenes trüben Februartages, an dem der Lauf der Dinge eine unvorhersehbare Wendung nehmen wird, im Begriff steht, seine Werkstatt zu verlassen, bleiben die Uhren stehen.

Leicht gebeugt und in schlurfendem Gang bewegt er sich voran. Hat doch nicht nur das fortschreitende Alter, sondern auch die Tätigkeit an der Werkbank über all die vielen Jahre einen Haltungsschaden mit sich gebracht, der ihn seit geraumer Zeit beim aufrechten Gang nötigt, den Blick leicht nach unten zu senken. Obendrein versuchen Muskeln eine Fehlstellung der Wirbelsäule auszugleichen, was Jakob bisweilen erhebliche Rückenschmerzen verursacht, insbesondere im Bereich des linken Lendenmuskels.

Dennoch richtet er sich auf, beugt den Oberkörper nach hinten, drückt das Kreuz durch und legt dabei seine linke Hand an die schmerzende Stelle oberhalb des Beckens. Geschlossen sind seine kleinen grünen Augen, die einst einen ungewöhnlichen Glanz verschenkten, an die Einzige, deren ehrlichem Blick er offen begegnen konnte. Die wenigen Haare, die sich rund um die kahle Stelle seines Schädels versammeln, leuchten in dem dumpfen Glühbirnenlicht der Werkstatt wie zarte Sprösslinge einer noch unbekannten Pflanze im späten Abendrot.

Unter all den Dingen, die die Welt zu bieten hatte, waren es Uhren, die für Jakob zu jenem Teil seines Lebens wurden, der landläufig als das Arbeitsleben bezeichnet wird. Jene feinmechanischen Geräte mit dem Wesenszug einer exakten Eigendynamik faszinierten ihn schon als Kind und hielten sein Interesse wach über die Zeit.

So war es ihm besser ergangen, als den meisten seiner Zeitgenossen, die sich genötigt sahen, eine Tätigkeit zu betreiben, die sehr bald schon zum bloßen Gelderwerb werden sollte, und zur Qual. Ein Tun, aus dem Begeisterung und Freude verschwunden waren, wandelte sich für jene zu einer Arbeit ohne Sinn, während Jakob voller Hingabe in der Welt der Zeitmessgeräte zu Hause blieb und es verstand, sich auf seine eigene Weise und nach seinem eigenen Geschmack dort einzurichten. Mag sein, dass ohne das Quäntchen Glück, welches einem jedem Menschen für ein gelingendes Leben geschenkt sein sollte, alles ganz anders verlaufen wäre. Doch auch das Glück fordert seinen Tribut.

Es mag auf ein Zeichen hindeuten, dass die Uhren gerade jetzt in dem Augenblick stehen bleiben, wo Jakob, der Uhrmacher, sich anschickt, seine Werkstatt für immer zu schließen. Dem Fingerzeig eines Gottes mag es gleichkommen, dass sie überall und zur exakt gleichen Zeit stehen bleiben, sofern eine andere als die gewöhnliche, von Zeitzone zu Zeitzone sich verschiebende Uhrzeit als Maß herangezogen wird.

Zeiger verharren regungslos, soweit die Erde reicht und noch darüber hinaus, bis in den Weltraum hinein, Leuchtziffern erlöschen, digitale Anzeigen springen auf null, und kein noch so kleines, unbedeutendes und vergessenes Uhrwerk bleibt verschont.

Uhren, die seit über einem Jahr verloren an den Wänden des Ladens hängen, der neben der Werkstatt liegt, und aufgrund winziger Unregelmäßigkeiten in ihrer Materialbeschaffenheit ihre Zeit vergessen haben, verlieren mit einem Mal ihre Daseinsberechtigung, verstehen sie doch die Zeit nur auf eine einzige Weise, nämlich als die genau messbare Aufeinanderfolge des Jetzt. Und nicht einmal im Hinblick auf das Jetzt ihres Stillstandes stimmen sie überein. Große und kleine Zeiger verweilen auf den Zifferblättern der Uhren an den unterschiedlichsten Stellen und zeigen somit jeweils eine andere Zeit an, die einen sagen, es sei schon nach Eins, andere glauben sie noch vor Zwölf, wieder andere sind ganz in die Irre gegangen, Viertel nach acht vormittags sei es, behaupten sie, oder schon später Nachmittag. Jedoch ist allen gemeinsam, dass sie ohne Bewegung sind, kein einziger rührt sich, alle scheinen sie erstarrt, so als erwarteten sie ein herannahendes Unwetter, oder gar ein noch größeres Unheil. Und ebenso verstehen es auch die Digitalanzeigen, jede auf ihre ganz eigene Weise.

Hätte Jakob also jenes unerklärliche Ereignis, von dem hier die Rede sein soll, in diesem Augenblick wahrgenommen, wäre der exakte Zeitpunkt des Stillstandes der Uhrwerke auch durch ihn nicht zu ermitteln gewesen. Insofern soll dieser hier auch keine weitere Rolle spielen. Wie es sich in der Welt des Expertentums nun einmal schickt, soll die Frage danach jenen überlassen bleiben, die sich berufen fühlen, Antworten zu suchen.

Was sich Jakob später in Erinnerung wird rufen können, ist die plötzlich eintretende Stille um ihn her, der Tod aller Töne, der offenbar mit dem Ende der Uhrzeit einhergeht. Doch das Sonderbare, die gleichwohl auch befremdliche Art von Befreiung, vermag ihn in diesem Augenblick nicht zu irritieren.

Vielleicht, weil dieser bisher einzigartige Moment absoluter Stille nur den Bruchteil einer Sekunde währt, somit nicht genug Zeit bleibt, wahrzunehmen, was nicht mehr wahrzunehmen ist, das regelmäßige, sich überlappende Ticktack all der Uhrwerke, bevor ein draußen vorbeifahrendes Auto die Welt wieder in Klang setzt, das Singen und Zwitschern der Vögel, das Gurren der Tauben im Hinterhof, das weit entfernte Schrillen einer Schleifmaschine, Kinderlachen vor der Tür, harte, vorbeieilende Schritte, das Klappern von Geschirr, menschliche Stimmen, zu einem Hintergrundmurmeln verschwommen.

Vielleicht aber auch, und das ist wahrscheinlicher, weil in diesem Augenblick, über ihn hereinbrechend wie ein Schwindelanfall, ein Übermaß an Wehmut seine innere Welt aus dem Gleichgewicht zu bringen vermag, was letztlich auch in der Welt des rein Körperlichen seine Wirkung zeigt.

Die rechte Hand packt den Türrahmen, die Dimensionen des Raums verschieben sich, was vorher noch gerade, waagerecht und senkrecht, neigt sich, dehnt und beugt sich zu einem Zerrbild. Plötzlich liegt ein Kloß im Hals und Tränen

schießen in die Augen, Bilder und Erinnerungen drängen hoch. Im Magen rumort es, die Augen brennen vom Salz der Tränen, Schweißperlen bilden sich auf der Stirn und der Blick verschwimmt hinter einem Dunstschleier.

Jakob schließt die Augen, versucht tief einzuatmen und hinunterzuschlucken, was da in seinem Hals festsitzt und weder hinaus noch hinein kann. Als drücke eine schwere Last seinen Brustkorb zusammen, so fühlt es sich an, und er denkt an einen Herzinfarkt, wobei er zu seinem Erstaunen feststellen muss, dass es ihm nichts ausmachen würde, jetzt und hier auf der Stelle tot umzufallen.

Er wird keinen Arzt rufen.

Und so erschrickt er über sich selbst, hat er doch bisher in dem Glauben gelebt, sein Leben habe noch eine Bedeutung, zumindest für ihn, wo es doch keinen anderen mehr gibt in seinem Leben, für den er noch hätte eine Rolle spielen können. Freunde hat es in seinem Leben ohnehin kaum gegeben und die wenigen Menschen, zu denen er jetzt, im Alter, noch so etwas wie eine Beziehung hätte aufbauen können, sind inzwischen alle tot.

Er will seinen Blick ein letztes Mal mit aller ihm zur Verfügung stehenden Bedachtsamkeit über jenen Raum wandern lassen, in dem er über 50 Jahre lang alle möglichen Zeitmessgeräte repariert und dadurch wieder in Gang gebracht hat, während er seine Frau Magdalena eine Tür weiter im Ladenraum spürte, ihm ganz nah.

Es ist ein Abschied für immer und von allem, der jetzt für ihn vorgesehen ist.

Er kann die Tränen nicht mehr zurückhalten, zu sehr schmerzt der Verlust, zu sehr hängt er noch in der Vergangenheit und zu rührselig und empfindsam ist sein Gemüt, hat er sich doch nie eine harte Schale zugelegt, um seinen allzu weichen Kern zu schützen, oder seine Seele, wenn man so will, wie es viele tun, wenn sie alt und verbittert werden.

So steht er nun da, auf der Türschwelle zwischen Werkstatt und Laden, schluchzt vor sich hin und vergießt Tränen, die niemand sehen kann, den gesenkten Blick ins Leere gerichtet, und schämt sich, wurde er doch früh schon gelehrt, dass ein Mann nicht zu weinen habe.

Immer noch spürt er Magdalenas Anwesenheit, als wäre es erst gestern gewesen, wo er sie in die Arme genommen und ihre Wärme gespürt hat, auch wenn sie jetzt ganz weit weg zu sein scheint.

Wie viel Zeit vergeht, bis Jakob seine Gefühle unterdrücken und sich kerzengerade aufzurichten vermag, kann an diesem Tag von keiner einzigen Uhr mehr gemessen werden. Langsam, als koste es ihn alle Kraft, die ihm noch verblieben ist, hebt er den Kopf und gibt seinen Blick frei. Er nimmt seine Brille ab und säubert sie bedachtsam mit einem weißen Taschentuch, durchzogen von blauen Streifen, das er für gewöhnlich in seiner linken Hosentasche aufbewahrt. Oben links trägt das Taschentuch seine Initialen - J. G. T - gestickt im Blau der Streifen.

Sorgsam reibt Jakob mit Daumen und Zeigefinger zuerst über das linke, dann das rechte Brillenglas, solange, bis er die Brille wieder aufsetzt und sich überwindet, zu tun, was er sich vorgenommen hat.

Die Brille ist schon alt, ihre Gläser von den Spuren der Reinigung mit dem Taschentuch überzogen, wodurch die Werkstatt ihre ursprüngliche Klarheit verliert. Ein großes dreiflügeliges Fenster an der Stirnseite des Raumes lässt selbst an solch trüben Tagen wie heute genügend Tageslicht herein, um nicht auf Kunstlicht angewiesen zu sein.

Seine Werkbank. Sie reicht von der Mitte der Stirnseite bis zur Mitte der rechten Wand und ist aus Buchenholz gefertigt, darauf zurückgeblieben sind unzählige Spuren seiner Hände Arbeit. Für gewöhnlich werkelte Jakob in der Nähe des Fensters, von wo aus ein Blick in den angrenzenden Hinterhof möglich gewesen wäre, wäre seine Aufmerksamkeit in all den Jahren nicht ausschließlich von defekten Uhrwerken in Anspruch genommen worden, oder von Magdalena, die ihm einen Kaffee brachte, ihm sanft über den Rücken strich oder seine Nackenmuskulatur massierte.

Er legte dann seinen Kopf zurück und schloss die Augen. Sie küsste ihn auf die Stirn, strich mit der Hand sanft und liebevoll über seine Schläfe. Wenn sie wieder in den Laden zurückging, weil die Türklingel vom Eintritt eines Kunden kündete, oder ihr einfiel, was sie gerade hatte erledigen wollen, bevor sie in seine Nähe gekommen war, schenkte sie ihm jedes Mal ein Lächeln.

Aus dem Hinterhof ragt ein Walnussbaum auf, dessen Wipfel aus der Werkstatt heraus nicht mehr zu sehen ist. Jakob kann sich nicht daran erinnern, jemals dessen Größe bewundert zu haben. Jetzt schießt ihm in den Sinn, genau dies zu tun, das Fenster öffnen, sich hinauslehnen und mit seinem Blick die Krone des Walnussbaumes suchen. Er verwirft den Gedanken, so schnell er gekommen ist.

In all den Jahren gehörte seine Neugier ohne Ausnahme der Innenwelt jener Vorrichtungen, die dafür sorgten, dass ein mit gleichbleibender Geschwindigkeit ablaufender Vorgang beobachtbar bleiben konnte. Die Welt außerhalb der Werkstatt, des Ladens und seiner Zweisamkeit mit Magdalena verlor dadurch folgerichtig nach und nach an Bedeutung und je älter er wurde, umso weniger interessierte ihn die Welt der Menschen, die, in ewigem Fortschrittswahn begriffen, seiner Meinung nach immer schneller in die Irre ging.

Seine Werkzeuge liegen jetzt, wie jeden Tag nach getaner Arbeit, fein säuberlich aufgereiht, in den drei nebeneinander liegenden, mit schwarzem Samt ausgeschlagenen Schubladen, die unter der Arbeitsplatte der Werkbank angebracht sind. Bei dem Gedanken an seine Werkzeuge spürt Jakob, wie sich eine weitere Träne aus seinem linken Augenwinkel löst und feucht seine Wange hinabrinnt. Sie sind jetzt verloren und nutzlos, weil er sie nie wieder gebrauchen wird. Ein ganzes Leben ist in ihnen verschlossen, mit all der Liebe, Verletzbarkeit und Sehnsucht nach Schönheit und Vollkommenheit, die sein Dasein bestimmt hat, mit all der Angst und Hoffnungslosigkeit, die ihn mit dem Verlust von Magdalena heimgesucht und gequält hat.

Ein jedes seiner Werkzeuge ist von ihm in den letzten Tagen mit der gleichen Wehmut, mit der er jetzt den Raum und somit sein vergangenes Leben betrachtet, in die Hand genommen und gewürdigt worden. Sanft sind seine Finger über die harte und kühle Oberfläche geglitten. Immer noch fasziniert von ihrer filigranen Gestalt und Leichtigkeit hat er ein paar liebevolle Worte des Abschieds gemurmelt und sie dann vorsichtig, beinahe zaghaft, als seien sie zerbrechlich wie rohe Eier, auf ihren angestammten Platz in die jeweilige Schublade zurückgelegt. Mit der Zeit haben sich ihre Umrisse in den Samt eingeprägt und eine unverwechselbare Abbildung darin hinterlassen. Ein Geruch von Metall, Holz, Öl und Staub steigt ihm in die Nase, als er die Schubladen schließt und den Schlüssel dreht, abzieht und in seine Westentasche gleiten lässt.

Er klopft ein paar Mal sorgsam mit der flachen Hand gegen die Stelle, an der sich der Schlüssel befindet, als überlege er, ob er ihn jemals wieder benötigen wird, oder ob er dafür sorgen soll, dass er nicht mehr in die Versuchung kommen kann, ihn zu gebrauchen, indem er ihn zum Beispiel in den Fluss wirft, der nicht unweit von dort, wo sich seine Werkstatt befindet unter einer alten Brücke hindurchfließt. Er spürt den Schlüssel durch den groben Stoff, als seine Hand für einen kurzen Moment innehält, als wolle er sichergehen, dass er nicht herausfallen kann. Vorerst soll der Schlüssel bleiben, wo er ist, beschließt er, in der rechten Westentasche. Dort ist er gut aufgehoben und kann, wenn das Schicksal es will, verloren gehen.

Ein ganzes Leben lang war er darauf bedacht, die Dinge sorgfältig und äußerst ordentlich zu verwahren, was auch

Notwendigkeit war, hatte er doch tagtäglich mit winzigen und winzigsten Teilchen zu tun, die er handhabe und vor allem nicht verlieren durfte.

So kostet es ihn eine gehörige Portion Überwindung, die Kontrolle abzugeben und das Geschehen, den Schlüssel, seine Werkzeuge, die Werkstatt und die Zukunft dem Lauf der Dinge zu überlassen. Jakob hatte sich nie Gedanken darüber gemacht, weshalb er so innig mit seinem Zeug verbunden war. Er hatte es hingenommen, als einen ihm eigenen Wesenszug, den es weder zu verstehen, noch zu verändern galt, auch wenn manches dadurch für ihn einfacher gewesen wäre.

An der linken Wand befindet sich ein speziell für ihn angefertigter Apothekerschrank aus Eichenholz mit Schubladen und Schubfächern unterschiedlichster Größe und Form, der die gesamte Wandfläche bedeckt und bis zur Decke reicht. Darin verwahrte Jakob, instinktiv einem inneren ihm eigenen Ordnungssystem folgend, alles auf, was sich im Laufe der Jahre angesammelt hatte, von ganzen Uhrwerken bis zu den kleinsten Zahnrädchen, Zeiger und Zifferblätter, Gehäuse, geordnet nach Typen und Baujahr, Schrauben, Metallstifte, Spiralfedern, Lederarmbänder, Uhrenketten - allein fünf Schubladen wurden benötigt für eine Kuckuck-Sammlung - Türen und Fenster von Standuhren befanden sich darin, Pendel und Gewichte, Schraubenmuttern und Nieten.

So manche Mechanik hatte ihn in den zurückliegenden Jahren vor Herausforderungen gestellt, die ihm all sein Wissen, seine Fingerfertigkeit und nicht zuletzt auch seine Ge-

duld abverlangten. In seinem Leben sollte es keine Uhr geben, die es in seinen Augen nicht wert gewesen wäre, vor dem Wegwerfen bewahrt zu werden, das hatte er sich einst geschworen. Wobei den Schwur zu halten mit dem Verlust der Mechanik, der sich schneller vollzog, als er wahrhaben wollte, immer schwieriger wurde. Dennoch hatte er immer seinem Anspruch gehorcht, das Unmögliche möglich zu machen, wenn es um Uhren ging, die andere schon aufgegeben hatten, oder die aufgrund ihres schlechten Zustandes kein anderes Urteil zuließen, als nur noch weggeworfen zu werden.

Jakob wischt seine Tränen mit dem linken Handrücken fort, schließt die Tür zur Werkstatt, dreht auch hier den Schlüssel im Schloss, zieht ihn ab und betrachtet ihn länger als gewöhnlich, weil er nicht weiß, wo er ihn verstauen soll. Schließlich lässt er ihn zu dem anderen Schlüssel in die Westentasche gleiten. Just in diesem Augenblick wird ihm klar, dass er die Tür zwischen Werkstatt und Laden noch nie abgeschlossen hat.

Als er sich umwendet und nachdenklich den Kopf hebt, steht Magdalena hinter der Theke, den Rücken ihm zugewandt. Er kann ihre Wärme spüren, so wie wenn sich Haut und Haut berühren. Ein Geruch nach frischen Aprikosen und Vanille umhüllt ihn. Ihre Bewegungen sind fließend und wirken leicht, als sie sich zu ihm umwendet. Sie strahlt Zuversicht aus und über allem liegt ihr Lächeln, ihr freundliches Wesen, unerschütterlich, so als gäbe es nichts Schlechtes auf der Welt. So war sie und tat nicht nur so, weil sie ein Geschäft am Laufen zu halten hatte, liebend und sorgend.

Und mit einem Mal wird ihm klar, dass er alles verloren hat, was in seinem Leben Sinn und Erfüllung war. Es trifft ihn wie die Silberkugel den Vampir und reißt ihm die Seele entzwei. Er fühlt sich leer, müde und einsam. Da ist niemand mehr, der ihn erwartet, der ihn tröstet und mit ihm lacht, niemand, dem er Blumen mitbringen, den er verwöhnen und die Füße massieren kann. Jetzt gibt es nur noch ihn und die Einsamkeit.

Die wenigen Schritte durch den Laden legt er schnell zurück, ohne sich noch einmal umzuwenden, weshalb ihm auch die Uhren an den Wänden nicht mehr auffallen, die ihre Zeit verloren haben. Die Tür fällt hinter ihm ins Schloss, er zieht das Gitter herunter und überprüft, ob der Verschluss eingerastet ist, indem er das Gitter anhebt, bis er den Widerstand der Metallverriegelung spürt. Eine alte Gewohnheit, die sich hartnäckig weigert, die veränderten Bedingungen anzuerkennen.

2

Noch ist es nicht vorbei, noch ist es nicht vollbracht.

Aber ein Anfang ist gemacht.

Jakob richtet sich auf, drückt seinen Brustkorb nach vorn, legt noch einmal die linke Hand ins schmerzende Kreuz, zieht die feuchte und kühle Februarluft tief in seine Lungen und schlägt die gewohnte Richtung ein, erleichtert endlich hinter sich gebracht zu haben, was er Wochen vor sich her-geschoben hat.

Wie schön wäre es, wenn jetzt schon ein Hauch des kom-menden Frühlings durch die Straßen wehen würde, denkt er, und wie viel einsamer wäre ich, wenn dann die jungen Lie-bespaare mir begegneten bei meinen Spaziergängen im Park.

Er hat sich diesen Gedanken nicht ausgesucht, hat ihn nicht denken wollen, und weiß jetzt nichts mit ihm anzufan-gen, geht er doch für gewöhnlich in den Wäldern spazieren, die an das Dorf grenzen, in dem er lebt und das sich unweit der Stadt zwischen Hügeln versteckt, die vereinzelt mit alten Obstbäumen bestanden sind, die sich an den Wind lehnen. Eine überschaubare Anzahl an Seelen lebt hier, warum sich die Mühe machen sie zu zählen.

Ursprünglich hatte er geplant, Ende des Jahres zu schlie-ßen, am 31. Dezember, so als markiere dieses Datum den richtigen Zeitpunkt, eine alte Gewohnheit abzulegen, etwas Neues zu beginnen, oder einfach mit allem abzuschließen. Er hatte es nicht übers Herz gebracht.

Am 2. Januar saß er wie in all den Jahren zuvor an seiner Werkbank und feilte einen Metallstift, dessen Durchmesser und Länge auf das richtige Maß gebracht werden musste, hatte er doch in seinem Vorrat an Metallstiften den einen passenden nicht finden können.

Die Straße mit ihren Geschäften, deren Inhaber er alle mit Namen kennt, obwohl er nie viel mit ihnen zu tun hatte, liegt jetzt vor ihm wie eine Einbahnstraßensackgasse, in der es weder ein Zurück, noch ein Weiter gibt, keine Umkehr, keine

Zukunft. Dennoch setzt er Schritt für Schritt in die gewohnte Richtung. Die Wolkendecke reißt auf und die Sonne bricht durch. Viel zu wenig Kraft hat sie noch, um vom nahenden Frühling zu erzählen.

Wie an jedem Mittwoch ist Markttag. Wie immer sind viele Passanten unterwegs, als wollten sie gemeinsam den Winter vertreiben. Doch niemand scheint sonderlich Notiz von ihm zu nehmen.

Jakob ist noch nicht weit gekommen, als ihm einfällt, dass er seine Ledertasche in der Werkstatt vergessen hat. Wie angewurzelt bleibt er stehen. Er denkt tatsächlich darüber nach, umzukehren und die Tasche zu holen. Er nimmt in Gedanken vorweg, was es bedeuten würde, den Laden und die Werkstatt, gerade jetzt, wo er ein Ende gefunden hat, erneut zu betreten. Könnte es sein, überlegt er, dass ihm sein Unterbewusstsein einen Streich spielt, dass es ihn die Tasche hat vergessen lassen, weil er nicht aufhören will, weil er weiter an seiner Werkbank sitzen und arbeiten will, weil er weiter den Ort aufsuchen muss, an dem er die glücklichsten Jahre seines Lebens verbracht hat, weil er weiterleben will? Oder will ihm sein Unterbewusstsein klarmachen, dass er sein Leben nie wirklich gelebt hat und dass alles nur vergeudete Zeit war?

Weiter kommen seine Gedanken nicht, weil eine Stimme ihn anspricht, freundlich, dunkel und warm, getragen vom Selbstbewusstsein der Jugend.

»Entschuldigen Sie, können Sie mir vielleicht verraten, wie viel Uhr es ist?«

Die Stimme gehört einem jungen Mann in einem gelben Kaschmirpullover. Der Kragen eines Hemdes lugt darunter hervor, blaue Jeans und weiße Turnschuhe runden seinen Stil ab. Ein glattrasiertes Gesicht, helle, leuchtende Augen, die braunen Haare in Form gebracht. Er hält den rechten Arm, an dessen Handgelenk eine teure Armbanduhr dezent zur Schau gestellt wird, leicht erhoben und tippt mit dem Zeigefinger auf das blaue Zifferblatt, als könne er dadurch den Sekundenzeiger wieder in Bewegung setzen.

»Sie ist plötzlich stehengeblieben. Wahrscheinlich die Batterie.«

Der junge Mann hebt den Blick und schaut Jakob fragend an. Jakob starrt ebenso fragend zurück, bis ihm klar wird, dass er irgendwie reagieren muss, um nicht unhöflich, oder sogar verstört, zu erscheinen, was ihm peinlich wäre.

»Wissen Sie, ich trage heute keine Uhr bei mir. Ganz gegen meine Gewohnheit.«

Jakob bringt den Satz nur mühsam über die Lippen, spricht es doch ganz gegen seinen Anspruch, eine Uhr, die stehen geblieben ist, als Herausforderung zu verstehen.

»Hat ja auch was für sich. So ganz ohne Zeit. Nicht wahr? Trotzdem. Vielen Dank.«

Der junge Mann will schon weiter, als Jakob sich sagen hört, »Wenn Sie da vorn an der Ecke sind, können Sie die Kirche sehen. Die Kirchturmuhr geht immer richtig.«

Woraufhin der junge Mann innehält und offenbar überlegt, ob er zurückgehen sollte.

»Es wird sich schon jemand finden, der mir weiterhelfen kann. Trotzdem Danke.«

Er nickt Jakob zum Abschied zu und eilt davon.

Wie hätte er auch ahnen können, dass sich niemand wird finden lassen, dessen Uhr nicht stehen geblieben ist.

Jakob verfolgt noch einen Moment die Bewegung des gelben Kaschmirpullovers zwischen den Passanten und wendet sich dann in Richtung der Straßenecke, von wo aus die Kirche und somit auch die Kirchturmuhr zu sehen sein wird.

Ein Leben lang hat er mit Uhren zu tun gehabt und immer ist es ihm möglich gewesen, die exakte Uhrzeit einzustellen. In all den Jahren ist es nie vorgekommen, dass er eine solche Frage wie die des jungen Mannes in dem gelben Kaschmirpullover nicht hätte beantworten können. Nie hätte er so etwas für möglich gehalten, und gerade heute, an diesem schicksalsträchtigen Tag, an dem er sein altes Leben abzuschließen bereit ist, wird ihm diese Frage gestellt. Und er ist nicht in der Lage, sie zu beantworten. Fluchend kickt Jakob mit dem linken Fuß einen Kieselstein zur Seite, wie immer der auch auf den Gehweg gelangt sein mag.

Dann hört er die Worte von Magdalena im Ohr, »Hör auf zu fluchen. Das bringt Unglück.«

Woher die plötzliche Wut gekommen ist, bleibt ihm unerklärlich, gehört er doch nicht zu der Sorte Mensch, bei der mit plötzlichen Wutausbrüchen zu rechnen ist. Ganz im Gegenteil sogar. Er liebt den Frieden und die Harmonie, möchte mit jedem gut auskommen und vermeidet Streit und Zwist.

Als Jakob, noch tief in seine Grübeleien versunken, die Straßenecke erreicht, hat er die Ledertasche längst vergessen. Und was er jetzt sieht, erstaunt ihn umso mehr, als dass er sich nicht daran erinnern kann, dass es jemals zuvor der Fall gewesen ist. Die Zeiger der Kirchturmuhr stehen auf zwölf Uhr mittags und zeigen somit eine Uhrzeit an, die seinem Gefühl nach nicht stimmen kann. Und darauf kann sich Jakob unbedingt verlassen, auf sein Zeitgefühl, das sich in all den Jahren ausgebildet und ihn bisher nie im Stich gelassen hat. Jakob wartet dennoch, um sicherzugehen. Er hält den Blick auf den großen Zeiger gerichtet und erwartet den Sprung nach vorn, auf die erste Minute nach zwölf.

Doch nichts geschieht. Der Sprung des Zeigers will nicht kommen. Jakob wartet, bis er sich seiner Vermutung ganz sicher sein kann. Die Kirchturmuhr ist stehengeblieben. Hin- und hergerissen, ob er staunen soll, im Anblick dieses noch nie dagewesenen Zustandes der Kirchturmuhr, oder ob er sich schadenfroh freuen soll, da hier ein eindeutiger Beweis vorliegt, dass Handwerker wie er trotz allem noch gebraucht werden.

Jakob starrt immer noch ungläubig die unbeweglichen Zeiger an, als die ersten Tropfen auf seiner Brille landen und seine Sicht verschwimmt. Was mit vereinzelten Tropfen anfängt, verwandelt sich schnell in einen Regenguss, der ihn bis auf die Haut durchnässt, noch bevor er irgendwo Unterschlupf finden kann. Ihm ist kalt und er will nur noch nach Hause, sonst nichts, und dann nur noch eins. Die Uhrzeit ist ihm in diesem Augenblick gleichgültig und alles, was damit zusammenhängt, und auch alles andere.

Die Entscheidung, die lange schon in ihm gewachsen ist, ganz langsam wie ein Pilz, der sich zunächst unsichtbar unter der Oberfläche ausbreitet, sie ist jetzt durchgebrochen wie ein Sprössling durch die ihn bedeckende Erde, sie ist ihm ins Bewusstsein gelangt und dort zur Gewissheit geworden.

3

Als Anna am Donnerstagmorgen nach einem erholsamen und traumlosen Schlaf die Augen aufschlägt, weiß sie, noch bevor ihre Gedanken sich in dem neuen Tag so richtig zurechtgefunden haben, dass irgendetwas nicht stimmen kann. Es ist ein Wissen jenseits des menschlichen Bezugssystems, welches ihr an diesem Morgen zufällt, so als habe sich für einen Augenblick eine Verbindung zu etwas Größerem eingestellt.

Sie schlägt die Bettdecke zurück, ohne dabei vorher auf ihren Wecker zu sehen, schlüpft in ihre flauschigen Pantoffeln mit der rosa Schweinenase und schleicht vorsichtig zur Zimmertür, die sie seit ihrem 12ten Geburtstag nachts gänzlich schließt und nicht mehr wie früher einen Spalt breit offen stehen lässt, sodass sie bei dem spärlichen Schein des Wohnzimmerlichts sicher einschlafen konnte. Das macht sie jetzt schon über ein Jahr und bisher hatte sie nachts nie das Gefühl allein zu sein. Allerdings brauchte es ein paar Wochen, bis sie es geschafft hatte, ihren Eltern klarzumachen, dass sie anklopfen sollten, bevor sie ihr Zimmer betraten.

Ihren Eltern etwas klarmachen, hieß, sie dazu bringen, zu verstehen, dass andere ein Bedürfnis hatten, das sie nicht länger ignorieren konnten, ohne einen handfesten Streit zu riskieren, was bedauerlicherweise äußerst schwierig war. So etwas brauchte seine Zeit, Tage, Wochen, Monate, angefüllt mit Ärger, schlechter Laune, Geschrei, Tränen, knallenden Türen, verschwundenen Haustürschlüsseln, durchsuchten Jackentaschen und kaltem Essen, wenn überhaupt. Sehr oft in letzter Zeit fiel es gerade den Erwachsenen, die davon ausgingen, für sie und ihr Leben Entscheidungen treffen zu müssen, offenbar schwer, zu akzeptieren, dass sie kein Kind mehr war.

Anna legt bedachtsam die Hand auf die Türklinke und spürt die Kälte des Metalls auf der Haut, als sie diese ganz behutsam, vorsichtig darauf bedacht, nicht das kleinste Geräusch zu verursachen, ein Schaben etwa, oder ein Knarren, oder vielleicht ein Quietschen, nach unten drückt und die Tür einen Spalt breit öffnet, wobei sie instinktiv auf die Knie geht und ihren Kopf so weit wie möglich nach vorn schiebt.

»Es kann doch nicht sein, dass es in diesem ganzen, beschissenen Haushalt keine einzige Uhr mehr gibt, die noch funktioniert.«

Die Stimme ihres Vaters trägt den gleichen vorwurfsvollen Ton, den sie auch annimmt, wenn sie ihm eine schlechte Note vorlegt, weil sie eine Unterschrift braucht, die ihre Mutter verweigert. »Das soll dein Vater unterschreiben«, heißt es dann.

»Was erwartest du von einem beschissenen Haushalt?« Ihre Mutter hört sich entspannt an, fast triumphierend. »Na, sag schon, wieso erwartest du überhaupt noch etwas, wenn alles so beschissen ist?«

»Weißt du, wie viele Außentermine ich heute habe? Ohne Uhr ist das nicht zu machen.«

»Lenk nicht ab.«

»Ja. Schon gut. Tut mir leid. Dein Haushalt ist perfekt.« Ihrem Vater blieb in diesem Fall offenbar nichts anderes übrig, als einzulenken.

»Wieso mein Haushalt. Lebe ich etwa allein hier?«

Aber wenn ihre Mutter sich einmal an etwas festgebissen hatte, dann war es so wie bei diesen Tieren, die ihr Gebiss verriegeln konnten. Dann gab es nur eine einzige Möglichkeit. Man versuchte zu entkommen, indem man wegrannte und sie hinter sich her schleifte und darauf hoffte, dass sie loslassen würde.

Die Schritte ihres Vaters sind schon auf den untersten Stufen der Treppe zu hören und kommen schnell näher. Instinktiv drückt Anna die Tür zu und hält den Atem an. Doch ihr Vater ist zu sehr mit anderen Dingen beschäftigt, um sich jetzt um sie zu kümmern, auch wenn er bemerkt haben sollte, dass sie lauscht. Er geht an ihrem Zimmer vorbei und verschwindet in seinem Arbeitszimmer, wobei er hinter sich die Tür demonstrativ mit einem lauten Knall zuschlägt. Anna ist nicht sicher, ob er sie damit meint oder ihre Mutter, die ihm bis zur Treppe gefolgt ist und ihre Worte mit wenig Bedacht wählt.

»Wenn es dir hier in all der Unordnung und dem Dreck nicht mehr passt, dann kannst du dir gerne eine andere Bleibe suchen.«

Diesen Worten wohnt eine ungewohnte Härte inne, sodass Anna für einen Augenblick glaubt, ihre Mutter meine es wirklich ernst und werde ihren Vater gleich hinauswerfen.

Doch dann wird ihr klar, dass sie das niemals tun wird, und es sich hier nur um den Streit zwischen zwei Erwachsenen handelt, die sich manchmal unreif verhalten. Bisher hat Anna noch nicht vollständig verstanden, weshalb sich Erwachsene, oder zumindest Leute, die sich für erwachsen hielten, immer wieder mal, offenbar je nach Situation und Gelegenheit, reagierten wie Kinder. Sie glaubt sich zu erinnern, irgendwo gelesen zu haben, wenn man Menschen behandle wie Kinder, dann würden sie sich auch so verhalten.

Dadurch jedenfalls würde sich erklären, weshalb ihr diese Welt so befremdlich vorkam, insbesondere jenes menschliche Verhalten, das von einer kindischen Unvernunft gekennzeichnet schien. Jedoch blieben hier noch viele Fragen offen. Vielleicht war aber auch alles völlig normal.

Anna wundert sich, nicht etwa, weil ihr die Art elterlicher Debatten fremd wäre, sondern weil der Zeitpunkt nicht passt. Gewöhnlich diskutierten die beiden abends, wenn sie von der Arbeit nach Hause kamen, oder am Wochenende, wenn beide den ganzen Tag zu Hause waren. Und wenn es dann mal laut wurde, dann achteten sie peinlich darauf, dass die Nachbarn es nicht mitbekamen.

»Dann benutzt du eben die Uhr auf deinem Handy. Ist schon komisch, dass alle deine Zehntausender mit einem Mal stehengeblieben sind, findest du nicht?«

Ihre Mutter steht immer noch unten an der Treppe. Zehntausender war die von ihrer Mutter bevorzugte Bezeichnung für die Uhren ihres Vaters, die so teuer waren, dass Anna einen ganzen Sommer lang jeden Tag alle aus ihrer Klasse zu einem Rieseneisbecher in die Eisdiele hätte einladen können. Vielleicht auch die ganze Schule, aber da war sie sich nicht ganz sicher.

Es dauert einen Moment, etwa so lange, wie ihr Vater braucht, um sein Handy aus der Jackentasche zu nehmen und einen Blick darauf zu werfen.

»Merkwürdig. Das Handy zeigt null Uhr null.«

Ihr Vater geht langsam die Treppe hinunter und bleibt vor ihrer Mutter stehen.

»Zeig mal.«

Er gehorcht, wie er letztlich immer gehorcht, und hält seiner treuen Frau das Handy entgegen, sodass diese das Display sehen kann. Die beiden schweigen und verstehen sich plötzlich offenbar wieder vorzüglich. Das liegt wohl daran, dass sie auf ein gemeinsames Problem gestoßen sind, für das keiner von beiden eine Erklärung hat.

Es gibt in ihrem ganzen Haus keine einzige Uhr mehr, die funktioniert, das stellen die beiden jetzt gemeinsam und sehr einträchtig fest. Die im Zorn gesprochenen Worte scheinen vergessen. So schnell kann es gehen, dass Menschen sich verständigen, es braucht dazu nur ein Rätsel, von dem alle gleichermaßen angegangen werden.

Anna schleicht leise zurück in ihr Zimmer, riskiert einen Blick auf ihren Wecker und sieht, dass die Zeit, die er anzeigt, nicht mit der Tageszeit übereinstimmen kann, die sich aufgrund des Lichteinfalls durch ihr Fenster vermuten lässt. Behauptet doch ihr Wecker, es sei kurz vor drei Uhr, ob mitten in der Nacht oder Nachmittag, lässt er offen. Aber es muss früh am Morgen sein, sagt sie sich, die Zeit, zu der sie gewöhnlich aufsteht, um sich schnell anzuziehen, ein paar Spritzer Wasser ins Gesicht zu werfen, die Zähne zu putzen und mit einem knappen „Tschüss, ich muss los" die Haustür hinter sich zu schließen und zur Schule zu laufen.

Zwar hatte sich ihre Mutter daran gewöhnt, dass sie ziemlich selbständig ihren Kram erledigte, aber Anna weiß, dass ihre Mutter sie geweckt haben würde, sollte sie verschlafen haben. Obwohl, so ganz sicher konnte sie da eigentlich nicht sein. Weil ja auch ihre Mutter ohne Uhr nicht wissen konnte, ob es noch zu früh oder schon zu spät war, um das zu tun, was gewöhnlich zu einer bestimmten Uhrzeit am Morgen getan werden sollte.

Anna versucht sich daran zu erinnern, ob sie auf die Uhr gesehen hat, bevor sie zu Bett ging, aber das tat sie nie, also hatte sie wahrscheinlich auch am Vorabend nicht darauf geachtet, ob ihr Wecker noch funktionierte oder nicht. Ihre Eltern ermahnten sie zwar ständig, spätestens um 21 Uhr das Licht auszumachen und zu schlafen, aber welches Mädchen in ihrem Alter hielt sich an das, was die Eltern sagten? Das war wohl der Grund, weshalb sie nicht auf ihren Wecker gesehen hatte.

So war die Katastrophe, die bereits am Vortag begonnen und ihren Lauf genommen hatte, nicht nur an ihr, sondern auch an ihren Eltern bisher unbemerkt vorübergegangen. Es lag immerhin schon fast ein ganzer Tag zwischen dem Ereignis und dem Jetzt, also fast 24 Stunden, in denen keiner von ihnen bemerkt hatte, dass es keine Uhrzeit mehr gab. Aber das konnte Anna zu diesem Zeitpunkt der Geschichte noch nicht wissen.

Die Zeit war von keinem von ihnen gebraucht worden, weshalb sie in die Verborgenheit zurückgesunken war.

Ihre Eltern hatten ferngesehen und dabei eine Flasche Wein geleert und waren beide auf dem Sofa eingeschlafen, wie sie es immer taten. Irgendwann war einer von beiden aufgewacht, hatte sich aufgerappelt, den anderen geweckt, das Fernsehgerät ausgeschaltet und war schon mal ins Schlafzimmer gegangen und eingeschlafen, bevor der andere, der noch einen Umweg übers Bad machte, sich ebenfalls zur Ruhe legte.

Anna beschließt nicht mehr länger über Uhren nachzudenken, die nicht mehr funktionieren, zieht sich an, schleicht ins Bad, putzt ihre Zähne und überlegt, wie sie sich am besten von ihren Eltern verabschieden kann, ohne in eine ausufernde Diskussion verstrickt zu werden. Also wirft sie sich ihre Schultasche über die Schulter, poltert so laut es geht die Treppe hinunter, ruft so laut wie möglich, »Ich bin spät dran und darf den Bus nicht verpassen, Tschüss, bis heute

Abend«, und schon hat sie die Haustür erreicht und ist draußen. An der Straße angelangt, wirft sie einen Blick zurück, um ganz sicherzugehen, dass sie ihren Eltern entkommen ist.

Den Weg zur Bushaltestelle legt sie gemächlich zurück, schlendert an dem Zaun des Nachbarn mit dem Kirschbaum im Garten vorbei und überlegt, wie sie es im Sommer anstellen wird, an die Kirschen heranzukommen. Sie biegt an der Hauptstraße nach rechts und ist nach etwa hundert Metern an der Bushaltestelle, wo sie auf eine Gruppe von Fahrgästen trifft, die ebenfalls in aufgeregte Diskussionen verstrickt sind.

In diesem Augenblick wird Anna klar, dass etwas geschehen ist, was sich nicht so einfach in ihre bisher bekannten Kategorien guter oder schlechter Nachrichten wird einordnen lassen. Aus den aufgeregten und unvollständigen Satzfetzen, die zwischen den einzelnen Personen hin und her geworfen werden, kann sie irgendwann die Essenz herausfiltern und in einem Satz zusammenfassen. Offenbar sind wirklich alle Uhren stehen geblieben.

Zunächst denkt Anna an einen Ausflug aus der Anstalt, so wie in dem Film >Einer flog über das Kuckucksnest<, doch dann schlussfolgert sie, dass es sich hier durchaus um offenbar geistig gesunde Menschen handeln muss, weil die alle auf den Bus warten.

Als Nächstes findet sie die Lage der Dinge gar nicht mal so schlecht, denn, wenn es keine Uhrzeit mehr gibt, kann sie auch nicht zu spät zur Schule kommen. Doch noch traut sie dem Spuk nicht so recht. Sie will es nicht riskieren, dass alle sich irren und nachher der Lehrer, der ohnehin alles zu wissen vorgibt, auch über die exakte Uhrzeit verfügt. Das würde mächtigen Ärger bedeuten, weil nach drei Klassenbucheinträgen ein Verweis erfolgte, über den die Eltern informiert wurden. Zwar ist Anna kein Angsthase, aber auf zwei Wochen Ausgangssperre hat sie einfach keine Lust, zumal der Frühling vor der Tür steht. Also besteigt sie zusammen mit den anderen Wartenden den Bus, dessen Fahrer sich nichts anmerken lässt und so tut, als habe die Welt der Nahverkehrsmittel keine gravierende Störung ihrer Abläufe zu ertragen.

Und so gelangt Anna zu ihrer Schule wie immer, auch wenn sie heute besonders neugierig ist, zu erfahren, ob sie pünktlich ist oder zu spät kommt, falls es so etwas wie Pünktlichkeit überhaupt noch gibt und nicht alles, was einmal eine Ordnung im Ablauf der Ereignisse genannt werden konnte, fürs Erste verloren gegangen ist. Als sie ihre Klasse betritt, hat der Unterricht gerade begonnen und der Lehrer verhält sich, wie eben Lehrer sich manchmal verhalten, er würdigt ihr weder einen Blick, noch kommentiert er die Tatsache, dass sie seinen Unterricht stört.

Mathematik ist nicht ihr Ding, und das weiß er, und dafür hasst er sie, oder vielleicht auch wegen ihrer roten Haare, die er nicht leiden mag, weil sie, wie er behauptet, davon künden würden, dass sie, Anna, ein widerspenstiges Kind sei, oder aber auch, weil ihre Noten in Mathematik meistens vor dem roten Bereich eine Kehrtwende hinlegen, sodass er ihr auf dem Jahreszeugnis nie die Note geben kann, die er ihr wahrscheinlich gerne geben würde, so die Mutmaßungen über einen Lehrer, welcher sich nicht hinter seine oberflächliche Fassade blicken lässt.

Man könnte das Verhältnis zwischen Anna und ihrem Mathelehrer als abgestanden bezeichnen, wahrscheinlich durch gegenseitiges Zutun, aber auch unter dem Bemühen jedes Einzelnen eine größere Katastrophe zu verhindern. Anna wundert sich, dass alles so ziemlich abzulaufen scheint wie immer und überlegt, was sie von dem Gerede an der Bushaltestelle halten soll, bis der Lehrer sein Buch zuklappt, seine Unterlagen in der Tasche verstaut, mit einem kurzen, »Das war`s dann für heute«, die Klasse verlässt und dabei offenbar vergisst, dass er noch keine Hausaufgaben aufgegeben hat, ist er doch einer von der Sorte, die immer, aber auch wirklich immer, in jeder Stunde, sogar in der letzten Stunde vor den Ferien, Hausaufgaben aufgeben.

»Er weiß es«, murmelt Anna leise vor sich hin. »Er tut so, als sei alles normal, alle tun so, als sei alles normal, dabei stimmt hier überhaupt nichts mehr.«

Ganz gegen ihre Gewohnheit bleiben ihre Mitschüler in der kurzen Pause zwischen dem Lehrerwechsel auf ihren Plätzen sitzen. Bisher war es üblich, dass fast alle, mit Ausnahme einiger weniger, zu denen auch sie gehörte, sofort, nachdem der Lehrer den Raum verlassen hatte, aufsprangen, herumliefen und irgendeinen Blödsinn machten. Sie bewarfen sich mit dem nassen Schwamm, versteckten die Kreide, oder prügelten sich mit dem langen Lineal.

Einmal hatten zwei Jungs, von denen jeder eine kleine Bratpfanne aus dem Chemiesaal in der Hand hielt, mit dem nassen Schwamm ein kleines Schlagspiel veranstaltet. Bis einem von ihnen die Bratpfanne aus der Hand rutschte, durch den Raum flog und die stille Amelie, die eine Reihe vor ihr saß, am Kopf traf. Woraufhin die stille Amelie, als bestehe sie aus Gummi, von ihrem Stuhl rutschte und ohnmächtig auf dem Boden liegen blieb. Amelie habe nur eine Gehirnerschütterung, berichtete der Klassenlehrer zwei Tage später und ermahnte die ganze Klasse, solche gefährlichen Aktionen in Zukunft zu unterlassen.

Das war die Schule, ein Haufen Irrer, die sich wie Irre verhielten und von einem kleineren Haufen Irrer, die dachten, sie seien erwachsen, in Schach gehalten wurde, unter der Vorgabe, dass gemeinsam etwas gelernt werden solle, was keiner von ihnen jemals wirklich gebrauchen konnte. Aber noch war sie nicht alt und vor allem nicht mutig genug, einfach nicht mehr hinzugehen, obwohl sie das am liebsten getan hätte, einfach nicht mehr hingehen und den ganzen Tag im warmen Gras liegend den Wolken zusehen, wie sie mal langsam, mal schnell, über den Himmel ziehen, mal grau, mal weiß, mal hoch und mal niedrig, mal vereinzelt, mal dicht gedrängt.

Die Pause beginnt und endet ohne Klingelzeichen, indem die Deutschlehrerin nach der zweiten Stunde, die aufhört, als sie mit dem Stoff durch ist, den sie sich für diese Stunde vorgenommen hat, zu ihnen sagt, sie sollten jetzt in die Pause gehen.

Irgendwann erscheint der Schulleiter mit einer Trompete auf dem Pausenhof und spielt den Zapfenstreich, als er glaubt, die Pause könne jetzt vorbei sein, und gibt damit das Signal, dass alle wieder reinkommen sollen, um weiter Schule zu machen.

Zwar ist allen, die vorgeben erwachsen zu sein, anzumerken, dass sie verunsichert sind, doch beherrschen sie das Spiel von Macht, Kontrolle und Gehorsam so gut, dass sich von den Schülern keiner traut, mehr als üblich aus der Reihe zu tanzen.

Obwohl Anna neugierig ist, wie lange die Erwachsenen es schaffen werden, das Spiel auf diese Weise weiterzuspielen, kommen ihr Zweifel, ob sie am nächsten Tag die Schule wieder besuchen soll, da es augenscheinlich Wichtigeres zu tun gibt.

Als es zur fünften Stunde geht, ist Anna fest entschlossen herauszufinden, was da vor sich geht, und als sie nach der Schule an der Bushaltestelle steht und das lärmende Durcheinander hört und sieht, beschließt sie zunächst einmal lieber zu Fuß nach Hause zu laufen und dabei einen kleinen Umweg über den Friedhof zu machen, kann sie doch sicher sein, zu Hause nicht erwartet zu werden.

4

Anders als in dem kleinen Uhrmacherladen, der sich in einer unbedeutenden kleinen Stadt am Rande der Republik befindet, die in der Nähe des Dorfes liegt, welches, eingebettet in grüne Hügel und umgeben von dichten Wäldern, den Mittelpunkt der Welt bildet, die Jakob und Magdalena ihr Zuhause nannten, oder was immer noch Heimat ist, wird der Stillstand der Uhren im Rest der Republik, und weit darüber hinausreichend, im Rest der Welt, nicht nur bemerkt, wenn auch mit einer leichten Verzögerung, sondern auch in seiner ganzen Tragweite erfahren, und auch so weit verstanden, wie der menschliche Verstand in seiner derzeitigen Konstellation dazu imstande ist, aus dem Zustand der Gegenwart auf einen wahrscheinlichen Zustand in der Zukunft zu schließen.

Einem Lauffeuer gleich, oder besser noch dem Wind, der keine Grenzen kennt und keine Müdigkeit, rast die Nachricht im Mantel einer unmittelbar überprüfbaren Tatsache um die Erde. Angst und Panik folgen ihr, Verwirrung und Ratlosigkeit, da offenbar kein einziges Messinstrument mehr in der Lage ist, das Verstreichen der Zeit in Sekunden, Minuten und Stunden anzugeben, so wie es üblich gewesen ist in den zurückliegenden 700 Jahren. Der Hauptgrund der allgemeinen Verunsicherung und Angst scheint allerdings darin zu liegen, dass es keine Erklärung gibt.

So wie die Welt ein Dorf geworden ist und ein Dorf die Welt sein kann, drängen sich die Menschen auf den Straßen, sie sammeln und gruppieren sich, in unserem Fall auch in Höhe des Uhrmacherladens *TENNRIEGEL*, sie diskutieren aufgeregt und lamentieren, sie wirken ratlos und suchen eine Antwort auf die einzige Frage, die sie derzeit umtreibt, und in direktem Zusammenhang steht mit dem Problem, welches die meisten noch um ihr Handgelenk tragen, andere bereits abgelegt haben, oder in Händen halten, wieder andere, verstaut in einer Tasche, mit sich führen, zurzeit noch hoffend auf eine schnelle Lösung.

Fremd und bedrohlich muss es erscheinen, das Unheimliche, das Nochniedagewesene, und mit großer Wahrscheinlichkeit hat es etwas Vergleichbares im Laufe der gesamten Menschheitsgeschichte nur ganz selten gegeben, ein Phänomen, das jeden, und zwar zeitgleich betrifft, wie die Sintflut, oder die Eiszeit, ob krank oder gesund, arm oder reich, klein oder groß, alt oder jung, hier oder dort, schlafend, wachend oder träumend, weiß, gelb, rot, oder schwarz die Hautfarbe, Kind, Mann oder Frau, oder beides, oder alles zusammen.

Ausgenommen der Buschmann vielleicht, mit Frau und Kind, die, sich am Stand der Sonne orientierend, in ihren Tag hinein lebten und dabei einem Rhythmus folgten, den das Leben selbst vorgab. Sofern es einen solchen Buschmann mit Frau und Kind, in einer Zeit, die nichts mehr liebte als ihren technologischen Fortschritt, überhaupt noch gab, irgendwo in einem entlegenen Teil der Welt, der wiederum auch immer schwieriger zu finden sein dürfte.

Dennoch werden noch Menschen existieren, die, wie dieser Buschmann mit Frau und Kind, in einer fast vergessenen Welt leben, irgendwo an deren Ende oder Anfang. Das schreibt ein Gesetz vor, welches besagt, dass es im falschen Leben immer eine Erinnerung geben wird an das richtige Leben, auch wenn es nur eine Sehnsucht ist, ein Traum, oder eine Wahrheit, die es vermag allen Theorien zu widerstehen.

Bewohner unserer kleinen Stadt wie auch Besucher aus der näheren Umgebung sammeln sich vor dem verschlossenen Gitter des Uhrmacherladens und fragen sich, wieso der Tennriegel heute geschlossen hat, kann sich doch niemand der Anwesenden daran erinnern, dass dies jemals in den zurückliegenden Jahren vorgekommen wäre, so ganz ohne Ankündigung wie, *Heute wegen Trauerfeier geschlossen,* oder, *Bin kurz weg aber gleich wieder für Sie da. Gönnen Sie sich einen Kaffee schräg gegenüber, selbstverständlich auf meine Kosten.*

Auf den Tennriegel war immer Verlass, sagen die einen, und jetzt, gerade jetzt, wo wir ihn so dringend brauchen, so wie der Schwerverletzte den Notarzt, da hat er geschlossen und verweigert uns den Dienst, den er uns schuldig ist, weil die Gewohnheit ein Versprechen ist, das nicht gebrochen werden darf. Wer weiß, was in ihn gefahren ist, sagen die anderen, schließlich ist er nicht mehr der Jüngste, er dürfte schon über die siebzig sein. Da kann schon mal was passieren, von einem auf den anderen Tag, womit niemand rechnet, am wenigstens man selbst. Und dann ist es zu spät, um noch eine Nachricht an einer geschlossenen Gittertür anzubringen, um diejenigen, die davor warten, nicht im Dunkeln tappen zu lassen.

Wobei, das wäre zu seiner Entschuldigung anzubringen, in den letzten Jahren kaum noch jemand das Geschäft aufgesucht hat, und also aus Sicht des Tennriegel nicht damit zu rechnen gewesen sein kann, dass gerade heute, einen Tag, nachdem er für immer geschlossen zu haben glaubt, Hunderte hier Einlass begehren, und zwar mit Nachdruck.

Dabei scheint niemand auf die Idee zu kommen, dass möglicherweise auch der Tennriegel am gegenwärtigen Zustand der Zeitmessgeräte, wie auch am Zustand der Welt, nichts würde ändern können. Als müssten die Menschen in dem ständigen Bewusstsein leben, dass es in der größten Not zumindest einen gibt, der ihre Probleme zu lösen imstande ist. So auch hier, wo allen noch die Gewohnheit in den Knochen sitzt, dass im Fall eines Defekts der Uhr, der Uhrmacher die Sache zur Zufriedenheit Aller in Ordnung bringen wird, sofern es sich nicht um eine Wegwerfuhr handelt, die sich nicht öffnen lässt. Demzufolge ist es auch zu erklären, dass keiner der Anwesenden sich von hier fortbewegt.

Alle warten sie, reden wild durcheinander, wissen nicht, was sie tun sollen, versuchen verzweifelt selbst Hand anzulegen, drehen an den Einstellschrauben, klopfen gegen das Glas, schütteln und lauschen, ob sich noch etwas regt, was ein Ticken sein könnte, sofern die jeweilige Uhr noch ein Ticken kennt. An den Batterien kann es nicht liegen. Obwohl, ist es vielleicht möglich, dass so etwas wie eine elektromagnetische Welle die Batterien zerstört haben könnte, ein Sonnensturm möglicherweise, oder hat sich gar der Magnetpol verschoben? Wer weiß das schon und wer vermag es zu beurteilen? Das wird wohl den Experten vorbehalten bleiben, die vorgeben alles messen zu können, auch das Unsichtbare.

Dagegen werden die Worte der Wenigen, die noch eine mechanische Uhr besitzen, die aufgezogen werden muss, oder eine Automatik, die durch Bewegung sich selbst aufzieht, nicht gehört, sind sie doch zu bedeutungslos, um in Erscheinung zu treten und sich Gehör zu verschaffen, sofern sie überhaupt anstreben sollten, gehört zu werden. Manch einer wird in seinem Leben bereits die Erfahrung gemacht haben, dass es unter gewissen Umständen besser ist, im Hintergrund zu bleiben und zu schweigen.

Und dann ist da noch der Mann mit der wertvollen, mit Blattgold verzierten Standuhr aus dem siebzehnten Jahrhundert, die von ihm durch die halbe Stadt getragen wird, weil er die eigene Untätigkeit ebenso wenig ertragen kann wie die Vorstellung, eine besondere Gelegenheit ungenutzt vorübergehen zu lassen.

Groß und hager tritt seine Gestalt auf die Bühne vor dem Uhrmacherladen, alle Umstehenden überragend, ganz in Schwarz gekleidet, mit einem sanften Lächeln um die Augen und einem reinen Herzen, trotz des fortgeschrittenen Alters und einem Dasein, das ihm harte, körperliche Arbeit abverlangt, von dem seine Hände, übersät mit Schwielen, immer noch Zeugnis ablegen wollen. Einige alte Männer scherzen angesichts der Erscheinung des Schlaksigen und halten doch, wohl einem unguten Gefühl folgend, ehrfürchtig Abstand von ihm.

Der Schlaksige bleibt ohne Worte. Mag sein, er hat vor langer Zeit seine Sprache verloren. Was ihm zur Begrüßung der Lebenden geblieben ist, ist ein leichtes Kopfnicken, dem ohne besonderes Zutun eine ungewöhnliche Erhabenheit innewohnt. Behutsam setzt er seine mit Blattgold verzierte

Standuhr auf dem Boden ab. Kaum einer der Umstehenden bemerkt, dass sie, ganz gegen die Gewohnheit gewöhnlicher Standuhren, eine verschnörkelte Tür ihr Eigen nennt, welche elegant Zifferblatt und Zeiger zu verbergen weiß, und somit auch die Zeit.

Ob heute noch damit zu rechnen sein dürfte, dass der Laden geöffnet wird, dass der Tennriegel noch auftaucht und sich der Sache annimmt? Es ist jedenfalls nicht mit Sicherheit auszuschließen. Also überwiegt die Hoffnung, auch wenn bei den meisten keine Zeit zur Verfügung steht, zu warten auf einen Siebzigjährigen, der vielleicht nie kommen wird, unter Umständen, was niemand auszusprechen wagt, vielleicht schon tot ist.

Die Zeit des Wartens ist diesmal nicht zu messen, was einzig zählt, sind die unterschiedlichen Gefühle der Wartenden, und die driften, je nach seelischer Verfassung, weit auseinander, was kurz ist für die einen, ist für die anderen schon zu lang, was an den Nerven nagt bei jenen, deren Tag verplant ist, berührt die anderen wohl kaum, ist ihr Tag doch wie jeder andere, endlos scheinend und ohne Hast.

Natürlich kommt jetzt noch niemand auf den Gedanken, auf eine Sonnenuhr oder Sanduhr zurückzugreifen, um wenigstens eine ungefähre Vorstellung zu erhalten von Zeit. Vielmehr wird eine eindeutige Lösung des Problems angestrebt, die nur eines zum Ziel hat, den alten Zustand wieder herzustellen. Alle anderen Zustände würden für die meisten das Gefühl von Unsicherheit, wenn nicht sogar Angst, mit sich bringen.

Folglich wird allerorten und auf höheren Ebenen versucht, das Problem zu lösen. Umgehend macht sich ein Heer von Experten, verteilt über den ganzen Globus, an die Arbeit, die Situation zu analysieren, um diese dann im nächsten Schritt zu korrigieren. Mit voreiligen Versprechungen einer baldigen Klärung der Angelegenheit wird versucht, dem drohenden Verlust der vermeintlichen Gewohnheit von menschlicher Allmacht zu begegnen.

Dennoch, oder gerade deshalb, muss eine allgemeine Verwirrung einsetzen, als nach und nach klar wird, dass es sich nicht um Einzelfälle handelt, mit denen man es jeweils zu tun hat, sondern um ein Gesamtphänomen, ein weltweites Ereignis, ein Geschehen, von dem niemand und nichts verschont geblieben ist, wodurch die Wahrscheinlichkeit einer einfachen Lösung schnell in weite Ferne gerückt scheint, wie man annimmt.

Hypothesen und Theorien werden aufgestellt, alles in allem Vermutungen, die jedoch die Eigenheit mit sich bringen, als wissenschaftliche Erkenntnis verkleidet, ihre Macht entfalten zu können, was weltweit zu fieberhaften Aktivitäten zur Rettung der Sekunden, Minuten und Stunden führt und schließlich, wie sollte es anders sein, in einer Welle von übereilten Investitionen in alle möglichen Patentlösungen und Heilsversprechen mündet.

Es könne doch nicht so schwer sein, eine Uhr zu reparieren und wieder in Gang zu setzen, sagen die Finanzexperten zu den Wissenschaftlern und Ingenieuren und erklären, wenn wir anderer Leute Geld in die richtigen Leute und die richtige

Technik investieren, werden nicht nur wir, sondern auch die anderen am Ende einen gesalzenen Profit einstreichen, vor allem, wenn wir die ersten sind, die diese Situation für die eigenen Zwecke gewinnbringend nutzen können. Selbstverständlich erklären die Finanzexperten den angesprochenen Sachverhalt nicht in dieser Weise, vielmehr verwenden sie andere Begriffe und bevorzugen Ausführungen, die weniger direkt sagen, was geplant ist, untermauern ihre Argumente mit Expertisen und Balkendiagrammen, legen Tabellen und Berechnungen vor und zögern auch nicht, sogenanntes Risikokapital zu verteilen, ohne dafür eine Sicherheit oder Gegenleistung zu verlangen.

Und schon sind wir auf Abwege geraten, wollten wir uns doch an dieser Stelle, und bestmöglich auch an anderer Stelle, nicht mit dem Leben und Denken von Finanzexperten und Verantwortlichen in Politik und Gesellschaft befassen. Wer immer auch diese Menschen sein mögen, die auf ihre Weise und im Rahmen ihrer Möglichkeiten sicherlich versuchen, das Beste aus ihrem Leben zu machen, auch wenn sie manchmal das Leben ihrer Mitmenschen bei all ihrer Geschäftigkeit hin und wieder vergessen.

Festzuhalten bleibt: Niemand kommt auf die naheliegende und einfache Idee. Wohl deshalb nicht, weil uns Menschen gemeinsam nicht in den Sinn zu kommen vermag, einen Schritt zurückzutreten oder zur Seite, um sich dadurch einen neuen Standort zu verschaffen, von dem aus sich der Blick weitet und nicht verengt.

5

Wie es sich leicht denken lässt, und auch nicht anders sein kann in einer vollkommen technisierten Welt, bricht in ihren urbanisierten Teilen nach und nach Chaos aus. Abfahrt- und Ankunftszeiten öffentlicher Verkehrsmittel verschieben sich zunächst schleichend, da die zeitlichen Abläufe einer Art Nachhalleffekt unterliegen, wodurch es anfangs nur zu leichten Verschiebungen kommt, die sich jedoch im Laufe der Zeit zu immer größeren Verzerrungen ausdehnen, bis schließlich alle Leute sich damit abgefunden haben, oder sich abfinden müssen, einfach zu warten, bis der nächste Bus, die nächste U-Bahn, oder der nächste Zug kommt, so wie die, die vor dem Uhrmacherladen Tennriegel auf den Inhaber warten.

Der Flugverkehr kommt als Erstes zum Erliegen. Zu umständlich und belastend werden für die Menschen die langen Wartezeiten auf den Flughäfen und insbesondere in den Wartebereichen an den Gates, nachdem sie den Zoll und die Gepäckkontrollen passiert haben und in Zonen festsitzen, aus denen es nicht so einfach ein Entkommen gibt, wenn Wartezeiten sich ins schier Unermessliche ausdehnen. Ist doch möglicherweise schon das Gepäck verladen und wird für immer verschwunden sein, wenn man jetzt aufsteht und den Flughafen verlässt. Mit dem Verlust der Zeit steigt natürlich das Risiko von Unfällen erheblich an, was im Flugverkehr zu wesentlich verheerenderen Auswirkungen führen kann als in Bereichen, in denen es möglich ist, die Geschwindigkeit so weit zu reduzieren, dass genügend Reaktionszeit bleibt. Umsichtige Entscheidung tragen natürlich in erheblichem Maß dazu bei, dass sämtliche Pläne von Ankunft und Abfahrt, die es einmal gegeben hat und die den Menschen das Gefühl von Sicherheit und Orientierung vermitteln konnten, gegenstandslos werden, war doch die Welt der öffentlichen Verkehrsmittel gerade in den letzten Jahren in erster Linie auf Geschwindigkeit ausgerichtet worden.

Was den Flugverkehr betrifft, fällt die Entscheidung, das über alle Maßen gefahrvolle Unterfangen, angesichts des Umstandes zeitloser Fluglotsen und Kapitäne und somit fehlender Koordination, vorerst zu untersagen, bevor eine große Katastrophe den Ausschlag dafür geben wird, eine sinnvolle und richtige Maßnahme in die Tat umsetzen zu müssen.

Obwohl wir sicher sein können, dass die Geschehnisse in der Welt auch für das Leben unserer Protagonisten irgendwann von Bedeutung sein werden, ebenso wie für den Rest der auf der Erdkugel lebenden Menschen, wollen wir an dieser Stelle, auch wenn es interessant werden könnte, zu beobachten, wie die Masse auf ihre eigene, unbeholfene und auch bisweilen intelligente Weise, abhängig von dem Ort, an dem sie existiert, auf den Verlust der Zeit reagiert, doch lieber zurückkehren in die kleine, beschauliche und auf ihre Weise vollkommene Welt des Jakob Gottlieb Tennriegel. Wir entsprechen somit seiner Sicht der Dinge, die im Wesentlichen auf seine unmittelbare Umgebung gerichtet ist, statt in die Ferne zu schweifen und sich theoretisch mit jenen

Belangen auseinanderzusetzen, die weder von ihm beeinflusst, noch verstanden werden können.

Jakob, hätte er sich in diesem Augenblick mit dem Weltgeschehen beschäftigt, wäre es nicht viel anders ergangen als uns übrigen, die wir doch allzu leicht verführbar sind und dann überall in der Welt nur noch das Schlechte sehen, was dazu führen kann, dass wir uns in Gedanken damit herumschlagen und folglich, konfrontiert mit dem Unausweichlichen, hilflos oder wütend werden, was nichts anderes bedeutet, als dass das Böse von uns Besitz ergreift und wir zu ängstlichen, habgierigen, gar brutalen Untieren werden, die dann nur noch ihrem eigenen Nutzen folgen, so wie es nun einmal bestellt ist, um die zwei Seiten der gleichen Medaille, die jeder von uns um den Hals trägt.

Menschen, und da bildet Jakob keine Ausnahme, neigen allzu leichtfertig zu übereilten Handlungen, die zum Ziel haben, ihre überschaubare Welt wieder ein Stück besser zu machen, wenn sie aus den Fugen zu geraten scheint. Oft ist dann das Gegenteil der Fall, was wiederum oft übersehen wird.

Nicht, dass Jakob über solche Fragen intensiv nachgedacht hätte, um dann letztlich, aufgrund einer aus seinem Denken gezogenen Schlussfolgerung, sein Leben nach seiner Sicht der Dinge zu gestalten, eher verhält es sich so, dass Jakob sein Leben lebt, Schritt für Schritt wäre man geneigt zu sagen, um dann daraus, rückblickend, sofern es notwendig wird, seine bescheidene Sicht der Dinge abzuleiten, die es für ihn allerdings nicht wert ist, laut und somit für alle hörbar hinausposaunt zu werden.

Kurz gesagt, es gehört einfach nicht zu seinen Gewohnheiten, sich mit dem Weltgeschehen oder philosophischen Fragen auseinanderzusetzen.

Er ist kein Freund von Nachrichten, also meidet er sie, er liest keine Tageszeitung, beschäftigt sich nicht mit Politik, interessiert sich nicht für Mord und Totschlag, neue technologische Erfindungen können ihn nicht beeindrucken, er braucht sie nicht, er will auch nicht wissen, wann der nächste Eisenklotz die Erde treffen und alles Leben für immer auslöschen wird, nichts von einem Erdbeben will er hören, von einem Vulkanausbruch, einer Sturmflut, oder einem Raketenangriff, oder einem neuen Krieg, nichts von Plastik in den Weltmeeren und dem großen Fischsterben, der Verseuchung ganzer Landstriche und der Chemie in den Nahrungsmitteln, er will nichts wissen vom Artensterben, dem Hunger in der Welt und dem nächsten Weltraumabenteuer, nichts von den großen Konzernen, die die Welt unter sich aufteilen, nichts von dem Heer der Sklaven ihrer Arbeit, der Geschwindigkeit und des Geldes, nichts von dem, was die Welt an Ereignissen zu bieten hat, die es jenen wert erscheinen, berichtet zu werden, deren Geschäft aus Nachrichten besteht.

Wozu auch? Seine Welt war immer vollkommen. Und danach, nach Magdalenas Fortgang, verfiel er in eine merkwürdige Form der Lethargie, die nicht enden wollte.

6

Magdalena. Die Erinnerungen an sie schnüren ihm die Kehle zu und zwängen sein Herz in die Knie.

»Magdalena.« Ganz leise spricht er ihren Namen aus. Sie ist die Liebe seines Lebens.

Sie hielt ihm den Rücken frei, solange sie lebte. Sie erledigte die Einkäufe, was naheliegend war, da er seinen Führerschein abgegeben hatte und sie zum Einkaufen in die Stadt fahren mussten und das schon seit über 20 Jahren, seit der kleine Dorfladen für immer geschlossen hatte. Alle Versuche einiger weniger Hoffnungsträger, das Dorf durch die Eröffnung eines Ladens neu zu beleben, scheiterten nach wenigen Monaten.

Magdalena fuhr gerne zum Einkaufen in die Stadt. Nie drängte sie ihn, sie zu begleiten, was ihm früher immer sehr entgegenkam. Doch fragte sie ihn stets, ob er mitkommen möchte. Er hasste Einkäufe und das genügte Magdalena, um auf seine Nähe ohne Klagen zu verzichten. Und dadurch hielt sie ihm den Rücken frei, wie der Volksmund zu sagen pflegt, wenn jemand hinter einem steht, der dafür sorgt, dass gesehen und getan wird, was dem eigenen Blick sich zu verbergen sucht. Weil er wusste, dass sie alles das, was sie tat, so tat, wie sie es tat, weil sie ihn liebte ebenso wie ihr gemeinsames Leben, entschied er hin und wieder, sie zu den Einkäufen zu begleiten. Und je älter er wurde, umso häufiger, schloss er sich ihr an. Bis schließlich nichts anderes mehr in Frage kam, als alles gemeinsam zu tun, weil das Alter ihm unmissverständlich klarmachte, dass ihre gemeinsame Zeit begrenzt war, und es ihm somit nur als folgerichtig erschien, so oft wie möglich in ihrer Nähe zu sein, ganz gleich, ob damit Unannehmlichkeiten verbunden waren oder nicht.

Ihre Liebe wurde schließlich zu dem, was sie war, weil er sie und sie ihn dabei haben wollte, weil sie zueinander die Nähe suchten, ganz gleich, was zu erledigen war, was beiden wiederum entgegenkam und mitunter dazu führte, dass sie einfach nur zusammen waren und sonst nichts, was wiederum bedeutete, dass das ursprüngliche Vorhaben aufgeschoben werden musste.

Magdalena. Sie kümmerte sich um den Haushalt. Bei ihr hatte alles seinen Platz, was in den Haushalt hineingehörte wie Lebensmittel, Geschirr, Pfannen, Töpfe und Putzzeug und alles wurde beseitigt, was ihrer Meinung nach nichts in einem guten Haushalt zu suchen hatte wie Staub, Schmutz, Essensreste und Fliegen. Ganz einfach. Und je liebevoller sich Magdalena um den Haushalt kümmerte, umso stolzer und selbstsicherer begegnete sie all jenen, die behaupteten, eine Frau müsse Karriere machen, um sich vollwertig zu fühlen. Oft war sie geneigt, zu entgegnen, »Wie sich eine Frau oder ein Mann fühlt, sollte nichts mit einer beruflichen Karriere zu tun haben, denn nicht der Beruf ist, was das Leben lebenswert macht, sondern die Aufgabe, die einem vom Leben zugeteilt wird.«

Meistens schwieg Magdalena jedoch und behielt ihre Weisheiten für sich.

Im Sommer hatten sie zwei Wochen geschlossen und verbrachten die Zeit in ihrem Garten, den beide mit viel Sorgfalt und Liebe hegten und pflegten. Am liebsten hätte er, Jakob Gottlieb Tennriegel, der Herr über die Mechanik aller Uhrwerke war, diese Zeit angehalten, so schön waren diese warmen, sonnigen Tage jedes einzelnen, einzigartigen Sommers. Hier ein bisschen Haken, dort ein altes Brett austauschen, morgen die Sitzbank ausbessern und neue Farbe für den Geräteschuppen.

Während eines Spaziergangs sagte Jakob eines Tages ganz unverhofft zu Magdalena, »Wenn ich könnte, würde ich diesen Sommer anhalten.«

Es war ihm nicht möglich, denn die Zeit offenbarte sich als ein ständiger Fluss, ein ständiges Vergehen, ein ständiges Werden, an dessen Ende offenbar der Tod seinen Stützpunkt eingerichtet hatte.

Am Ende des Sommers starb Magdalena unerwartet an den Folgen einer Krankheit, die kein Arzt kannte.

Und sie hätte so gerne noch weitergelebt.

Sie hatte das Leben so sehr geliebt, dass Jakob, als ihm klar wurde, dass Magdalena dieses wunderbare Leben für immer genommen war, zusammenbrach.

Über 50 Jahre lang hatte Magdalena hinter der Theke gestanden und die Kunden bedient, während er hinten in der Werkstatt Batterien gewechselt und Uhren repariert hatte.

Was ihnen beiden darüber hinaus blieb, so haderte er seit geraumer Zeit, waren 50 gemeinsame Sommer, die jeweils nur 14 Tage währten. Das machte 700 Tage gemeinsames

Leben. Das entsprach 16.800 Stunden. In Minuten waren das 1 Million und 8 Tausend. Wie viele Atemzüge tat ein Mensch in einer Minute?

So lernte er eine Mathematik zu verachten, die auf solche Weise dem Leben auf die Pelle rückte.

7

Anna liebt es, an den Reihen der Gräber entlangzuschlendern und die Namen auf den Grabsteinen zu lesen und sich vorzustellen, wer diese Menschen gewesen sind, wie sie ihr Leben gelebt, welche Ängste und Sorgen sie gequält und welche Hoffnungen und Begehren sie vorangetrieben hatten. Waren sie glücklich, oder von all den Enttäuschungen, die das Leben mit sich zu bringen pflegte, entkräftet, wie Pflanzen, die ihr Wachstum einstellen, wenn der Boden, in dem sie wurzeln, austrocknet oder übersäuert?

Eine Erklärung dafür, wie eine solche Vorliebe sich bei einem Kind wie ihr in einer derartigen Weise entfalten kann, wird selbst einem Experten für menschliche Daseinsweisen nicht auf Anhieb einfallen, und würde ein mühseliges Unterfangen bleiben, intensiver als bisher darüber nachzudenken. Gefragt hat noch keiner, weil die Besuche auf dem Friedhof Annas Geheimnis sind und auch bleiben sollen. Hätte sie eine beste Freundin, dann wüsste auch die nichts davon.

Anna liest die unter den Namen stehenden Jahreszahlen, die das Leben einzurahmen scheinen - Franziska Maurer, 1939 – 2012, Berthold Kessler, 1945 – 2005, Joachim Hager,

1955 – 2016, Sabine Jesomeit 1972 – 2000 - ein Name und ein Leben vom Zeitpunkt der Geburt bis zum Zeitpunkt des Todes, als gäbe es nichts davor und nichts danach, und sie überlegt, ob das alles ist, was von einem gelebten Leben bleiben wird, abgesehen von all den anderen Hinterlassenschaften eines Toten, von denen jedoch nur diejenigen Kenntnis erlangen konnten, die den Toten auch zu Lebzeiten nahe waren. Oft berechnet Anna die Differenz zwischen den beiden Jahreszahlen, als versuche sie auf diese Weise sich selbst immer wieder klarzumachen, dass die Lebenszeit eines Menschen begrenzt sein muss, will man den Steinen und den Zahlen vertrauen, auch wenn irgendetwas ganz tief in ihr drin, dort, wohin der Verstand nicht vordringen kann, nicht glauben will, dass alles einfach so vorbei sein soll.

»Das Leben glaubt nur an das Leben!«

Dieser Satz fiel ihr eines Tages ein, als sie über die Frage von Leben und Tod nachdachte, und sie notierte ihn in ihr kleines, schwarzes Notizbuch, hatte sie sich doch in den letzten Monaten angewöhnt, immer ein solches dabei zu haben, falls Gedanken kamen, die ihr wichtig erschienen und daher nicht vergessen werden durften. Irgendwie war sie der Idee verfallen, ihre Gedanken aufzuschreiben, zumal solche Gedanken, die auf ihre Existenz und ihr Dasein abzielten und dazu führten, dass sie anfing, Fragen zu stellen, in ihrem Leben etwas Neues darstellten.

»Das Leben glaubt nur an das Leben! Warum? Gibt es also im Leben keinen Tod? Gibt es etwa im Leben nur das

Leben? Und was hat das zu bedeuten? Und was hat das alles mit mir zu tun?«

Anna war sich bewusst, dass nicht jeder solche Gedanken empfing. Ihre Eltern zum Beispiel hatte sie nie über solche Art Fragen reden hören, die Lehrer in der Schule schwiegen sich darüber aus und viele andere Gespräche von Erwachsenen, die sie zufällig mitbekam, oder manchmal sogar heimlich belauschte, drehten sich um Ereignisse und Herausforderungen, die der Alltag gewöhnlich mit sich zu bringen pflegte, die Höhe des Gehalts, steigende Preise, Urlaub, Heirat, Geburt der Kinder, Scheidung, Verlust der Arbeit, Kollegen, den neuen Chef, die Party am Wochenende, den Film im Kino, den Ärger mit der Steuer, Krankheiten und Unfälle, das Problem mit der leckgeschlagenen Wasserleitung und all das, was sonst so in den Nachrichten vorkam.

Aber wenn die Sorgen der Menschen sich überwiegend mit sich selbst beschäftigten und das normal war, wieso tauchten in ihrem Kopf immer wieder Gedanken auf, die über die eigene Existenz und die eigene Begrenzung hinausreichten? War sie etwa nicht normal? Und wenn ja, was stimmte nicht mit ihr?

Jetzt hätte sie ihren Großvater gebraucht. An ihn hätte sie sich mit ihren Fragen wenden können. Wenn sie an ihren Großvater dachte, dann wurde Anna wütend auf den Tod, er machte sie ärgerlich und manchmal hasste sie ihn sogar. Auch dafür gab es keine vernünftige Erklärung. Das einzige, was sie von ihrem Großvater besaß, war seine Taschenuhr und ein Schwarzweißfoto, das ihn an seinem Hochzeitstag vor der Kirche zeigte, neben ihm seine Frau in einem weißen Kleid mit einem einfachen, weißen Schleier auf dem Kopf. Anna hatte ihren Großvater nie kennengelernt.

Er starb, als sie geboren wurde. Wahrscheinlich fühlte sie sich deshalb immer schon auf merkwürdige und unerklärliche Art und Weise mit ihrem Großvater stärker verbunden, als mit einem noch lebenden Mitglied ihrer Familie, ihre Eltern eingeschlossen. So sehr Anna darüber nachdachte, wieso ihre Verbindung zu einem Menschen, den sie nur von einer Schwarzweißfotographie her kannte, so intensiv und außergewöhnlich war, sie konnte keine Antwort auf diese Frage finden. Also blieb ihr nichts anderes übrig, als es hinzunehmen und eben darum auch besonders zu pflegen.

Die Taschenuhr, die sie gut verwahrt in ihrem Geheimversteck weiß, einem Platz in ihrem Zimmer, den ihre Mutter nie finden würde, so sehr sie auch suchen mochte, kommt ihr auf dem Weg zum Friedhof in den Sinn und der Drang, zu überprüfen, ob die Taschenuhr des Großvaters noch funktioniert, ist stärker als die Verlockungen, die der Friedhof heute für sie bereithalten könnte, obgleich beides dem Großvater gilt, die Uhr und das Grab.

Was, wenn sie eine Uhr besitzen würde, die noch funktionierte? Ja, was dann? Sie hat keine Ahnung und will diesen Gedanken auch nicht weiterdenken, weil er ihr irgendwie Angst macht und weil es bedeutet, dass sie sich für zu wichtig nimmt. Dennoch zögert sie und überlegt für einen Augenblick, ob sie jetzt zuerst nach Hause und dann auf den Friedhof gehen soll, oder umgekehrt. Schließlich gibt sie dem Drang nach und entscheidet sich nach langem Hin und Her dafür, zuerst nach Hause zu laufen und die Taschenuhr zu kontrollieren und anschließend mit dem Großvater zu reden.

Das Geheimversteck befindet sich hinter der Fußleiste und besteht aus einem Hohlraum in der Wand, den Anna entdeckt hatte, als sie in einem sehr heißen Sommer Besuch von einer Horde Ameisen erhielt, die über eine gut befahrene Straße von der Fußleiste quer durch ihr Zimmer unter der Türschwelle hindurch liefen und sich dabei kaum in die Quere kamen. Sie wischen auch nicht von ihrem Weg ab, als Anna ihn mit ihrem Mathematikbuch versperrte. Also beschloss sie abzuwarten und die Besucher zu beobachten. Sie war in diesem Sommer für ein paar Tage allein zu Hause, weil ihre Eltern zu einer Hochzeit von Freunden eingeladen waren, zu der sie nicht hatte mitkommen wollen. Insofern brauchte sie sich keine Gedanken zu machen, dass ihre Mutter ihren neuen Freunden gleich mit der Chemiekeule kommen würde. Also lebte sie mit den Ameisen und wartet ab.

Dann, von einem auf den anderen Tag, waren die Besucher fort, und weil sie neugierig war, was sich wohl hinter der Fußleiste verbergen würde, unter der die Ameisen hervorgekommen und wieder verschwunden waren, suchte sie im Keller einen passenden Schraubenzieher und löste die Schrauben, mit denen die Fußleiste an der Wand befestigt war.

Was zum Vorschein kam, war ein etwa faustgroßes Loch in der Wand. Mit einem Teelöffel erweiterte Anna dann das

Loch, bis es groß genug war, ein kleines Holzkästchen aufzunehmen, in dem Anna ihre Heiligtümer aufbewahrte, zu
denen auch die Taschenuhr ihres Großvaters gehörte.

Ein leichter Druck mit dem Daumen auf die Krone und
der gravierte Deckel springt auf. Ein weißes Zifferblatt,
schwarze Zahlen und drei schwarze Zeiger, ein langer dün-
ner, ein kleiner breiter und ein etwas längerer mittlerer Brei-
te. Sie kann sich nicht erinnern, wann sie die Uhr zum letzten
Mal aufgezogen hat und sie zögert, als sie das kleine, gerif-
felte Rädchen zwischen Daumen und Zeigefinger nimmt.
Nach allem, was sie an diesem Tag erfahren hat, sind in der
ganzen Stadt die Uhren stehen geblieben und so sehr sich die
Leute auch abmühen, herauszufinden, was geschehen ist,
keiner hat eine Erklärung für dieses Phänomen.

Der Gedanke gibt keine Ruhe. Was wäre, wenn die Uhr
ihres Großvaters, die vor langer Zeit stehen geblieben ist und
von ihr seither vielleicht ein oder zweimal aufgezogen worden war, um dann wieder in ihrem Versteck zu verschwinden, um erneut stehenzubleiben, wenn diese Taschenuhr
noch funktionieren würde, wenn ihre Zeiger sich in dem für
sie vorgesehenen Rhythmus fortbewegen und das Verstreichen von Zeit im Rahmen der für sie vorgesehenen Möglichkeiten messen würden?

Anna legt die Taschenuhr wieder zurück in ihr Versteck,
betrachtet sie für einen Moment und nimmt sie wieder hervor, wiegt sie in der Hand, öffnet den Deckel, nimmt das
Rädchen zwischen Daumen und Zeigefinger, bewegt es

leicht hin und her und hört das Geräusch, das beim Aufziehen einer Uhr entsteht, die keine Batterie braucht.

8

Am nächsten Morgen weiß Jakob immer noch nicht, was in der Welt vor sich geht. Seit jenem schicksalsträchtigen Autounfall ist alles anders geworden. Insofern braucht Jakob keine Gedanken aufzubringen, eine Angelegenheit zu verstehen, die selbst für ein Team aus hochdekorierten Experten das Geheimnis ihres Ursprungs mindestens so gut verwahrt wie das Sein selbst, wie Raum und Zeit, Gott, die Weltseele und noch so manches Andere, was nie erklärt werden kann, obwohl es sich hierbei um ein Phänomen handelt, welches gerade Jakob in einer Weise anspricht, die ihn nicht gleichgültig lassen würde.

Doch heute bringt Jakob überhaupt keine Gedanken auf. Er setzt gedankenlos einen Fuß vor den anderen, solange bis er vor dem Grab von Magdalena steht.

Die Entscheidung ist getroffen.

In der kleinen, schwarzen Stofftasche, die er mit sich führt, befinden sich nicht die üblichen Werkzeuge, die benötigt werden, um ein Grab zu pflegen, sondern lediglich ein Glas und eine Flasche Wasser, und dann noch ein ganzes Päckchen voll mit jenen weißen Pillen, die ihm den schmerzlosen Übergang dorthin ermöglichen sollen, wo Magdalena ihn längst schon erwartet, wie er hofft.

Die Entscheidung ist getroffen.

Vom Leben hat er nichts mehr zu erwarten, wozu also noch in dieser Welt bleiben, allein und vor allem mit der Aussicht auf die große Entwürdigung, die auf alle wartet, die älter und älter werden, nicht mehr allein klarkommen und auf die Hilfe anderer angewiesen sind. Dann doch lieber allen Mut zusammensuchen, der nach einem viel zu langen Leben in Anpassung noch übrig geblieben ist, um das eigene Schicksal in die eigenen Hände zu nehmen, auch wenn er daran zweifelt, ob ihm das wirklich erlaubt ist. Schließlich ist das Leben ein Geschenk und niemand wird gefragt, ob er geboren werden möchte. So unterliegt auch der Tod nicht der eigenen Entscheidung. Sich darüber hinwegzusetzen, würde nicht ohne Konsequenzen für die Seele bleiben.

Es kann nicht so schwer sein, ein Glas Wasser zu trinken, daran hat er sich in einem langen Leben gewöhnt. Eine unüberwindbare Schwierigkeit könnte höchstens darin liegen, zu wissen, dass es das letzte Glas Wasser sein wird, das er trinkt, und in der Angst, die mit der Ungewissheit des Danach eng verbunden ist. Auch der Glaube an ein Leben nach dem Tod kann nicht darüber hinwegtäuschen, dass das Leben auf der Erde, so wie es ist, trotz allem Leid und Kummer, in einer wunderschönen Welt, dann zu Ende sein wird, unwiederbringlich. Vielleicht ist es die falsche Frage, die er beantwortet zu haben glaubt, wenn er davon ausgeht, er habe vom Leben nichts mehr zu erwarten. Doch daran versucht er nicht zu denken.

Zu dem anderen Grab hinüber zu gehen, zu dem kleinen mit dem weißen Stein, das weiter hinten, durch einen Liguster vor seinen Blicken verborgen liegt und seit Jahren geduldig auf seinen Besuch wartet, soll ihm auch heute unmöglich sein. Es drängt sich in seine Gedanken und will sich nicht vertreiben lassen. Dem Grab mag es egal sein, ob er kommt oder nicht, da es keine Zeit kennt. Doch diesen Schritt zu wagen, einen, zu dem ihm bisher immer der Mut fehlte, will ihm nicht gelingen.

Der Frühling könnte inzwischen mit seiner ganzen Wucht und Kraft eingebrochen sein, so warm ist es heute, und wäre nicht noch Februar, könnte der Tag über die Jahreszeit hinwegtäuschen.

Das Grab von Magdalena wartet auf seine Bepflanzung, als sei es bereits daran gewöhnt, jedes Jahr im Frühling ein neues, noch bunteres Gesicht zu bekommen. Es wird sich gedulden müssen. Der Stein ist schlicht gehalten, so wie er Magdalena gefallen hätte, weißer Marmor, glatt poliert, in der Form einer Zunge.

Jakob lässt sich auf einer Bank in der Nähe des Grabes nieder und wartet ab, was geschieht, obgleich er nicht davon ausgeht, dass überhaupt noch irgendetwas geschehen wird. Der Friedhof scheint ein ereignisfreier Ort zu sein, so kommt es ihm manchmal vor, ein Ort ohne Zeit, und das ist womöglich der Grund, weshalb er immer gerne hier hergekommen ist und sich länger aufgehalten hat, als irgendein anderer Besucher, oder Gast, oder wie immer man einen Menschen bezeichnen will, der sich auf einen Friedhof begibt, sofern er noch am Leben ist.

Einmal hatte er von indischen Gurus gehört, die es geschafft hatten, sich durch reine Konzentration aus dem Leben zu befördern. Aber er ist kein Guru.

Also zieht er das Glas aus der Tasche und stellt es neben sich auf der Bank ab, ganz vorsichtig, als könne es durch die kleinste Erschütterung sogleich in Scherben gehen. Gut möglich, dass Magdalena nicht einverstanden ist mit seinem Plan, was zu Unstimmigkeiten führen könnte, zu einem Ungleichgewicht im Universum, sodass sie beide im Jenseits Schwierigkeiten haben werden, in eine Harmonie zu finden. Doch ist ihm auch klar, dass das Jenseits nicht mit menschlichen Maßstäben zu messen sein dürfte, Sachverhalte wie Ungleichgewicht, Harmonie, oder Unstimmigkeit gibt es dort nicht, wobei auch das Dort als Bezeichnung eines Ortes der Angelegenheit wahrscheinlich nicht angemessen ist.

Er kann nicht wirklich wissen, ob seine Gedanken von Harmonie und Unstimmigkeit nur für das Leben im Hier und Jetzt, jedoch nicht für das Sein im Jenseits Gültigkeit haben, doch davon will er ausgehen. Da er noch unter den Lebenden weilt, ist es ihm nicht möglich, andere Gedanken zu denken, da Denken sich immer ereignet in Form von Sprache, die wiederum an das Leben selbst gebunden ist, weshalb wahrscheinlich Denken nie ausreichen wird, die letzten Geheimnisse des Daseins zu ergründen.

Langsam schraubt Jakob den Deckel der Wasserflasche auf und lässt die Flüssigkeit in das Glas fließen, langsam und vorsichtig, bis es dreiviertel voll ist. So als dürfe nichts unüberlegt getan werden, schraubt Jakob die Flasche wieder zu und stellt sie neben dem Glas ab. Eine nach der anderen drückt Jakob die Pillen aus ihrer Verpackung und lässt sie in das Glas fallen, ohne sie dabei anzufassen. Sie sammeln sich am Boden des Glases, türmen sich dort auf und sträuben sich gegen die Veränderung ihres Zustandes, jedenfalls könnte man diesen Eindruck gewinnen, da kein Hinweis auf ihre Auflösung zu erkennen ist. Unzählige und winzig kleine Bestandteile sollten sich jetzt lösen und das klare Wasser eintrüben, sodass es sich allmählich in eine milchige Flüssigkeit verwandelt.

Seine Hand zittert nicht, als er das Glas aufnimmt und es bedachtsam in leichten Kreisbewegungen um die eigene Achse rotieren lässt, um den Vorgang zu beschleunigen. Die kleinen, weißen Scheiben bewegen sich entgegen den kreisenden Bewegungen des Glases, so wie man es aufgrund der physikalischen Gegebenheiten erwartet, doch sie scheinen sich beharrlich dem chemischen Gesetz zu widersetzen, das besagt, dass feste Stoffe, sich in einer Flüssigkeit auflösen, wenn die Bindungskräfte der Elemente sich verlagern.

Nicht dass Jakob es besonders eilig hätte, aber tatenlos zusehen, wie sich das klare Wasser weigert, sich in eine milchige Flüssigkeit zu verwandeln, das hält er nicht länger aus. Wut steigt in ihm auf, weil sich die Welt seinen Erwartungen widersetzt, und er steht kurz davor, seinem Impuls nachzugeben und das Glas samt seinem Inhalt gegen den nächsten Baum zu werfen.

9

Das Geräusch knirschender Schritte auf Kies lässt ihn erschrocken aufschauen. Sie ist nur noch wenige Meter von ihm entfernt und steuert selbstsicher auf die Bank zu, als sei diese nicht schon von ihm besetzt. Auch fragt sie nicht, ob sie sich zu ihm setzen dürfe, sondern nimmt den Platz neben ihm in Anspruch, als gehöre sie unweigerlich zu ihm, als sei sie eine Verwandte oder Bekannte der Familie. Er sieht das Mädchen nur kurz an und denkt, dass ihre roten Haare ihr sicher keinen Gefallen tun und überlegt, was er tun könnte, um ein Gespräch, bevor es überhaupt stattfinden kann, zu unterbinden. Gerade jetzt und gerade hier ist es ihm nicht möglich sich auf ein Gespräch über Belanglosigkeiten einzulassen. Doch einfach aufstehen und weggehen, ohne Erklärung, das lassen seine guten Manieren nicht zu. Dann schießt ihm ein Gedanke in den Sinn, der ihn erschaudern lässt. Sie müsste jetzt in ihrem Alter sein.

Und dann ist, was nie vergessen werden durfte, mit einem Mal wieder da, als sei es gestern gewesen.

Sein Rückzug hatte unmittelbar nach dem Unfall begonnen. Obwohl er ihn hätte nicht verhindern können und er nicht zur Verantwortung gezogen wurde, gab er sich die Schuld daran. Er hätte es kommen sehen müssen und wenn das nicht, dann hätte er es spüren müssen, instinktiv bremsen. Diesen Satz hatte er immer und immer wieder ausgesprochen, geflüstert sich selbst gegenüber, wenn er allein war, laut und bestimmend, wenn er zu Magdalena sprach.

Einmal hatte er dabei wütend mit der Faust auf den Tisch gedonnert, so fest, dass ihm der Schmerz bis in den Ellbogen schoss und er glaubte, er habe das Handgelenk gebrochen. Magdalena fuhr erschrocken zusammen und starrte ihn sprachlos und verzweifelt an. Wutausbrüche an ihm, das kannte sie nicht, und sie wollte auch nicht mitansehen, wie er nach und nach in sich zusammenfiel. Schließlich gab er freiwillig seinen Führerschein ab und beschloss, sich nie wieder hinter das Steuer eines Autos zu setzen. Das war jetzt 9 Jahre her und hatte ihn damals so weit befreit, dass er wieder in seine Werkstatt gehen und arbeiten konnte.

Es war einer dieser regnerischen und dunklen Novemberabende, an denen es nirgendwo besser ist, als zu Hause, mit einer warmen Tasse Tee vor einem Kaminfeuer. Stattdessen saß er im Auto und ärgerte sich über die Scheinwerfer der entgegenkommenden Fahrzeuge, die ihn so sehr blendeten, dass er fast nichts mehr sehen konnte. Er ging dann vom Gas und versuchte sich am rechten Straßenrand zu orientieren, wobei er seine Augen so sehr anstrengen musste, dass sie tränten.

Dann stand sie plötzlich vor ihm.

Es kam ihm vor wie eine Ewigkeit und doch reichte die Ewigkeit nicht aus, nach dem Schreck, der durch seinen Körper fuhr wie ein Stromschlag, noch rechtzeitig zu bremsen. Der Aufprall war kaum zu hören und das dumpfe Geräusch, das unmittelbar folgte, als der kleine Körper auf den Asphalt schlug, brannte sich tief in sein Gedächtnis ein. Als die Polizei eintraf, kniete er immer noch zitternd auf dem

Boden an der Stelle, an der das Kind lag, und ließ sich nicht bewegen, aufzustehen und die Sanitäter zu begleiten.

Als er im Krankenhaus erwachte, brauchte er lange, um sich zu orientieren. Magdalena saß neben seinem Bett und hielt seine Hand.

Ihr Name war Marie Keller. Sie war vier Jahre alt, als sie starb.

Zur Beerdigung hatte er sich nicht getraut. Als er die Kirchenglocken hörte, hatte ihn der Mut verlassen. Magdalena war dort gewesen.

»Ich war für uns beide dort und ich habe für drei gebetet«, hatte sie zu ihm gesagt, als sie nach Hause kam und einen Schnaps verlangte, ganz gegen ihre Art.

Und jetzt dieses Mädchen neben ihm, dieses Mädchen, das ein Leben gelebt hat, das dieses Kind, das Marie Keller nicht hat leben dürfen, weil er gerade an diesem Tag in sein Auto gestiegen und losgefahren war. 5 Minuten früher oder später, und sie hätte gelebt. Seitdem wusste er, Sekunden konnten über Leben und Tod entscheiden.

»Ich bin Anna.«

Ihre Stimme klingt selbstbewusst und fröhlich, mit ein wenig Sanftmut im Unterton, als wohne ihr eine gelassene Heiterkeit inne, die durch nichts zu erschüttern ist, oder vielleicht, das wäre die andere Möglichkeit, ein ganzer Haufen kindliche Naivität.

Jakob kann nicht anders, als ihr direkt in die Augen zu sehen. Blaugrün sind sie und reflektieren ganz kurz den Glanz der Sonne, die sich jetzt hinter einer Wolke versteckt und den restlichen Tag nicht mehr blicken lassen wird. Diese wachen und blaugrünen Augen fixieren jetzt das Glas in Jakobs Hand.

»Ich besuche meinen Großvater und Sie?«

Erst jetzt bemerkt Jakob, dass die Verpackung der Pillen immer noch neben ihm auf der Bank liegt. Ihm ist klar, dass das Mädchen genug gesehen hat, um sich zusammenzureimen, was hier gerade passiert, oder passieren soll.

»Meine Frau.«

Überrascht von dieser spontanen Antwort, versucht Jakob sich zu sammeln. Er will der Neugier dieses Mädchens etwas entgegensetzen, was ihn nicht gleich als unhöflichen und verbitterten Alten erscheinen lassen wird.

»Das tut mir leid.«

Sie schweigt, wie eine Erwachsene es tun sollte, die genug Anstand hat, den Seelen anderer nicht zu nahezutreten. Jakob stellt das Glas auf der Bank ab, ganz vorne am Rand, sodass eine kleine Erschütterung ausreichen wird, es zu Boden stürzen zu lassen. Dann verstaut er die leere Verpackung wieder in der Tasche und überlegt, ob er einfach aufstehen und davon gehen oder das Glas austrinken und es zu Ende bringen soll.

»Kommen Sie oft hierher? Ich habe Sie noch nie hier gesehen.«

Hätte er ihr nur nicht in die blaugrünen Augen gesehen, denkt Jakob, der jetzt versucht, vor sich hinzustarren, dann wäre er nicht in die missliche Lage gekommen, die Fragen eines Kindes beantworten zu müssen. Denn auch hier handelt es sich um eines der ungeschriebenen Gesetze des Lebens, denen sich Jakob nicht entziehen kann, so sehr er es auch versucht. Die Fragen eines Kindes wollen beantwortet sein.

»Jeden Tag«, antwortet Jakob, ohne sie anzusehen.

»Ich auch. Komisch, dass wir uns noch nie begegnet sind.«

Hätte mir nichts ausgemacht, wären wir uns nie begegnet, denkt Jakob und hört Magdalena, die, hätte sie diesen Gedanken vernommen, ihn mit Sicherheit gescholten haben würde.

»Wie kannst du so herzlos sein, wo du doch ein so großes Herz hast? Dieses Mädchen will nur nett zu dir sein, außerdem rettet sie dir gerade das Leben. Also antworte ihr gefälligst.«

Es gibt Augenblicke im Leben, da scheinen die Stimmen der Toten wirklich zu uns durchzudringen, auch wenn wir sie nicht hören wollen.

»Schade. Dann hätten wir uns schon früher kennengelernt.«

Was tust du da? Du Idiot, denkt Jakob, und kann nicht fassen, was da gerade mit ihm geschieht. Fast will es ihm erscheinen, als habe eine unsichtbare Kraft die Kontrolle über ihn erlangt, wobei ihm nicht in den Sinn kommt, dass es immer schon so gewesen ist und er es bloß nicht bemerkt hat.

»Ich will zusammen mit Großvater herausfinden, wie es um seine Uhr bestellt ist.«

Jakob wirft nur einen flüchtigen Blick auf die Taschenuhr, die das Mädchen jetzt in der Hand hält und widersteht dem

Drang, sich die Kostbarkeit näher anzusehen. Doch um zu erkennen, dass es sich hier um ein wertvolles Stück handelt, dazu bedarf es für Jakob in der Tat nur eines flüchtigen Blickes.

»Es würde ihn freuen, zu sehen, wie du sein Andenken behandelst. Da spielt es keine Rolle, ob die Uhr als Uhr zu gebrauchen ist, da bin ich mir sicher.«

»Haben Sie Kinder?«

»Nein.«

»Das ist schade.«

Jakob nickt und schweigt.

»Tut mir leid. Ich wollte Sie nicht traurig machen.«

»Schon gut.«

»Sind Sie dann ganz allein in der Welt?«

Jakob braucht diese Frage nicht zu beantworten, weil er weiß, dass dieses vorlaute Mädchen, da neben ihm auf der Bank, die Antwort bereits kennt.

»Ich komme ganz gut zurecht.«

»Aber man braucht doch jemanden zum Reden.«

»Ich nicht.«

»Ich auch nicht.«

Die beiden schweigen jetzt. Sie sitzen nebeneinander auf einer Bank, die unter einer Linde steht, die ihren Schatten auf die Gräber derjenigen wirft, die sie lieben, und schweigen. Sie schweigen so lange, bis es einem von ihnen wie Schuppen von den Augen fällt, dass ihm nicht mehr viel Zeit bleibt.

»Ich glaube, ich warte nur noch.«

»Und worauf warten Sie?«

»Auf den Tod.«

Jakob wendet den Kopf und schaut ihr ins Gesicht. Doch da ist kein Erschaudern oder Erschrecken, keine Angst, kein Verzagen.

»Wir alle haben den Tod schon voraus und sein Zurückwirken treibt das Mehr-als-Vergängliche aus uns heraus.« Diese Worte aus dem Mund eines Kindes sind so ungewöhnlich, dass Jakob seinen Ohren nicht traut.

»Das habe ich mal irgendwo gelesen.«

Er ist sich nicht sicher, ob er ihr das glauben soll. Zu unheimlich ist ihm dieser Moment, als dass er sich in Trivialitäten auflösen dürfte.

»Ich habe den Tod voraus und hoffe, er ist nicht mehr allzu weit entfernt.«

»Ist es so, wenn man alt wird, dass man den Tod so sehr fürchtet, dass man ihn sich herbeiwünscht?«

»Nein. Die meisten Menschen hängen an ihrem Leben, ganz egal, wie alt sie sind. Daran kann das Alter nichts ändern.«

Für einen Augenblick huscht ein kurzes Lächeln über Annas Gesicht.

»Ich hätte da einen Vorschlag.«

»Und welchen?«

»Wir denken zusammen an unsere geliebten Toten und stellen uns vor, dass wir alles, was wir tun, an ihrer statt tun, sozusagen für sie mit. Weil es ihnen genommen ist. So mache ich das.«

»Das glaube ich dir nicht. Wie alt bist du überhaupt?«

»13. Aber großgeschrieben. DREIZEHN.«

»Mädchen in deinem Alter denken sowas nicht.«

Mit einem leichten Druck ihres Daumens, lässt Anna den Deckel der Taschenuhr aufspringen, nur um ihn gleich wieder zu schließen.

»Doch. Ich denke sowas. Wir leben das Leben gegen die Gemeinheit und Grausamkeit des Todes, das denke ich zum Beispiel. Wir bewegen uns für die Toten, wir arbeiten, wir essen, wir riechen, wir schmecken, wir genießen für sie mit, wir saugen den Geruch des Sommers ein und den Duft von Rosen, wir gehen durch den Garten und beobachten, wie es wächst, wir blicken nach oben in einen strahlend blauen Himmel, und wir freuen uns an den Blüten des Kirschbaums, dort draußen im Garten, wir leben. Das zu wissen und es zu tun, ist tröstlich. Vielleicht ist das der einzige Trost, der uns Lebenden bleibt.«

Jakob weiß, dass es dazu nichts zu sagen gibt und schweigt. Und Anna nutzt die Gelegenheit, um ihren Worten den angemessenen Abgang zu verschaffen.

»Auf diese Weise werden wir sehen, wer am Ende den längeren Atem hat.«

Unausweichlich ist es, dass ein solches Denken, wie Anna es hier vorträgt, will es konsequent in die Tat gesetzt werden, ungeahnte Konsequenzen haben muss, die wohl auch Anna bisher nicht bekannt sind. Eine Idee, ein Gedanke, ist schnell gedacht, eingebrochen in das Leben, aber der Geist, der hinter ihm steht, verlangt weitaus mehr.

Für die Toten zu arbeiten hieß nicht, etwas Beliebiges zu arbeiten, für die Toten zu essen, hieß nicht, irgendetwas zu essen, für die Toten da zu sein, hieß nicht, in den Tag hinein- zuleben, ebenso wenig wie diesen mit Arbeit zu vergeuden, es hieß das Gegenteil von Gleichgültigkeit, von Beliebigkeit, von Nachlässigkeit, Oberflächlichkeit, Unkonzentriertheit.

Es war eine Angelegenheit, die einem alten Mann wie Ja- kob und einem Mädchen wie Anna schnell über den Kopf wachsen konnte.

»Soweit ich die Sache überblicke, sind alle Uhren stehen geblieben. Aber ich bin nur ein dreizehnjähriges Mädchen, ein Kind, sie sollten nicht so ernst nehmen, was ich sage.«

Jakob erhebt sich, geht die paar Schritte bis zu Magdalena und hofft, dass sie ihm weiterhelfen wird. Doch Magdalena schweigt.

»Aber, wenn es stimmt, was ich sage, dann gibt es keine Zeit mehr. Nicht hier bei uns und auch nicht im Rest der Welt.«

Jakob hört die Stimme in seinem Rücken und weiß, dass das Mädchen immer noch auf der Bank unter der Linde sitzt. Anna.

Er hat vielleicht viele Gründe anzunehmen, dass dieses Mädchen einfach so daher redet und es besser wäre, sie nicht ernst zu nehmen. Aber die Vorstellung, dass sie vielleicht die Wahrheit sagen könnte und dass wirklich alle Uhren stehen geblieben sind, löst in ihm eine Faszination aus, von der er glaubte, sie nie mehr erleben zu dürfen. Fast bedauert er, dass die von diesem kleinen, dreizehnjährigen Mädchen mit viel Phantasie in die Welt gesetzte Vorstellung aus physikalischer Perspektive eine Unmöglichkeit sein muss.

»Anna. Das ist ein schöner Name. Es hat mich gefreut, dich kennenzulernen. Und das meine ich so, wie ich es sage. Es hat mich wirklich gefreut, mit dir zu reden.«

»Verraten Sie mir jetzt auch ihren Namen?«

Und wie er so dasteht und versucht, sich darüber klar zu werden, was er als Nächstes tun soll, beschließt Jakob, das Grab von Magdalena neu zu bepflanzen, sobald sich der Frühling blicken lässt. Bunt soll es werden, so bunt, dass alle anderen Gräber aus lauter Ehrfurcht sich vor Magdalena verneigen müssen.

»Ich heiße Jakob. Und bevor du mir weitere Fragen stellst, will ich dir verraten, dass ich ein Uhrmacher bin, der geschworen hat, nie wieder in seinem Leben eine Uhr anzurühren.«

Ohne eine Reaktion abzuwarten, wendet sich Jakob zur Bank, nimmt das Glas mit seiner tödlichen Dosis an Schlafmittel auf und kippt die immer noch klare Flüssigkeit vor seinen Füßen aus. Nachdem das Wasser schnell im Boden versickert, bleibt ein weißes Pulver zurück, das sich zu einem kleinen Kegel auftürmt, wie es für gewöhnlich Kristalle tun, wenn man sie in einem Behälter sammelt und dann auskippt.

Jakob fühlt sich plötzlich unendlich müde und spürt, wie seine Kräfte schwinden. Er verstaut Glas und Wasserflasche in seiner Stofftasche, wendet sich ruckartig um, setzt sich augenblicklich mit schnellen Schritten in Bewegung und wundert sich, dass es ihm so leicht fällt.

»Tun Sie es nicht. Wenn wir auch niemanden zum Reden brauchen, wir brauchen auf jeden Fall jemanden, um zusammen zu lachen.«

Die Worte sind laut und deutlich ausgesprochen, sodass Jakob sie auf jeden Fall hören muss, und so bestimmend, dass es schwer wird, sich ihnen zu entziehen.

»Um zusammen zu lachen.«

Jakobs Schritte verlangsamen sich erst, als er sicher sein kann, dass ihm Anna nicht folgt.

10

Während ein alter Uhrmacher und ein dreizehnjähriges Mädchen auf einem abgelegenen Gottesacker über die Toten reden, in einer Sprache, die von weit herzukommen scheint, treffen die Herren der Welt ihre Entscheidungen. Es scheint ihrem Wesen zu entsprechen, dass sie sich immer und überall hineindrängen, auch in Geschichten, die sie nicht haben wollen, Geschichten, die ganz persönlich zu bleiben begehren, weil nur dort, im ganz Eigenen, dessen Sinn sich nur den Eigensinnigen erschließt, das Leben seine Bestimmung finden kann.

Sie, die es gewohnt sind, sich in regelmäßigen Abständen zu treffen, um in Absprachen zu finden, von denen niemand erfahren darf, und Beschlüsse zu fassen, die durch offene Türen hinausgetragen werden, diese Herren kommen überein, sie können die aktuelle Lage nicht sich selbst überlassen. Es ist in ihrem Programm nicht vorgesehen, dass ein Phänomen unverstanden, unerklärt und unkontrolliert bleiben darf, welches unüberschaubare Auswirkungen auf ihre Geschäfte haben kann. Sie, die Herren der Welt, sind anderes gewohnt. Die Welt soll nach ihren Vorstellungen funktionieren. In dieser irrigen Annahme stehen sie auf einer Stufe mit der Mehrzahl der Menschen, die es gewohnt sind, nur in eine Richtung zu blicken. Und während die Vielen sich wundern und Fragen stellen, beschließen die Wenigen, alles in ihrer Macht stehende zu tun, um die Kontrolle über die Zeit zurückzugewinnen und dadurch die bevorstehende, große Katastrophe abzuwenden.

Bevor sie jedoch diesen Beschluss fassen, einstimmig wie es scheint, wird ein Heer von überteuerten Beratungsgesellschaften damit beauftragt, Analysen anzufertigen und Handlungsvorgaben zu entwickeln, ein System ineinandergreifender Zielvorgaben zu formulieren und darauf aufbauend Berechnungen anzustellen, wie sich die aktuellen Entwicklungen auf den globalen Handel und die Weltwirtschaft auswirken und mit welchen Maßnahmen, wie sie es nennen, dem Eintreten dessen vorzubeugen ist, was sie alle am meisten fürchten.

Doch diesmal bleibt alles vage, sehr umstritten, wie es scheint, zu viele Fragen bleiben unbeantwortet, zu viele Faktoren unbestimmt. Was bleibt, ist Angst. Angst, die so manchen zur Verzweiflung treibt.

Wie ein Uhrwerk folgen die Abläufe im Inneren der großen Maschine der menschlichen Machenschaften ihren vorbestimmten Gesetzen, die als ein Ineinandergreifen kleiner und kleinster Zahnrädchen sich mal schneller, mal langsamer drehen, so als gehorchten sie einer unsichtbaren Macht, die alles antreibt, gleich der Unruh einer Uhr, bis sich dann, sichtbar für alle, ein Zeiger bewegt.

Und so geschieht es, dass die meisten Regierungen Notstandgesetze erlassen, deren Wortlaut sich hier und da zwar ein klein wenig unterscheiden mag, welche im Kern jedoch überall gleich sind. Es sei, so heißt es, das übergeordnete Ziel des gemeinsamen Handelns der Menschheit, die menschliche Kontrolle über die Zeit zurückzugewinnen, und zwar mit allen zur Verfügung stehenden Mitteln unter dem Primat einer alles umfassenden Gleichschaltung. Es müssten dazu neue Verfahren entwickelt werden, um die Kontrolle der Zeit immer und unter allen Bedingungen zu gewährleisten, auch wenn es dazu erforderlich sein sollte, eine ganz andere Zeit neu zu erschaffen.

Was den Verlautbarungen folgt, sind Erlasse, die sich allerdings mit dem Erreichen des vereinbarten Ziels nicht unmittelbar zusammenbringen lassen, was bedeutet, dass niemand erklären kann, wie mit Hilfe der vorgesehenen Maßnahmen, die Zeit kontrolliert werden solle. Jedoch wird alles von allen zunächst widerspruchslos hingenommen.

So wird unter anderem in allen Staaten der Erde eine Ausgangssperre verhängt, von Sonnenuntergang bis Sonnenaufgang. In dieser Zeit dürfe niemand Wohnung oder Haus verlassen, Ausnahmen würden nicht gestattet. Auf diese Weise könne das Chaos, das sich in den Bewegungsrhythmus der Masse eingeschlichen habe, halbiert werden, so heißt es in den Verordnungen, die überall und in allen Sprachen verlesen werden. Überwacht werden solle die Einhaltung der neuen Regeln durch eine Zeitpolizei, deren Personal, aufgrund des üblichen Personalmangels bei den berufsmäßigen Ordnungskräften, aus Freiwilligen rekrutiert werden solle, die sich zur Nachtarbeit berufen fühlten.

Die Zahl der Meldungen willfähriger Denunzianten schoss kurz nach Bekanntgabe der Verordnungen in ungeahnte Höhen.

Sodann werde eine Weltzeitregierung einberufen, so der einstimmige Beschluss weiter, eine Weltzeitregierung, die sich aus jeweils einem Vertreter all derjenigen Staaten zusammensetzen solle, die sich an dem Projekt zur Wiederherstellung der Zeit finanziell beteiligen würden. In einem geheimen Abstimmungsverfahren sollten diese Delegierten dann über weitere Schritte entscheiden, die als erforderlich angesehen würden, um einen Zustand zurückzugewinnen, der die Existenzgrundlage darstelle für das, was die Menschheit in fünftausend Jahren erschaffen habe, eine Zivilisation, die so komplex sei, dass sie ohne Zeitmaß über kurz oder lang auseinanderfalle werde.

Es gelte unter allen Umständen Chaos und Anarchie zu vermeiden. Die modernen Gesellschaften seien konzipiert wie eine Hochleistungsmaschine, die nur dann reibungslos funktioniere, wenn alle Abläufe passgenau sich ineinander fügten. Und dazu bräuchte es einen Taktgeber, eine Orientierung, die es ermögliche, Bewegungen zu planen, was wiederum nur auf der Grundlage einer exakten Messung der Zeit im Verhältnis zur Bewegung ermittelt werden könne. Um dies alles zu gewährleisten, seien die angeordneten Maßnahmen unbedingt erforderlich, nur so könne die Kontrolle zurückgewonnen werden.

Wenn es so ist, dann soll es so sein, sagen sich die meisten Menschen und reihen sich in langen Warteschlangen vor den verschlossenen Türen der Supermärkte, die ihre Öffnungszeiten vergessen haben. Hier und da kommt es zu einem kleinen Handgemenge zwischen ganz besonders nervösen Zeitgenossen, die sich um den letzten Einkaufswagen streiten. Kaum dass sich die Türen öffnen, stürzen sich alle ohne Ausnahme auf die Auslagen, rattern durch die viel zu engen Gänge, räumen ein, was ihre Hände greifen können, ganz egal, ob sie es brauchen können oder nicht.

Bald schon werden die Regale leer geräumt sein und nicht mehr nachgefüllt werden können, weil insbesondere der Lieferverkehr auf eine exakte Zeitplanung angewiesen ist.

Nicht jeder akzeptiert die Erlasse und Verordnungen, einige ziehen durch die Straßen und verkünden lautstark ihren Unmut, andere gehen einen Schritt weiter, sie schreiten zur Tat. Autos brennen und Fenster gehen zu Bruch, Steine fliegen und Blut fließt. Ereignisse, die nicht unbeantwortet bleiben dürfen, von denen, die den Anspruch auf die Anwendung von Gewalt für sich allein vorgesehen haben.

Wohl dem, der gelassen bleiben kann in solchen Krisenzeiten und auf Gott vertraut. Mag sein, er wird nicht satt, aber ohne Angst zu leben, heißt Freiheit, ganz besonders dann, wenn die Herrschenden eine nächtliche Ausgangssperre verhängen, die nur Selbstzweck ist und Machtgehabe.

In einer Zeit ohne Zeit sind der Willkür keine Grenzen gesetzt, wenn es darum geht, die Kontrolle zurückzugewinnen, auch wenn weder Mittel noch Zweck angemessen sind. Expertenkommissionen geben sich die Klinken der Tagungsräume in die Hand. Ihre Zusammensetzung unterscheidet sich dabei je nach dem Interesse derer, die legitimiert sind, die Mitglieder der Ausschüsse zu berufen.

Kein Tag vergeht, an dem sich nicht ein weiterer Experte zu Wort meldet und dadurch aus der Deckung tritt, die ihm bisher so viel Schutz geboten hat, dass er unbehelligt seinen Forschungen und Untersuchungen nachgehen konnte. Zu groß ist die Verlockung für einen, der glaubt, etwas zu sagen zu haben, als dass er sich zum Schweigen entschließen könnte.

Dann kommt der Tag, an dem ein bisher unbekannter Wissenschaftler, der dazu bestimmt ist, sich in die Reihe der Würdenträger ganz hinten einzureihen, das Wort ergreift.

»Wir wissen überhaupt nichts.«

Mit dieser Wahrheit beschließt er den Anfang vom Ende seiner beruflichen Laufbahn.

»Wir geben uns lediglich der Illusion hin, zu wissen, weil wir ohne diese Illusion völlig verloren wären. Wir glauben an das Wissen und wir glauben daran, Wissen entdecken zu können. Dabei sind wir blind und taub. Wir wissen nichts. Nur geben wir das nicht zu. Schließlich leben wir davon, vorzugeben, Wissen zu schaffen.«

Möglicherweise hat der unbekannte Wissenschaftler, der sich aufrafft solche Reden zu führen, einfach nur schlecht geschlafen, möglicherweise hat sich gerade seine Frau von ihm getrennt und er ist in eine tiefe Krise geraten, eine geistige, möglicherweise ist er berufsmüde und will lieber etwas ganz anderes machen, vielleicht einfach nur mit seinen Händen in der Erde wühlen, nach Wurzeln graben oder Gemüse anbauen, vielleicht auch Hühner züchten, nur fehlt ihm der Mut, sich ins Offene zu wagen, dorthin, wo alles unsicher ist und frei, wo eine Angst wohnt, der man widerstehen kann, und das Abenteuer. Und so wirkten Kräfte in ihm, die ihn vorantreiben wollen, ohne dass er etwas dagegen tun kann. Sein Schicksal nimmt die Sache selbst in die Hand und sorgt dafür, dass sich alle gegen ihn wenden, da sie noch nicht ganz so verrückt geworden sind wie er und niemals bereit wären, zuzugeben, dass der Unbekannte vielleicht gar nicht mal so falsch liegt, weil sie dadurch nicht nur ihren Beruf, sondern auch sich selbst in Frage stellen müssten.

Noch hat ihn, den Unbekannten, niemand unterbrochen, wodurch es ihm möglich wird, seine Rede bis zum Ende zu bringen, dorthin, wo er selbst und kein anderer einen Schlusspunkt zu setzen vermag.

»Wir streiten uns unablässig über die Frage, wer wir sind, auch wenn wir über etwas ganz anderes debattieren, diese Frage gehört immer dazu«, fährt er fort. »Aber solange wir nicht wissen, wer wir sind, so lange der Mensch dem Menschen und somit sich selbst ein Fremder bleibt, so lange wissen wir nichts.«

Nachdem der Unbekannte diese Worte gesprochen hat, herrscht minutenlanges Schweigen. Dann geht ein leises Flüstern durch die Menge derer, die sich hier in dem großen Saal um einen runden Tisch versammelt haben. Hier und da ist der Name des Wissenschaftlers zu hören. Aus Gründen der Pietät soll er verschwiegen werden. Dann wird die Sitzung unterbrochen und alle erheben sich von ihren Plätzen. Viele verlassen den Raum, wenden sich zur Toilette, oder zünden sich im Gehen eine Zigarette an, ein paar wenige bleiben zurück und diskutieren in kleinen Gruppen.

Der Unbekannte meint noch einmal die Worte zu hören, die er gerade gesprochen hat, dann verlässt auch er den Raum und das Gebäude, geht die Straße entlang und denkt nicht mehr an das, was sich gerade ereignet hat.

Er wendet sich nicht ein einziges Mal mehr um und geht immer weiter, weiter geradeaus.

11

Von derlei eigenartigen Geschehnissen, wie sie sich in Räumen hinter verschlossenen Türen zutragen oder auf Parkplätzen vor Supermärkten, ist Jakob Gottlieb Tennriegel weit entfernt.

Als er den Haustürschlüssel im Schloss dreht und die schwere Holztür nach innen schiebt, kann er sich nicht mehr an die Einzelheiten des Weges erinnern, den er vom Friedhof bis nach Hause zurückgelegt hat, so als habe jemand über diesen Teil seiner Erinnerungen ein schwarzes Tuch gebreitet. Die Tür schrammt an einer Stelle über die roten Fliesen des Flurs und Jakob glaubt, er müsse mehr Kraft als sonst aufwenden, um sie ganz zu öffnen. Das Holz hat in alle den Jahren auf der glänzenden Oberfläche der Fliesen einen milchigen Schleier hinterlassen, der sich aus tausenden kleiner Schrammen zusammensetzt und daher nicht wegzuwischen ist.

»Es gibt keine Zeit mehr.«

Das hatte dieses Mädchen vom Friedhof gesagt, Anna war ihr Name, und er hatte zunächst den Impuls gespürt, diesen Satz als Wichtigtuerei eines Kindes abzutun. Jetzt, wo er wieder näher bei sich ist und über die zurückliegende Begegnung so nachdenken kann, wie er es gewohnt ist, allein mit sich, ohne Störung von außen, wird ihm klar, ein Kind redet nicht so, jedenfalls kein normales Kind.

In psychiatrischen Dingen kennt er sich nicht aus und das ist gut so, denn sonst würde er an dieser Stelle möglicherweise falsche Schlüsse ziehen und ein dreizehnjähriges Mädchen mit einem Fluch belegen, der den Fortgang der Geschichte in das Korsett einer großen Dummheit zwängen würde.

Wie dem auch sei, es wird sich für Jakob leicht feststellen lassen, ob etwas dran ist an dem Gerede eines Kindes von der Zeit und der Unmöglichkeit ihrer Messbarkeit.

Doch zuerst einmal setzt er Teewasser auf. Der alte Kessel hat in seinem langen Dasein bereits die eine oder andere Beule davongetragen, eine Unachtsamkeit hier, ein harter Gegenstand dort. Allein, das tut dem Tee keinen Abbruch.

Weshalb beschäftigt er sich überhaupt mit dieser unsinnigen Behauptung eines Kindes, fragt er sich, und weiß keine Antwort. Das gibt es nicht und wird es nie geben, dass plötzlich alle Uhren stehen bleiben. Jetzt fällt ihm der junge Mann in dem gelben Kaschmirpullover wieder ein. Seine Uhr war stehen geblieben. Ebenso wie die Kirchturmuhr. Weshalb hat ihn das nicht stutzig gemacht? War es ihm egal? Dennoch, es ist und bleibt Unsinn, was Anna gesagt, was dieses kleine dreizehnjährige Mädchen da so unbedarft in die Welt gesetzt hat. Es kann nicht sein. Vielleicht darf es auch nicht sein. Jedenfalls fällt ihm keine vernünftige Erklärung dazu ein. Wie sollte es möglich sein, dass alle Uhren stehen bleiben?

Eine vernünftige Erklärung wäre, seiner Auffassung nach, eine Erklärung, die einen Kausalzusammenhang in der Aufeinanderfolge mechanischer oder elektromagnetischer Abläufe herstellen würde, an deren Ende sich das Stehenbleiben der Uhren auf eine einzige Ursache zurückführen lasse. Eine solche Erklärung kann es nicht geben. Insofern muss es Unsinn sein, was dieses fremde Mädchen mit dem Namen Anna gesagt hat.

Das Wasser kocht und Jakob gießt den Tee auf. Jetzt auf die Uhr sehen, damit er die Zeit nicht vergisst. So sehr sitzt ihm noch die Gewohnheit in den Knochen. Doch die alte Küchenuhr ist stehen geblieben. Kann es sein, dass es Phänomene gibt auf dieser Welt und darüber hinaus, die sich einer Erklärung entziehen, sich ihr förmlich entgegenstellen?

Wie merkwürdig erscheint Jakob sein derzeitiger Zustand, für den ihm wiederum keine Erklärung einfallen mag. Möglich, seine Verfassung ist der Tatsache geschuldet, dass er seine Werkstatt und den Laden geschlossen hat, möglich, sie steht in Zusammenhang mit der Begegnung auf dem Friedhof, mit Anna, die ihm ebenso merkwürdig erscheint wie der Umstand, dass die Uhr ihres Großvaters nicht seine komplette Aufmerksamkeit hat ihn Anspruch nehmen können.

Es wird sich ja feststellen lassen, wie es um die Uhrzeit bestellt ist, sagt er sich immer wieder und ist sich nicht sicher, ob er es auch tatsächlich angehen soll. Im Grunde könnte ihm das alles egal sein. Im Grunde könnte er zu Ende bringen, was auf dem Friedhof unvollendet geblieben ist. Er braucht keine Zeit mehr, die gemessen werden muss.

Fünf Minuten könnten jetzt um sein. Jakob nimmt die Teebeutel aus der Kanne, legt sie in den Ausguss und füllt eine Tasse. Er braucht keine Zeit, ebenso wenig wie die Toten, denen er sich in diesem Augenblick stärker verbunden fühlt als den Lebenden. Und das nicht nur, weil Anna davon gesprochen hat. Ein Leben auf gleicher Augenhöhe mit den Toten leben. Was für ein Unsinn.

Wenn der Wahnsinn weiter funktionieren soll und dazu immer schneller, immer genauer, feinjustiert bis ins Letzte, dann braucht es, dass die Zeit gemessen und berechnet werden kann als eine Aufeinanderfolge des Jetzt, eine Aufeinanderfolge im exakt gleichen Abstand.

Jakob lässt sich in seinem Ohrensessel vor dem großen Wohnzimmerfenster nieder und nippt vorsichtig an seinem Tee. Sein ganzes Berufsleben lang hat er Uhren repariert und sich dabei nie Gedanken über die Bedeutung der Zeit gemacht. Wieso gerade jetzt? Ist es, dass ein Mensch am Ende seines Lebens sich darüber Gedanken macht, ob sein Leben sinnvoll war, ob er etwas Nützliches vollbracht hat, oder ob die Welt durch ihn und sein Zutun noch schlimmer geworden ist. Es gibt Fragen, die besser unbeantwortet bleiben, denkt er, und vielleicht sollte er seine Gedanken aufschreiben. Und im nächsten Augenblick fragt er sich, wozu und für wen noch?

Er könnte sich jetzt einfach aus seinem Ohrensessel erheben und nachsehen, ob der Zeiger der Küchenuhr sich wieder zu bewegen begonnen hat, dann würde er wahrscheinlich den Gang seiner Gedanken unterbrechen. Aber die Müdigkeit sitzt ihm in den Knochen. Er lauscht und versucht dabei ganz stillzusitzen, kann aber nichts hören und ist sich nicht sicher, ob er jemals versucht hat, das Ticken seiner eigenen Küchenuhr zu hören, während er in seinem Ohrensessel saß. Der warme Tee beruhigt ihn.

Was würde Magdalena ihm in einer solchen Situation raten? Sie würde handeln, ohne lange darüber nachzudenken, und sich Gewissheit verschaffen. Und sie hätte dieses Mädchen vom Friedhof zum Tee eingeladen oder zu einer Limonade, allein schon wegen ihres Namens, Anna. Hätten sie beide eine Tochter gehabt, Magdalena hätte sie Anna getauft. Aber das wäre nicht der wahre Grund gewesen. Wie konnte ein Kind in ihrem Alter sich ernsthaft mit solchen Fragen beschäftigen?

»Die Tatsache, dass es möglich ist, verspricht Hoffnung«, hätte Magdalena gesagt, und »wenn wir ehrlich sind, traut auch niemand einer einfachen Verkäuferin in einem Uhrmacherladen solche Gedanken zu, und das einfach nur deshalb, weil eine einfache Verkäuferin nicht gut zu verkaufen ist.«

Jakob muss unwillkürlich lächeln. Magdalena steigert sich schnell in etwas hinein, das am Ende keine Relevanz hat.

Oder etwa doch? Hat vielleicht alles Bedeutung, was wir tun und denken? Eines Tages werden wir es wissen. Erneut muss Jakob lächeln und seine Lippen formen die Worte, die unhörbar für die Lebenden bleiben.

»Ich weiß nicht, ob die Küchenuhr stehen geblieben ist oder nicht, und mit ihr alle anderen Uhren in diesem Haus und da draußen in dieser Welt, und ohne dich bin ich aufgeschmissen.«

Die Zeit verstreicht und Jakob ist bemüht kein Geräusch zu verursachen, fast will es scheinen, als halte er den Atem an.

»Etwas zu trinken. Ich brauche noch etwas zu trinken. Mein Hals ist ganz trocken, obwohl ich eine Tasse Tee getrunken habe.«

Jakob sagt die Worte laut vor sich hin und mit einem Mal schweigen die Gedanken. Er stemmt sich mit beiden Händen auf den Armlehnen ab, drückt seinen müden Körper nach oben und erhebt sich aus seinem Ohrensessel. Einen Augenblick stehen bleiben, damit dieses leichte Schwindelgefühl, das beim Erheben zur Begleiterscheinung geworden ist, verschwinden kann. Jakob durchquert das Wohnzimmer, betritt die Küche und öffnet den Kühlschrank. Hoffentlich ist die Milch noch gut. Jetzt ein Glas kalte Milch darauf hat er

Lust. Und Kekse. Es sieht einfach und schön aus, wenn die weiße Milch langsam in dem Glas aufsteigt und gerade so weit unterhalb des Randes stehen bleibt, dass man das Glas noch tragen kann, ohne dass die Milch über den Rand schwappt.

Bevor er das Glas Milch anhebt, wendet er sich zur Küchenuhr um. Es sei zwölf Uhr Mittag, sagt die Uhr, oder zwölf Uhr in der Nacht. Geisterstunde oder die Zeit des Wechsels vom Vormittag in den Nachmittag. Das jedenfalls hat sie mit der Kirchturmuhr gemeinsam. Er könnte die Batterie wechseln, denkt Jakob und verwirft den Gedanken gleich wieder. Er will nicht, dass diese Geschichte, die erst begonnen hat, ganz profan endet. Lieber noch etwas in dem Glauben leben, dass endlich etwas passiert ist, was die Welt verändert. Wobei in diesem Fall noch nicht klar sein kann, ob eher zum Guten oder eher zum Schlechten.

Die Kekse nicht vergessen. Die Packung verstaut Jakob in gewohnter Voraussicht in der Tasche seiner Strickweste. Vorsichtig hebt er das Glas Milch an. Auf dem Weg zurück zu seinem Ohrensessel greift er die Fernbedienung. Es ist schon eine gute Sache, wenn man in seinem Alter nicht mehr aufstehen muss, um das Fernsehprogramm zu wechseln. Das Glas Milch in der rechten, die Fernbedienung in der linken Hand, schlurft er langsam zu seinem Ohrensessel zurück.

»Jetzt werden wir uns Gewissheit verschaffen.«

Sobald Jakob Platz genommen hat, drückt er mit dem Daumen den roten Knopf der Fernbedienung. Es dauert ein paar Sekunden, bis das Bild da ist. Jakob schiebt sich in der

Zwischenzeit einen Keks in den Mund und nimmt einen großen Schluck aus dem Glas, welches er dann vorsichtig auf dem kleinen, runden Tisch neben sich abstellt. Dann schaltet er durch die Kanäle, bis er eine Nachrichtensendung findet. Jakob mag keine Nachrichten, weil er sich dann immer über die Dummheit und Einfältigkeit der Menschen ärgern muss. Doch bei dem, was ihm da, nach so langer Zeit der Abstinenz, aus dem alten Flimmerkasten entgegenrauscht, weiß er nicht, ob er sich freuen oder Angst haben soll.

12

Als Anna sich auf ihrem Platz in der vorletzten Reihe niederlässt, versucht sie ihren Ärger so gut es geht zu unterdrücken. Wäre sie nur nicht gekommen, wie sie es sich vorgenommen hatte. Allein ihre Angst vor Ärger und Strafe hat sie davon abgehalten, ihrem Instinkt zu folgen und zu tun, was richtig gewesen wäre. Nicht hinzugehen, die Schule zu schwänzen, den Schwachsinn zu beenden und stattdessen etwas anderes zu tun.

Nur was? Was soll ich tun? Was will ich? Wer bin ich?

Anna kritzelt die Fragen mit ihrem Lieblingsbleistift, der nach jahrelangem Spitzen so kurz ist, dass sie ihn nur noch mit Daumen und Zeigefinger halten kann, auf ihren Block. Die meisten Menschen, die sie kennt, stehen in einer ständigen Erwartungshaltung gegenüber dem Leben und werden enttäuscht. Wie kommen diese Leute darauf, vom Leben etwas zu erwarten? Als sei das Leben ihnen verpflichtet oder eine Schuld eingegangen? Sie schienen nicht auf die Idee zu kommen, die Frage richtig zu formulieren, nämlich dem Leben gemäß.

Denn, weil das Leben ein Geschenk ist, verlangt es nach der richtigen Frage.

»Was erwartet das Leben von mir?«

Anna flüstert die Worte leise vor sich hin. Manchmal denkt sie, sie könne nicht normal sein.

Die Hälfte der Klasse fehlt. Hätte sie nur den Mut aufbringen können, einfach nicht zu kommen. Umso mehr ärgert sie, dass offenbar die Hälfte es einfach getan hat. Ihre Mutlosigkeit wird ihr erst dadurch klar, dass andere den Mut aufbringen, der ihr offenbar fehlt. Dabei hält sie sich selbst überhaupt nicht für feige. Ein Grund mehr, sich zu ärgern.

Der Klassenlehrer, Herr Untreu, erscheint und beginnt mit dem Unterricht, wobei ihm anzumerken ist, dass er nicht bei der Sache ist. Mit dem Leben ist es wie mit den Namen, die kann man sich erst mal nicht aussuchen. Vor dem Ereignis war Herr Untreu ein Physiklehrer mit Berufung, einer mit Begeisterung, der dieses trockene Fach in ein geheimnisvolles Labyrinth verwandeln konnte, wo hinter jeder Wegbiegung ein neues Abenteuer lauerte. Aus der Physik berechenbarer Ereignisse war eine Physik der Unbestimmtheiten geworden, das wusste er und versuchte nicht, wie viele andere es immer noch taten, so zu tun, als gäbe es eine Naturwissenschaft, die ein gesichertes Wissen hervorbringen könne.

Jetzt, nach dem Ereignis, wirkt Herr Untreu desorientiert und verunsichert, nicht einmal den einfachsten Berechnungen scheint er mehr zu trauen. Er unterbricht angefangene Sätze und gibt ihnen dann eine andere als die ursprünglich vorgesehene Richtung, so als habe die Relativitätstheorie ihn vollständig in ihren Bann gezogen. Anna muss unwillkürlich lachen bei dem Gedanken, dass Herr Untreu sich in seiner eigenen Unschärferelation verloren zu haben scheint, so wie er dasteht, mit seiner zu groß geratenen Cordhose, aus der ein Zipfel seines blau-weiß karierten Hemdes heraushängt.

Und sein Hosenschlitz steht offen.

Manchmal bricht er seine Rede mitten im Satz einfach ab und diktiert eine Definition, die mit dem eigentlichen Thema nichts zu tun hat. Dann verfällt er in Schweigen, blättert in einem seiner Bücher, die er immer mit sich herumträgt, ein paar Seiten nach vorn, dann wieder zurück, liest, markiert mit einem Textmarker ein paar Zeilen, macht sich Notizen, nimmt dann ein anderes Buch zur Hand, in dem er ebenfalls herumblättert, bis ihm wieder klar zu werden scheint, wo er sich befindet und weshalb. Dann schiebt er die Bücher zur Seite und hebt seinen Blick.

»Wo waren wir stehen geblieben?«

Es scheint ihn nicht zu wundern, dass ihm keiner eine Antwort gibt. Die scheint er auch nicht zu erwarten, denn er wendet sich zur Tafel und schreibt in unleserlicher Schrift ein paar Stichworte auf, dann wirft er einen Blick auf seine Armbanduhr, geht zum Fenster und starrt minutenlang hinaus. In der Klasse herrscht betretenes Schweigen. Jeder ahnt, dass irgendetwas nicht stimmt, auch diejenigen, die nicht wissen, was sich ereignet hat, oder denen alles egal ist.

Die Stille wird unterbrochen durch ein zaghaftes Klopfen an der Tür. Herr Untreu wendet sich vom Fenster ab, als habe er auf ein verabredetes Zeichen gewartet. Langsam öffnet sich die Tür und im Gesicht von Herrn Untreu zeichnet sich Enttäuschung ab.

Herein tritt ein Junge, dessen Erscheinungsbild Anna sofort an Huckleberry Finn denken lässt, als habe Mark Twain ihn persönlich vorbeigeschickt. Ihre Vorstellungen, die bei der Lektüre der Erzählung entstanden waren, scheinen endlich eine Entsprechung in der Wirklichkeit gefunden zu haben. Anna kann ihre Augen nicht von ihm abwenden. Er trägt eine zerschlissene Latzhose aus festem Baumwollstoff und seine Haare sind so zerzaust, als hätten sie noch nie eine Bürste gesehen. Ein paar bunte Farbflecke zeichnen sich auf der grauen Latzhose ab.

»Der Direktor schickt mich.«

Als Herr Untreu dem Jungen sprachlos gegenübersteht, wird Anna klar, dass es gut gewesen ist, zu kommen. So kann sie miterleben, wie die kleine und immer gleiche Welt der Schule, die sie zu kennen und deren geheime Regeln sie zu beherrschen glaubte, sich plötzlich vor ihren Augen auflöst und zu einem Spiegelbild ihrer selbst wird, einem Zusammenwirken skurriler Begebenheiten zur Aufrechterhaltung einer Illusion.

Anna schätzt, dass mindestens fünf Minuten vergehen, bis Herr Untreu seine Sprache wieder findet.

»Was willst du denn?«

»Der Direktor sagt, das hier sei meine neue Klasse.«

»Ich verstehe. Du bist neu an der Schule. Such dir einen Platz.«

Als der Junge seinen Blick in aller Ruhe über die Klasse wandern lässt, spürt Anna, wie sie langsam nervös wird. Als er sich dann auch noch in Bewegung setzt und direkt auf Annas Platz zusteuert, fangen ihre Hände an zu schwitzen.

»Hallo, ich bin Huck.«

Er rückt sich den Stuhl neben Anna zurecht und lässt sich darauf nieder, als handele es sich um seinen angestammten Sitzplatz.

Annas Mund ist plötzlich ganz trocken und sie fragt sich, wie es möglich sein kann, dass das Auftauchen eines Huckleberry Finn sie so aus der Fassung bringt.

»Ich bin Anna«, bringt sie stotternd hervor.

»Freut mich, dich kennenzulernen. Hast du nachher schon was vor?«

Anna ist ganz froh, nicht antworten zu müssen, weil Herr Untreu jetzt durch lautes Händeklatschen die Aufmerksamkeit der Klasse einfordert und sich zu einer letzten Anstrengung aufzuraffen scheint.

»Junger Mann. Wärest du so freundlich und würdest mir deinen Namen verraten.«

»Ich heiße Tom. Tom Feuerbach.«

»Tom Feuerbach.«

Herr Untreu spricht den Namen laut genug aus, um Huck von seinem Platz neben Anna zu vertreiben, um ihn dann als Tom Feuerbach dort wieder auftauchen zu lassen.

Um ihre Aufregung in den Griff zu kriegen, versucht sich Anna ganz besonders auf den Unterricht zu konzentrieren. Dabei flüstert sie so leise, dass keiner sie hören kann, nur für sich selbst dreimal jenen Namen, der ihr nicht mehr aus dem Kopf gehen soll, »Tom Feuerbach. Tom Feuerbach. Tom Feuerbach.«

Herr Untreu schreitet unterdessen entschlossen zur Tafel, greift den Schwamm, wischt aus, was er zuvor geschrieben hat, legt den Schwamm zurück, nimmt die auf dem Bord liegende Kreide auf und schreibt wie in Trance wortlos eine physikalische Formel, die kein Physiker jemals zuvor gesehen hat, während sich auf seinem Hemd die ersten Schweißflecken bilden.

»Er hat Angst«, flüstert Anna leise.

»Also, was ist, hast du nachher was vor?«, flüstert Tom ebenso leise.

Herr Untreu tritt ein paar Schritte zurück, betrachtet die Zeichen aus der Entfernung und beginnt zu reden, während er der Klasse den Rücken zukehrt. Es gelingt ihm tatsächlich, sich in das Thema einzulassen und zu seiner alten Begeisterung an seinem Fach zurückzufinden, die ihm in der Schule den Ruf eines Physikers eingebracht hat, der in der Forschung an einer Universität wahrscheinlich besser aufgehoben gewesen wäre.

Er redet vom Kosmos und von einem intelligenten Geist, der hinter allem stehen muss, von einer Kraft, die nicht zu messen ist, von einem Mysterium der Dinge, vom Jetzt und dem Paradoxon der Zeit, von Vergangenheit, Gegenwart und

Zukunft, die nebeneinander existieren und davon, dass die Vorstellung einer linearen Zeit eine außerordentliche Fehleinschätzung darstelle, die jetzt bewiesen worden sei, er redet von der Nicht-Lokalität und von Komplementarität. Die Worte und Begriffe strömen nur so aus ihm heraus, als habe eine fremde Kraft sich seiner ermächtigt und nutze ihn nun als Medium.

Dann wird plötzlich die Tür aufgerissen und die Deutschlehrerin stürmt herein, als wolle sie mitteilen, dass das Schulgebäude brennt. Sie wirft ihre Tasche auf das Pult, als befinde sie sich allein im Raum und richtet hektisch ihren blauen Rock, indem sie ihn gerade rückt und glatt streicht. Dann wirft sie mit einer gekonnten Handbewegung ihre blonden, langen Harre nach hinten, öffnet ihre Tasche, nimmt ihre Unterlagen heraus und will wissen, ob es Fragen zu dem Text gibt.

Herr Untreu redet immer noch wie benommen, was die Deutschlehrerin nicht zu beeindrucken scheint. Anna überlegt, ob in der letzten Stunde ein Text ausgeteilt worden war, kann sich aber nicht daran erinnern. Ebenso wenig ist die Rede davon gewesen, einen Text im Buch zu lesen, da ist sie sich sicher. Deutsch ist ihr Lieblingsfach und sie saugt für gewöhnlich alles auf, was es zu Literatur und Poesie zu wissen und zu erfahren gibt. Sie würde nicht behaupten, dass ihre Lehrerin eine Expertin ist, was Literatur und Poesie angeht, dafür versteht sie sich ausgezeichnet auf das Anlegen von Make-up, und sie ist zu gewöhnlich und sieht zu gut aus, wie Anna findet.

Doch das ein oder andere, was im Unterricht zur Sprache kommt, genügt Anna für gewöhnlich als Anregung, sich außerhalb der Schule und auf sich allein gestellt einen eigenen Überblick zu verschaffen. Oft schon hat Anna darüber nachgedacht, eigene Texte zu verfassen, oder vielleicht auch ein Gedicht, doch vor dem leeren Blatt hatte sie dann immer gekniffen.

Vielleicht ist jetzt der richtige Zeitpunkt, mit dem Schreiben anzufangen, überlegt sie. Jetzt, wo endlich etwas Außergewöhnliches vor sich geht. Doch noch hat Anna nur eine vage Vorstellung von dem, was sie zu sagen hat, zu vage, um sich zu weit aus dem Fenster zu lehnen.

Jetzt zum Beispiel würde sie beschreiben, wie der Physiklehrer Herr Untreu plötzlich in seiner Rede innehält, sich nach Orientierung suchend umblickt, den Schwamm unter der Tafel hervorzieht und hektisch die Weltformel auswischt, die er gerade geschrieben hat, als dürfe sie niemand wissen, wie er dann in aller Eile seine Sachen zusammenpackt und sich anschickt, den Raum zu verlassen, wobei er seine Kollegin überhaupt nicht zu beachten scheint. Irgendwie wirkt er traurig und allein gelassen wie ein Kind, das von seiner Mutter zur Grippe gebracht und dort abgegeben wird und dabei spürt, dass die wichtigste Person in seinem Leben es einfach nur loswerden will. Fast lautlos bewegt er sich durch den Raum und öffnet ebenso lautlos die Tür, wie er sie von außen hinter sich wieder schließt, vorsichtig darauf bedacht, kein Geräusch zu machen.

Kaum dass er den Raum verlassen hat, packt die Deutsch-lehrerin ihre Unterlagen wieder in ihre Tasche, wirft noch einmal ihre Haare zurück und stürmt Herr Untreu hinterher, wobei sie die Tür mit einem lauten Knall hinter sich zu-schlägt.

Wahrscheinlich rennt sie ihm jetzt nach und fragt ihn nach der Uhrzeit, denkt Anna, und muss bei diesem Gedanken unwillkürlich leise lachen. Es ist durchaus möglich, dass Herr Untreu jetzt endlich die Chance erhält, seinem Namen wirklich gerecht zu werden. Konfrontiert mit ihren erotischen Gedanken, die sie sich selbst gleich wieder verbietet, ist Annas Ärger nun vollständig verflogen, stellt sie fest, und es war gut herzukommen, nicht nur um dabei zu sein und mit-zuerleben, wie sich alles auflöst, was bisher stabil war, son-dern auch um herauszufinden, dass ein Physiklehrer und eine Deutschlehrerin, so verschieden ihre Fächer und Interessen auch sein mögen, dennoch eine Gemeinsamkeit finden kön-nen, wobei das, was sich ereignet, nachdem die beiden ver-schwunden sind, sich möglicherweise nur in ihrer Phantasie abspielt.

Im Klassenraum ist es unerwartet still, nicht wie sonst, wenn der Lehrer den Raum verlässt und alle aufspringen, wild herumrennen und durcheinander plärren, sodass man keinen klaren Gedanken mehr fassen kann. Das mag Anna überhaupt nicht, diese Unruhe und dieses Chaos, die entste-hen, wenn der Boss des Ganzen plötzlich verschwindet und Platz macht für die Umtriebe seiner Untergebenen, als drän-ge etwas aus ihnen heraus, was zu lange eingepfercht gewe-

94

sen ist. Sie mochte einfach nicht glauben, dass Menschen domestiziert werden mussten wie wilde Tiere, denen ihre Wildheit nie gänzlich ausgetrieben werden kann. Das würde bedeuten, dass die Menschen immer einen Herrn brauchten, der sie beherrschen musste, weil sie nicht anders zu sein schienen wie eine Herde Schafe, die laut blökte, und nichts weiter als eine kollektive Angst hatte vor dem großen, bösen Wolf. Denn, wenn das stimmen sollte, dass Menschen nichts weiter sein sollten, als Chemiebaukasten, wie es einmal eine Lehrerin formuliert hatte, dann würde es für sie keinen Grund mehr geben, das Leben so zu lieben, wie es geliebt werden sollte.

Ganz egal, wie es um die Menschen bestellt zu sein schien, Anna würde das auf keinen Fall zulassen, und da war sie sich plötzlich hundertprozentig sicher, sie würde sich nie freiwillig einreihen in eine Herde schwachsinniger und denkfauler Angsthasen, denen nichts weiter einfiel, als lärmend herumzurennen, ihren Müll auf den Boden zu werfen und im Supermarkt alles in ihren Einkaufwagen zu räumen, was billig war, ob sie es nun gebrauchen konnten oder nicht.

Einmal hatte sie ein junges Paar beobachtet, das vor ihr an der Kasse des Supermarktes stand und einen ganzen Einkaufswagen voller Nudeln auf das Band räumte. Mochte es unter finanziellen Gesichtspunkten betrachtet auch noch so sinnvoll sein, was die beiden da trieben, es blieb in ihren Augen geschmacklos, weil in dieser Szene auch Habgier und Geiz zum Vorschein kamen, zwei Eigenschaften, die den Menschen einfach nicht gut zu Gesicht standen. Und irgendwie glaubte sie, den beiden das auch ansehen zu können. Ihre Gesichter wirkten zerfurcht, die Augen leicht eingetrübt, als wabere in ihnen ein zarter Nebelschleier, sie bewegten sich schwerfällig, obwohl nicht älter als dreißig, und nahmen von ihrer Umgebung scheinbar keine Notiz.

Langsam kommt jetzt Unruhe auf und während Anna noch sitzenbleibt, erheben sich die ersten von ihren Plätzen und verlassen den Raum, andere folgen, bis Anna sich nur noch mit Tom allein im Saal befindet. Er sitzt auf seinem Stuhl wie ein typischer Huck, die Arme hinter dem Kopf verschränkt, die Beine ausgestreckt und die Augen geschlossen.

Darauf bedacht, kein Geräusch zu verursachen, erhebt sich Anna ganz langsam von ihrem Stuhl. Ihr ist jetzt klar geworden, was auch immer in den nächsten Tagen geschehen wird, die Schule wird der letzte Ort sein, der in dieser Zeit ohne Zeit ihren Ansprüchen gerecht werden kann. Es gibt Wichtigeres zu tun, als die Vormittage damit zuzubringen, auf einem Stuhl zu sitzen und abzuwarten, was als nächstes geschehen wird.

Sie wird sich auf die Suche machen müssen nach dem alten Uhrmacher vom Friedhof, von dem sie nur den Vornamen kennt, Jakob. Warum, das weiß sie selbst noch nicht so genau, aber dass sie ihn finden muss, das sagt ihr ein sicheres Gefühl. Und wenn sie auch noch jung ist, fast noch ein Kind, und kaum über das verfügt, was die Erwachsenen Lebenserfahrung zu nennen pflegen, dass sie sich auf ihr Gefühl unbedingt verlassen kann, das weiß sie schon im nicht mehr ganz so zarten Alter von 13 Jahren.

»Wenn du nichts vorhast, könnten wir zusammen was unternehmen. Das hier ist doch alles bloß Zeitvergeudung. Schule. Bildung. Wissen. Dass ich nicht lache. Die können mich nicht reinlegen. Die nicht. Die wollen doch nur, dass ich mich unterwerfe und für sie die Kohlen aus dem Feuer hole. Aber den Gefallen tue ich ihnen nicht. Ich bin kein Sklave. Nicht ich. Nicht mit mir. Kein Sklave. Mit mir nicht. Nur tote Fische schwimmen mit dem Strom.«

Huck hat sich nicht von der Stelle gerührt, nur seine Lippen haben sich bewegt, während die Worte nur so aus ihm herausgepurzelt sind. Er hält immer noch die Augen geschlossen und die Arme hinter dem Kopf verschränkt. Am besten würde sie einfach davonrennen, sagt sich Anna, die ihre Verlegenheit kaum noch kontrollieren kann.

Dann öffnet Tom die Augen, wendet den Kopf zu ihr und ihre Blicke begegnen sich.

Die Farbe dieser Augen wird sie nun nie mehr vergessen.

13

Wahrscheinliche wäre Jakob nie wieder aufgestanden, wäre ihm nicht nach unruhigem Schlaf am nächsten Morgen, sobald er die Augen aufgeschlagen hat, ein merkwürdiger Gedanke in den Sinn gekommen. Was, wenn alle Uhren stehen geblieben sind, genau zu dem Zeitpunkt, als ich für immer die Werkstatt geschlossen habe?

»Du nimmst dich viel zu wichtig«, hört er sich sagen.

Oder ist es die Stimme von Magdalena, die er zu vernehmen glaubt.

»Aber was, wenn doch? So verrückt das alles ist, das könnte doch in diesem Fall bedeuten, dass die Uhren wieder zu ticken beginnen, wenn ich meine Werkstatt wieder öffnen würde.« Jakob denkt darüber nach, was es bedeuten würde, wenn er in seine Werkstatt zurückkehren würde, und verwirft die Idee. »Was für ein Quatsch«, murmelt er leise vor sich hin. »Das ist doch kompletter Unsinn.«

Aber wer hätte vor zwei Tagen geglaubt, dass auf der ganzen Welt offenbar zum exakt gleichen Zeitpunkt alle Uhren stehen bleiben würden. Wohl niemand. Vielleicht ein paar Verrückte im Drogenrausch. Die konnten jedoch nicht für voll genommen werden. Oder vielleicht doch? Und noch ein paar Leute in der Irrenanstalt. Aber es gibt keinen Zweifel. Die Uhren sind stehen geblieben und lassen sich nicht wieder in Gang setzen. Das scheint gewiss. Jedenfalls gibt es keine gegenteilige Nachricht.

Und mit den Uhren ist auch die Welt offenbar stehen geblieben, oder zumindest ins Stocken geraten. Es herrscht an vielen Orten Chaos. In aller Welt versuchen die Regierungen, ihre Bürger zu beruhigen. Das Fernsehprogramm wimmelt nur so von Experten. Es scheint, als stünden sie Schlange, um ihre Expertisen abzuliefern. Eine Sendung jagt die nächste, wobei, wenn man länger zuhört, schnell klar wird, dass es offenbar zwischen Experten und Spekulanten keinen großen Unterschied zu geben scheint.

Als Jakob aus dem Fenster blickt, wird ihm klar, dass er offenbar länger geschlafen hat, als jemals zuvor in seinem Leben. Es muss schon Mittag sein, das verrät ihm der Stand der Sonne. Das ist unmöglich, denkt er, dass ich bis Mittag schlafe. Doch so wie es aussieht, hat die Sonne fast ihren Höchststand erreicht.

Unerklärliche Phänomene, schießt es ihm in den Sinn.

Gibt es so etwas auf unserem Planeten, Ereignisse, oder Ereignisketten, die man nicht erklären kann? Hat es so etwas früher schon einmal gegeben, oder stehen wir an einer Zeitenwende im wahrsten Sinne des Wortes. Plötzlich spürt Jakob einen bisher nicht gekannten Drang, den Dingen auf den Grund zu gehen. Gestern noch hatte er geglaubt, er sei am Ende. Und jetzt das. Er will wissen, was los ist, und sich nicht mit irgendwelchen Antworten und Erklärungen abfinden, die irgendwelche selbsternannten Experten in die Welt posaunen, nur weil sie sich gerne im Scheinwerferlicht sonnen.

Die Welt der Menschen war voll von Vermutungen und Theorien, Wünschen und Hoffnungen, Ängsten und Vorahnungen, Zufällen, Unfällen und Zwischenfällen, und nichts davon ließ sich in einen wirklich sinnvollen Zusammenhang bringen.

Mit einem Mal wird Jakob klar, dass er sich ein ganzes Leben lang fast ausschließlich mit Uhren beschäftigt und sich dabei keine Zeit genommen hat, sich den wirklich interessanten Fragen zuzuwenden, Fragen, auf die es keine einfachen

Antworten gibt. Vielleicht hätte ihn das aber auch verrückt gemacht, immer nur Denken und keine Antwort finden.

Wenn er zurückdenkt an all die schönen Stunden, die er mit Magdalena verbringen durfte, die ihm noch gut in Erinnerung sind, wenn er an die Augenblicke der Zärtlichkeit denkt und das Gefühl einer innigen Verbundenheit, das ihn durch die Jahre getragen hat, dann bereut er nichts. Wäre ihm der Unfall nicht dazwischen gekommen, dann würde er heute sagen können, er verdanke sein Leben dem Zusammenwirken glücklicher Umstände. Doch wie reich würde er sich schätzen, ohne die Tragödie? Ist es nicht sonderbar, denkt er, dass der Tod das Leben bereichert.

Unerklärliche Phänomene. Er wird dem auf den Grund gehen müssen. Und das in seinem Alter, wo die meisten sich zur Ruhe setzen und sich auf den Tod vorbereiten.

»Leben heißt ab nun, hören auf das, was das Leben von dir erwartet«, sagt ihm eine Stimme. »Das mag umso schwieriger werden, je schwerhöriger man wird, aber unmöglich ist es nicht.«

Und so macht sich Jakob, nachdem er einen Kaffee getrunken und eine Kleinigkeit zu sich genommen hat, auf den Weg. Ganz gegen seine Gewohnheit hat er seinen schwarzen Sonntagsanzug angelegt, den er für gewöhnlich nur zum Kirchgang und auf Beerdigungen trägt.

Auf seinem Weg durch die Stadt kommt es ihm so vor, als habe sich alles verlangsamt, doch das mag eine Täuschung sein. Die Zeiger der Kirchturmuhr stehen immer noch auf zwölf. Jakob zögert einen Augenblick und denkt darüber nach, ob er zu seinem Laden hinübergehen soll. Doch dann lenkt er seine Schritte in die entgegengesetzte Richtung, oder sollte man besser sagen, eine Kraft treibt, drängt, oder zieht ihn, eine Kraft, für die er noch keinen Namen weiß.

14

Die städtische Bibliothek liegt im zweiten Stock eines alten Bürogebäudes, das bestimmt mehr als hundert Jahre auf dem Buckel hat. Als Jakob die grau weiß schraffierten Marmorstufen hinaufsteigt, spürt er in seinen Beinen, dass er nicht viel jünger ist. Oben angekommen, muss er erst einmal zu Atem kommen und er braucht seine Zeit, um der jungen Frau hinter dem Empfangstresen auf ihre Frage zu antworten.

»Was kann ich für Sie tun? Wie kann ich Ihnen behilflich sein?«

Jakob hat in seinem ganzen Leben nie etwas ausgeliehen. Damit war für ihn das Gefühl verbunden, etwas schuldig zu sein. Der Drang etwas dem Eigentümer zurückgeben zu müssen, nahm ihm die Freiheit sich dem Ding zuzuwenden. Mit den Uhren, die in seiner Werkstatt zur Reparatur abgegeben wurden, verhielt es sich ganz anders. Ihnen war ihr Zweck abhandengekommen, wodurch sie für ihren Besitzer nutzlos geworden waren, sofern mit ihnen nicht eine nostalgische Erinnerung verbunden war.

»Ich suche etwas über unerklärliche Phänomene.«

»Unerklärliche Phänomene?«

Die junge Frau mit dem weißen Schauspielerlächeln und den blonden Haaren scheint nachdenken zu müssen, wo in diesem riesigen Raum voller Bücherregale etwas Passendes zu diesem Thema zu finden sein könnte. Oder tut sie nur so? Eigentlich müsste sie sich auskennen. FRAU GABRIEL steht auf dem kleinen, weißen, rot umrandeten Schildchen, welches sie über ihrem Busen trägt.

»Auf die Idee hätte ich auch kommen können. Unerklärliche Phänomene.«

Jakob weiß nicht recht, was die junge Frau in der weißen Bluse mit den Rüschen am Kragen damit meint und überlegt, ob er nachfragen soll, doch dann erscheint es ihm besser, zu schweigen und zu warten. Die junge Frau schaut mit ihren blauen Augen auf ihre Armbanduhr, dann auf eine Uhr an der gegenüber liegenden Wand. Jakob kann diese zwar nicht sehen, weil sich die Wand in seinem Rücken befindet, doch hat er keinen Zweifel daran, dass es sich um eine Wanduhr handelt. Der Blick der jungen Frau beginnt nervös und ziellos umherzuwandern, bis sie ihm direkt in die Augen blickt. Sie ist viel zu schön, um hier so versteckt zu arbeiten, denkt Jakob, und fühlt sich augenblicklich schlecht, weil dieser Gedanke unterstellt, schöne Menschen sollten einen Beruf ausüben, in dem sie gesehen werden.

»Regal 38. Das vorletzte Regal in der dritten Reihe von links. Dort müssten Sie fündig werden. Soll ich es Ihnen zeigen?«

So freundlich wie sie lächelt, würde er am liebsten »Ja« sagen, aber ihm ist lieber, wenn er sich ungestört allein auf die Suche machen kann.

»Nein. Danke. Ich werde mich schon zurechtfinden.«

Jakob wendet sich ab und macht sich auf den Weg zum Regal 38, wobei er sich nicht ganz sicher ist, wo das sein soll, das vorletzte Regal in der dritten Reihe links. Zudem muss er sich ungemein zusammenreißen, um nicht auf die vermeintliche Uhr an der Wand gegenüber dem Empfangstresen zu blicken. Nicht dass er wissen möchte, ob sie noch funktioniert, vielmehr interessiert ihn, ob die junge Frau mit ihrem nervösen Blick wirklich eine Uhr an der Wand gesucht hat. Er wird es überprüfen, wenn er die Bibliothek verlässt, so sein Vorsatz, er darf es nur nicht vergessen. Und er wird sich bei ihr entschuldigen, jedenfalls in Gedanken und auch bei allen anderen Frauen, denen er Unrecht getan haben sollte.

Die Reihe mit den Büchern zu dem Thema >Unerklärliche Phänomene< ist länger, als er gedacht hat, auch wenn die Titel ganz unterschiedlich sind. Er wählt fünf Titel aus, die ihm vielversprechend erscheinen und lässt sich mit den Büchern an einem Tisch nieder, der etwas abseits in der Nähe des Fensters im Tageslicht steht. Jakob lässt seinen Blick durch den langgezogenen Raum mit den Regalreihen voller Bücher wandern und stellt beruhigt fest, dass sich außer ihm und der jungen Frau am Empfangstresen niemand sonst hier aufhält. Das verschafft ihm die nötige Ruhe, um sich den

Büchern zuzuwenden, vielmehr ihrem Inhalt. Doch dazu muss er erst mal seine Lesebrille aufsetzen.

Als er das erste Buch aufschlägt und das Inhaltsverzeichnis durchliest, wird ihm klar, dass ein Tag in der Bibliothek nicht ausreichen wird, um sich in dem Thema zurechtzufinden. Von den Möglichkeiten der Kraft des Geistes ist die Rede, von unterschiedlichen Wirklichkeiten, von der Auflösung der Raum-Zeit-Grenzen, von Kugelblitzen und Jenseitserfahrungen, von Seelenreisen und Seelenwanderung, Wiederauferstehung, von Hellsehern und Nostradamus, von Chaos und Ordnung, von Spontanheilung und Wiedergeburt, und von vielen anderen Phänomenen, von denen er noch nie etwas gehört hat.

Er liest eine Zusammenfassung der Prophezeiungen von Alois Irlmaier und vertieft sich in Ausführungen zur fernöstlichen Mystik. Es ist und es ist gleichzeitig nicht. Das bringt den Verstand aus der Bahn. Nichts ist so, wie es scheint. Das Universum, das in diesen Büchern beschrieben ist, wird plötzlich zu einem fremdartigen und geheimnisvollen Ort, einem Ort, der auf keinen Fall denjenigen Naturgesetzen folgt, die man ihm unterstellt, oder besser gesagt, vorstellt. Und während Jakob weiter stöbert und dabei auf immer merkwürdigere Theorien vom Kosmos und der Menschheit stößt, stellt er fest, dass er sein ganzes Leben in einer mechanischen Vorstellungswelt verbracht hat, die aller Wahrscheinlichkeit nach nur zum Teil richtig war, wenn überhaupt.

»Na ja, immerhin hat sie funktioniert«, sagt er sich.

Besonders fasziniert ihn die Vorstellung, es sei möglich, mit Verstorbenen in Kontakt zu treten und dem gemäß der Möglichkeit eines personalisierten Weiterlebens nach dem Tod. Sollte das wirklich möglich sein, dann könnte er vielleicht seiner Magdalena eine Nachricht zukommen lassen, oder umgekehrt.

Wenn nicht alles komplett an den Haaren herbeigezogen war, was in diesen Büchern stand, dann würde er sie eines schönen Tages wiedersehen. Ein beruhigender Gedanke. Ein schöner Gedanke. Ein Gedanke, der ihn ermutigt, weiterzulesen. Das Leben endet nicht mit dem Tod, sondern beginnt dann erst, oder es beginnt einfach nochmal von vorn, oder es geht dort weiter, wo es aufgehört hat und läuft dann rückwärts, oder es ist ohne Zeit und ohne Ort, und so sehr Jetzt, dass alles andere bedeutungslos wird.

Ganz gleich, was ist und was sein wird, er wird Magdalena wiedersehen, das beschließt er in dieser Bibliothek. Und das ist alles, was zählt. Möglicherweise bestand der verborgene Grund, diesen Ort aufzusuchen, in der Erkenntnis der Tatsache, dass er Magdalena eines Tages wiedersehen würde, so will er es glauben.

Als Jakob aus den fremden Welten wieder auftaucht, in die er an diesem Tag zum ersten Mal in seinem Leben so tief eingetaucht war, wie er das nie für möglich gehalten hätte, könnte es, dem Gefühl nach zu urteilen, schon Abend sein. Und es geht ihm so gut wie lange nicht mehr. Das helle Licht des Tages ist durch kaltes Neonlicht verdrängt worden, draußen muss es schon dunkel sein. Ein Blick zum Fenster schafft Gewissheit. Die werden bestimmt bald schließen, denkt er, und würde am liebsten weiterlesen. Vielleicht sollte er sich einfach still verhalten und riskieren, eingeschlossen zu werden.

Wenn nur ein Bruchteil von dem, was er in den Büchern entdeckt hat, auch nur annähernd stimmt, dann lebt er in einer Welt, die so sonderbar ist, dass die offensichtliche Tatsache, dass keine einzige Uhr mehr funktioniert, lange nicht so abwegig ist, wie er zuvor noch geglaubt hat.

Plötzlich überfällt ihn eine große Lust, dieser fremden Welt und ihren Geheimnissen weiter nachzuspüren, eine Freude am Entdecken, die er so noch nie erlebt hat. Warum hat er nicht schon viel früher damit angefangen? Er könnte sich in den Hintern treten.

Auf jeden Fall wird er wiederkommen und sich einige Autoren und Buchtitel notieren müssen, auf dass er sich mit den wichtigsten Werken wird eindecken können. Gewissenhaft bringt Jakob die Bücher an ihren Platz zurück und nimmt sich vor, bei der nächstbesten Gelegenheit ein paar Notizbücher zu kaufen. Er wird versuchen, die Gesamtheit der Phänomene, aus denen das Undenkbare sich ableiten lassen könnte, in eine neue Ordnung zu bringen, so wie ein Uhrmacher im Räderwerk einer Uhr jedem einzelnen Teil seinen vorgesehenen Platz im Ganzen zuzuweisen imstande ist. Ein Unterfangen, das wahrscheinlich unmöglich ist. Doch das kann ihn von seinem Vorhaben nicht abbringen.

Als Jakob die Bibliothek verlässt, stellt er zu seiner Genugtuung fest, dass tatsächlich eine Uhr an der Wand gegenüber dem Empfangstresen hängt, eine hässliche obendrein, wie er bemerkt. Die junge Frau, deren Augen nicht mehr so blau leuchten wie am Mittag, als er gekommen ist, wünscht ihm noch einen schönen Abend und eine gute Nacht. Sie sieht müde aus.

»Sie sollten jetzt Feierabend machen«, hört Jakob sich sagen und wundert sich über seinen durchaus sinnvollen Einfall. Die Antwort lässt ein paar Sekunden auf sich warten.

»Sie haben recht«, stellt die junge Frau fest und greift dabei ihre Tasche. »Warten Sie auf mich, wir können zusammen nach unten gehen.«

Jakob wartet bei geöffneter Tür, bis sie heran ist, und beide verlassen zusammen den Raum. Sie schließt die Tür ab und Jakob riecht ihr Parfum, das den Tag offenbar überdauert hat. Er mag den Duft nach Vanille immer noch, denkt er, auch wenn er bisweilen schwer daher kommt und ihm die Leichtigkeit der Frühlingsdüfte fehlt, die ihm gerade jetzt, wo er selbst beschwingt ist, lieber wäre. Mit dem Duft nach Vanille ist es wie mit dem Zimtgebäck, er passt besser in den Winter.

Sie geht neben ihm die Treppe hinunter, gefolgt von ihrem Duft, und lässt sich dabei auf sein Tempo ein. Jakob muss aufpassen, dass er sich nicht ablenken lässt und unachtsam wird, möglicherweise eine Stufe übersieht, stolpert und sich das Genick bricht oder, im schlimmsten Fall, den Oberschenkelhalsknochen. Auf so was kann er gut und gerne verzichten, gerade jetzt, wo er eine neue Aufgabe für sich entdeckt hat. Auch wenn es sich im Fall eines Sturzes womöglich gut anfühlen könnte, in den Armen dieser schönen jungen Frau aufzuwachen und in ihre blauen Augen zu blicken, in denen sich für gewöhnlich der Himmel spiegelt, im besten Fall. Im schlimmsten Fall könnte sich die schöne, junge Frau aber auch ganz plötzlich beim Aufwachen in einen harschen und unsympathischen Krankenpfleger verwandelt haben.

»Kommen Sie gut nach Hause«, wünscht sie, schenkt ihm dabei einen letzten freundlichen Blick aus Augen, die jetzt im Dämmerlicht eher grün scheinen, wendet sich um und macht sich mit schnellen Schritten auf den Weg zu ihrem Auto, wie er annimmt. Dann erwischt Jakob sich dabei, wie er ihr länger nachblickt, als es sich für einen älteren Herrn, der nichts Böses im Schilde führt, gehören sollte.

15

Vielleicht ist es ja nicht auszuschließen, dass die Ereignisse etwas mit mir zu tun haben, denkt Jakob, und möglicherweise kann ich das nur herausfinden, wenn ich morgen meine Werkstatt wieder öffne. Denn, wenn dann die Uhren sich wieder in Gang setzen, dann. Ja, was dann?

Die junge Frau mit den blauen Augen, die im Dämmerlicht grün schimmern, ist längst aus seinem Gesichtsfeld verschwunden und sie hatte sich nicht noch einmal zu ihm umgedreht. Sie gefiel ihm.

Dem ersten Gedanken folgt unmittelbar ein zweiter Gedanke, der ihn davor warnt, allzu schnell, allzu viel herauszufinden, bevor er etwas Voreiliges tut, was er nachher womöglich bereuen wird.

Will ich überhaupt, dass die Uhren wieder funktionieren? Diese Frage scheint ihm zunächst unangebracht, da sie im Widerspruch zu seiner ureigentlichen Aufgabe steht, defekte Uhren wieder in Gang zu setzen. Doch bei genauerer Überlegung wird ihm klar, dass die Frage einer ganz anderen und neuen Ausgangslage entspringt und nichts mit seinem Beruf zu tun hat.

Hätte sie sich zu ihm umgedreht, dann hätte er das als Beweis ihres Interesses gewertet. Und wie er so dasteht und über die junge Frau mit den blauen Augen nachdenkt, spürt Jakob, dass er noch keine Lust hat nach Hause zu gehen. Zwar verspricht der Februarabend keine laue Nacht, aber das macht ihm heute nichts aus. Er zieht einfach den Reißverschluss seiner dick gefütterten Jacke bis zum Hals und fühlt sich augenblicklich bereit für einen kleinen Umweg. Er hat fast den ganzen Tag in der Bibliothek zugebracht und was er dort wie besessen gelesen hat, hat ihn so sehr aufgewühlt, dass er das Bedürfnis empfindet, mit irgendjemandem darüber zu reden. Gerne hätte er sich mit der Bibliothekarin noch unterhalten oder mit Anna. Bei dem Gedanken an Anna setzt er sich unwillkürlich in Bewegung und lenkt seine Schritte in Richtung Fußgängerzone, wobei er die Straße, in der sein Geschäft liegt, zu vermeiden sucht. Stattdessen bleibt er vor dem kleinen Buchladen in einer schmalen Seitengasse stehen und überprüft, ob die Titel der Bücher, die in der von gelbem Licht beschienen Auslage liegen, ihn ansprechen.

Woher das plötzliche Interesse an Büchern kommt, kann er sich nicht erklären. Aber das Schaufenster zieht ihn magisch an und er kann sich von ihm ebenso wenig losreißen wie vom Anblick der davongehenden jungen Frau mit den blauen Augen, die in der städtischen Bibliothek arbeitet und deren Vornamen er nicht kennt. Weshalb hat er sie nicht danach gefragt?

»Weil es sich für einen alten Mann nicht gehört, eine junge Frau nach ihrem Vornamen zu fragen.«

Wer um Himmels willen hat das gesagt? Noch während Jakob über Anstand und Manieren nachdenkt, überkommt ihn plötzlich ein Bärenhunger und ihm fällt ein, dass er den ganzen Tag noch nichts gegessen hat. Und ganz gegen den Zustand einer gewissen Gleichgültigkeit, was das Essen angeht, spürt er plötzlich eine unbändige Lust auf scharf angebratene Rouladen mit brauner Soße, dazu Knödel und Rotkraut und ein frisch gezapftes Bier. Wann war er das letzte Mal außerhalb essen? Allein? Noch nie.

Für alles im Leben gibt es ein erstes Mal.

Am Ende der Fußgängerzone befindet sich seit 1870, will man der Zahl glauben, die in den Sturz über der Eingangstür gemeißelt ist, ein über die Stadtgrenzen hinaus bekanntes Restaurant, das gut bürgerliche Küche in einem klassischen Ambiente anbietet, oder angeboten hat. Wer weiß, die Zeiten ändern sich und mit ihnen auch die Qualität der Küche und das nicht immer zum Besseren.

Statt lange zu zögern, gilt es die Sachlage zu ergründen. Für einen guten Koch spielt die Uhrzeit keine Rolle, denkt Jakob, ein guter Koch hat die Zeit im Gefühl, jedenfalls, wenn es um Rouladen, Knödel und Rotkraut geht. Auch einem Kuchen sieht man an, wann er gut ist. Einzig die industrielle Produktion könnte in Schwierigkeiten geraten, wenn die Zeit nicht mehr messbar ist, aber Industrieprodukte haben ohnehin keine Berechtigung als Lebensmittel anerkannt zu werden und wahrscheinlich jetzt auch keine Zukunft mehr. Die Sache mit dem weichgekochten Ei zum Frühstück könnte schwierig werden, denkt Jakob, und muss unwillkürlich lachen.

Bevor Jakob das Lokal betritt, liest er die Speisekarte, die außen in einem Schaukasten hängt, und er findet, was er sucht. Er zögert kurz, bevor er die schwere Holztür öffnet und eintritt. Ein Schwall warme Luft umhüllt ihn, sobald er eingetreten ist und trägt ihm den Geruch nach Bier und Bratenduft zu. In dem überschaubaren Raum befinden sich sieben Tische, wovon vier besetzt sind. Ein junges Paar am hinteren Tisch flirtet was das Zeug hält und hat keine Augen für die Umgebung, das kann er auf den ersten Blick erkennen. Die beiden halten Händchen und sind offenbar in ein angeregtes Gespräch vertieft, dessen Inhalt wohl niemanden etwas angeht. Zwei Tische weiter sitzen vier Männer mittleren Alters vor jeweils einem Glas Bier in eine deutlich weniger interessante Unterhaltung eingebunden, denn sie blicken alle in seine Richtung, sobald die schwere Holztür hinter ihm mit einem für sein Empfinden zu lauten Geräusch zufällt.

Jakob grüßt die vier mit einem Kopfnicken, obwohl er keinen von ihnen kennt, worüber er ganz froh ist. Nicht dass er etwas dagegen gehabt hätte, einen Bekannten zu treffen, aber allein am Tisch, das ist ihm jetzt viel lieber. Sein Mitteilungsbedürfnis ist scheinbar seinem Hunger gewichen und er freut sich jetzt darauf, seinen Gedanken allein und ohne Ablenkung nachhängen zu können.

Zielstrebig steuert er einen Tisch für zwei Personen an, der links neben der Tür vor dem Fenster steht. Von dort aus kann er den ganzen Raum überblicken und hat die Wand im Rücken. Am oberen Ende der linken Seite des Raums sitzen drei Personen an einem Tisch, der für fünf gedeckt ist, zwei Frauen und ein Mann, die den Eindruck machen, als handele es sich um ein Geschäftsessen. Sie wirken distanziert und irgendwie zwanghaft auf einen vornehmen Stil bedacht.

Zwei Tische weiter diskutieren zwei Paare angeregt über die neuesten Ereignisse. Jakob kann zwar nicht hören, was gesprochen wird, aber er besitzt genügend Phantasie, um sich vorzustellen, dass hier ganz persönliche Gedanken zum Verlust der Uhrzeit ausgetauscht werden. Er findet es beruhigend, dass die Menschen sich trotz der allgemeinen Ungewissheit noch in einem Restaurant treffen und ihr Leben genießen können, ganz ohne in Panik zu verfallen.

»Guten Abend. Was darf ich Ihnen bringen?«

Die Wirtin versucht zu lächeln, wobei ihre dicken, roten Wangen noch weiter hervortreten, als sie es ohnehin schon zu tun scheinen, aus einem Gesicht, das glänzt, als sei es mit einer dicken Fettschicht überzogen.

»Die Rouladen mit Knödel und Rotkraut. Und ein Bier.«

»Sehr wohl, der Herr.«

Die Wirtin watschelt in Richtung Tresen und gibt die Bestellung etwas zu laut und zu unfreundlich, wie Jakob meint, an einen Unsichtbaren weiter, der sich in einem weiteren Raum befindet, bei dem es sich aller Wahrscheinlichkeit nach um die Küche handelt.

Wahrscheinlichkeit. Dieses Wort ist ihm heute mehrfach begegnet und scheint ein zentraler Begriff, wenn es darum geht, Ereignisse im subatomaren Raum zu beschreiben.

Was haben Rouladen mit dem subatomaren Raum zu schaffen?

Während Jakob bemüht ist, keinen Gedanken und keine Idee zu lange festzuhalten, wartet er gelassen auf seine Bestellung. Zunächst kommt allerdings sein Bier und er lässt es sich schmecken. Er hat lange kein so gutes Bier mehr getrunken, so seine Einschätzung nach dem ersten Schluck, eine Einschätzung, die über den ganzen Abend Bestand haben wird.

Als die Wirtin ihm dann schließlich zwei scharf angebratene Rouladen vorsetzt, steigt ihm ein Duft in die Nase, der den ganzen Raum und alles, was sich in ihm befindet, in einen Ort verwandelt, der vom Sitz der Götter des guten Geschmacks nicht mehr weit entfernt ist.

»Lassen Sie sich`s schmecken.«

»Das werde ich. Vielleicht bringen Sie mir noch ein Pils.«

»Gerne.«

Das Fleisch zergeht ihm auf der Zunge und er glaubt sich zu erinnern, dass er schon viele Rouladen gegessen hat, die zu zäh waren. Das Rotkraut trägt eine leichte Note von Zimt und die Knödel bleiben kompakt und saugen die braune Soße auf, was seiner Vorstellung eines perfekten Knödels ziemlich nahekommt. Jakob schlemmt, als sei er der geborene Genießer, jeden einzelnen Bissen kostet er aus, auf dass seinen Geschmacksnerven nichts anderes übrig bleibt, als ihm zu signalisieren, dass, wenn es nach ihnen ginge, dieses Fest der Sinne kein Ende zu nehmen brauche.

Gut, dass er sich nicht ins Jenseits befördert hat, wie er es sich vorgenommen hatte, bevor Anna ihn davon abbrachte, denkt er, denn dann hätte er diese herrlichen Rouladen verpasst. Heute Abend ist er zu Gast auf seinem eigenen Leichenschmaus, der zugleich das Fest seiner Wiedergeburt ist.

Als die Wirtin den Teller abräumt und fragt, ob sie noch etwas bringen könne, bestellt Jakob sein drittes Bier und gibt ihr seine Anerkennung mit auf den Weg.

»Es hat vorzüglich geschmeckt.«

»Das freut mich.«

Jakob ist satt und zufrieden, mag es an dem guten Essen liegen oder dem Bier, es spielt keine Rolle. Fast könnte er den Eindruck haben, er sei glücklich, wäre da nicht die Erfahrung, dass das Glück eine flüchtige Angelegenheit ist und sich von niemandem festhalten oder einsperren lässt. Ganz gleich, wie es um das Glück bestellt ist, sagt er sich, er will auf jeden Fall mehr davon.

»Ich hätte gerne noch ein Bier«, hört er sich sagen, als das dritte Glas geleert ist.

Die vier Männer mittleren Alters, die einzigen noch verbliebenen Gäste in dem Lokal, wenden ihre Köpfe in seine Richtung und blicken ihn an, als habe er etwas Verbotenes ausgesprochen.

»Kommt sofort.«

Die Wirtin wirkt müde und es ist ihr anzusehen, dass sie am liebsten schließen würde. Dann bringt sie das Pils an seinen Tisch.

»Zum Wohl. Aber vergessen Sie die Ausgangssperre nicht. Wir müssen bald schließen.«

Jakob betrachtet den Schaum, der am Glas herabrinnt, setzt es an seine Lippen und trinkt, als sei es sein letztes Bier auf Erden.

16

Am nächsten Morgen verlässt Anna wie gewöhnlich das Haus. Schließlich soll es so aussehen, als ginge sie zur Schule. Sie kann sich zwar nicht vorstellen, dass ihre Eltern in Anbetracht der Situation einen riesigen Aufriss machen würden, aber man muss das Schicksal ja nicht unbedingt herausfordern, sagt sie sich, besonders dann nicht, wenn Unannehmlichkeiten durch einfache Vorsichtsmaßnahmen vorerst zu vermeiden sind. Irgendwann werden sie es zwar bemerken, wahrscheinlich, wenn die Schule sich meldet, doch bis dahin wird ihr genügend Zeit bleiben, sich um die wirklich wichtigen Dinge zu kümmern.

»Warum bist du dann überhaupt in die Schule gekommen«, hatte sie Huck gefragt, als sie gemeinsam das Schulgebäude verlassen hatten, »wenn du kein toter Fisch sein willst, der mit dem Strom schwimmt?«

»Wäre ich nicht gekommen, hätte ich dich nicht kennengelernt. Und das wäre sehr schade gewesen«, hatte Tom geantwortet und sie dabei mit einer Entschlossenheit angesehen, wie nur ein Huckleberry Finn sie aufbringen konnte.

Ihre Eltern schlafen noch, als sie leise die Haustür hinter sich zuzieht, was allerdings eher ungewöhnlich ist. Aber was ist schon gewöhnlich und was ungewöhnlich, wenn man den Vergleich daran festmacht, was war, bevor die Uhrzeit abhandenkam.

Heute heißt es für Anna nach dem Aufwachen, sich den Schlaf aus den Augen spülen und sich anziehen, schneller als gewöhnlich, den kleinen, blauen Rucksack suchen, sich etwas zu essen und zu trinken einpacken und erste Gedanken in ihr Notizbuch schreiben.

Noch ist sie sich nicht darüber klar, was sie als Nächstes tun wird, wie sie versuchen wird, den alten Uhrmacher zu finden. Im Grunde weiß sie überhaupt nichts von ihm, außer den Namen, Jakob, aber mit dem Namen allein, kann sie nichts anfangen. Dafür aber mit dem Beruf und wenn sie sich richtig erinnert, gibt es in der Stadt nur noch einen Uhrmacherladen. Mit etwas Glück wird sie ihn dort antreffen. Sie könnte natürlich auch auf den Friedhof und dort auf ihn warten, denn dass er dorthin kommen wird, daran gibt es keinen Zweifel; nur wann und wie? Schließlich wäre es möglich, dass er doch noch, entgegen ihrer Forderung, seinen Plan in die Tat umgesetzt hat. Aber daran will sie nicht denken.

»Nein, er lebt«, spricht sie laut vor sich hin, »und ich werde ihn finden. Am besten, ich versuche es an beiden Orten, dem Laden und dem Friedhof.«

Nur, was wird sie tun, wenn sie ihn gefunden hat? Darüber hat sie noch nicht nachgedacht. Sie weiß nicht einmal so richtig, was sie von ihm will, nur dass sie ihn suchen und finden muss, das ist gewiss. Es kommt ihr vor wie eine magische Verpflichtung, eine Aufgabe, die sie zu erfüllen hat, damit sie im Spiel der Kräfte eine neue Ebene erreichen kann.

»Blöde Kuh, das hier ist kein Computerspiel«, meldet sich ihre innere Stimme und Anna ist ganz froh, dass nicht auf ihrer Stirn geschrieben steht, was sie gerade denkt, denn dann würden die meisten Leute sie für verrückt erklären. Sie weiß, auch wenn sie versuchen würde ihre Gedanken zu kontrollieren, es würde ihr nicht gelingen, denn ihre Gedanken kamen und gingen, als seien sie völlig losgelöst vom menschlichen Willen. Die Gedanken aufschreiben, verschaffte ihr etwas Erleichterung, sie schienen dann weniger zu drängen.

Vor dem Uhrmacherladen in der Innenstadt haben sich einige Leute versammelt und diskutieren. Anna verlangsamt ihre Schritte, sodass sie im Vorbeigehen so viel wie möglich davon verstehen kann, was gesprochen wird. Stehenbleiben traut sie sich nicht. Es gibt Probleme mit den Brotlieferungen und auch in der Nahrungsmittelproduktion, die auf Maschinen angewiesen ist, so viel kann sie den Gesprächen entnehmen.

Das Gitter vor dem Uhrmacherladen ist geschlossen. Das kann alles Mögliche bedeuten. Anna stellt sich vor, wie aufgebrachte Massen einen Supermarkt stürmen und die Regale leeren, und hofft, dass so etwas unter vernünftigen und erwachsenen Menschen nicht vorkommen kann. Dann überlegt sie, ob sie einfach vor dem Uhrmacherladen warten soll und ob es stimmen kann, dass die meisten Nahrungsmittel maschinell hergestellt werden, und der Ablauf des Herstellungsprozesses wiederum auf eine exakte Zeitmessung angewiesen ist, was wiederum bedeuten würde, dass es unweigerlich zu Störungen und Ausfällen kommen würde. Im Endeffekt würden die Regale so oder so leer sein, entweder durch plündernde Massen oder den Zusammenbruch der Produktion verursacht.

Anna beschließt, sich nicht in Panik versetzen zu lassen und auf ihr Glück zu vertrauen. Sie glaubt fest an den Einfallsreichtum derjenigen Menschen, die aus der Not eine Tugend zu machen verstehen, allen anderen wird sie einfach aus dem Weg gehen. Das wird sie zwar nicht satt machen, wenn wirklich das Essen ausgeht, aber das ist allemal besser, als zu verzagen, bevor es einen wirklichen Grund dafür gibt. Und was sie aus ihren Taschen an Münzen hervorholt und jetzt in der offenen Hand hält, gibt ihr momentan keinen

Anlass zur Sorge. Das Geld reicht auf jeden Fall für einen Döner.

Anna glaubt nicht, dass der Uhrmacherladen heute noch öffnen wird und beschleunigt instinktiv ihre Schritte, nicht nur, weil ihr das Wasser in den Mund schießt, bei dem Gedanken an einen Döner, sondern auch, weil sie gleich herausfinden wird, ob sie und ihr Lieblingsessen noch eine gemeinsame Zukunft haben werden.

Der Türke mit dem breiten Schnauzer, der zu jeder Tages- und Nachtzeit seine gute Laune versprüht, als sei er der glücklichste Mann der Welt, nimmt mit dem üblichen Witz auf den Lippen ihre Bestellung entgegen.

»Mit allem. Wie immer. Die junge Dame. Alles außer Käse. Eine Portion Glück mit gutem Geschmack. Schön scharf. Und dazu einen fröhlichen Gruß vom Chef. Das ist ein Döner.«

Anna schaut dem Türken zu, wie er das Fladenbrot in den Grill schiebt, dann gelassen das Fleisch vom Spieß säbelt, so als habe er alle Zeit der Welt, das Brot aufklappt, mit Fleisch, Kraut, Gurke, Tomate, Zwiebeln und in Streifen geschnittenem, grünen Salat füllt, Soße darüber gießt, etwas Fleisch nachlegt und scharf würzt.

Der Türke meint es wie immer gut mit ihr, was bedeutet, dass die Schwierigkeit beim Essen in den ersten drei Bissen liegt, will sie sich nicht von oben bis unten zukleckern. Anna benutzt erst mal die Finger, während sie weitergeht und darüber nachdenkt, wo sie sich mit ihrem Döner niederlassen kann. Im Park ist es zu dieser Jahreszeit noch zu ungemütlich und außerdem sieht es nach Regen aus. Unter einem einförmig hellgrauen Himmel ziehen sich vereinzelt dunkelgraue Wolken zusammen, die sich, aus welchem Grund auch immer, zu Formationen auftürmen, die an gigantische Berge erinnern. Bei dem Wetter wäre es am besten, zu Hause im Bett zu liegen und Musik zu hören oder zu lesen, doch das kommt in ihrem Plan für heute nicht vor, und ihren Plan wird sie nicht so einfach über den Haufen schmeißen, nicht heute, nicht bevor sie ihrem Ziel wenigstens ein kleines Stück näher gekommen ist, nicht wegen ein paar Tropfen Regen.

Da sie keinen besseren Einfall hat, läuft sie einfach weiter durch die Straßen und lässt sich dabei ihren Döner schmecken. Vielleicht sollte sie nochmal zu dem Laden zurückgehen?

Wenn sie jetzt ihr Handy benutzen könnte, würde sie ganz einfach den Uhrmacherladen googeln und mit etwas Glück den Namen des Inhabers herausfinden, oder wenigstens eine Telefonnummer. Doch ihr Handy wurde geklaut und sie darf sich kein neues kaufen, weil ihr Vater ein Problem damit hat, zwei Handyverträge zu bezahlen und stark davon ausgehen müsse, bald einen dritten zu bezahlen, wie er sagt. Anna muss zugeben, dass ihr Vater nicht so ganz Unrecht hat, schließlich ist es nicht das erste Handy, das ihr verloren gegangen ist, auch wenn sie das ihrem Vater gegenüber nie zugeben würde. Und wenn sie es recht überlegt, dann fühlt sich das Leben viel besser an ohne Handy, freier und unbeschwerter.

Die ersten Tropfen fallen noch vereinzelt, doch, was der Himmel versprochen hat, das löst er bald schon ein. Anna rennt los und sucht unter einem Pavillon Schutz, der vielen Jugendlichen als Treffpunkt dient und sich am oberen Ende des Stadtparks neben dem Spielplatz befindet. Inzwischen trommelt der Regen mit allem, was so ein richtiger Regenschauer zu bieten hat, auf das Blechdach des Pavillons, dass es nur so scheppert. Kalte Windböen machen die ganze Party so richtig ungemütlich und Anna fröstelt, obwohl sie in weiser Voraussicht ihre warme Regenjacke angezogen hat. Bei dem Wetter wird sie dem Uhrmacher ganz bestimmt nicht in der Stadt über den Weg laufen und auch auf dem Friedhof wird sie mit ziemlicher Sicherheit heute kein Glück haben.

Als ihr der auffrischende Wind die Regentropfen ins Gesicht bläst, hält Anna ihre Idee, den Uhrmacher ausfindig zu machen, überhaupt nicht mehr für eine gute Idee, schließlich können sich magische Aufgaben während des Spiels verändern. Doch auf zu Hause hat sie noch weniger Lust und bei dem Platzregen würde sie keine hundert Meter weit kommen und wäre nach ein paar Minuten völlig durchnässt.

Also wartet sie, bis der Regen etwas nachlässt, lauscht seinem steten Prasseln, Plätschern und Rauschen mit geschlossenen Augen und stellt sich vor, dass der Rhythmus fallender Tropfen langsamer und langsamer wird, irgendwann auch leiser, streckt, immer noch mit geschlossenen Augen, die Hand aus und spürt wie die Regentropfen an ihr hinunterrinnen und irgendwann auch, dass sie immer weniger werden. Dann erinnert sie sich an den Namen, der über dem

Uhrmacherladen in roten Lettern geschrieben stand, an Buchstaben, von denen die Farbe abgeblättert war, sodass sie wie aus einem Film aussahen.

TENNRIEGEL

In einem alten Film würde sie jetzt in einer Telefonzelle im Telefonbuch den Namen suchen und die Seite herausreißen. Aber es gibt keine Telefonzellen mehr, in denen Telefonbücher ausliegen, es gibt Handys, und die wissen gewöhnlich alles, falls sie nicht geklaut wurden, oder verloren gingen. Vielleicht sollte sie zurück zu dem Laden und nachsehen, ob er jetzt geöffnet ist, auch wenn es unwahrscheinlich ist, aber etwas Besseres fällt ihr nicht ein. Es hat zwar noch nicht ganz aufgehört zu regnen, aber bei den paar Tropfen, die jetzt noch fallen, wird sie unter ihrer Regenjacke halbwegs trocken bleiben.

Anna hat sich nie intensiv mit der Frage nach dem Zufall beschäftigt, und als in Mathematik das Thema Wahrscheinlichkeitsrechnung durchgenommen wurde, war sie krank, weshalb es für sie nicht verwunderlich ist, als ihr Blick im Vorbeieilen an der großen Fensterfront des Altstadthotels wie durch Zufall auf einen Gast fällt, der im Speisesaal beim Frühstück sitzt. Und als beim Vergleich der Bilder von Personen und Gesichtern, die in ihrem Gedächtnis gespeichert sind, und die dieses scheinbar ohne gesonderten Befehl zuzuordnen versucht, sich der Name Jakob aufdrängt, hält sie augenblicklich inne und kehrt zum Fenster zurück, um sicherzugehen, dass sie sich nicht geirrt hat.

17

Jakob lässt sich sein Frühstück ebenso schmecken wie das letzte Bier des letzten Abends, Eier mit Speck, schön starken Kaffee, Orangensaft, frisch gepresst, Marmelade, offenbar selbst gemacht, in Glasschälchen, kein Plastik, Wurst und Käse, so delikat, dass nichts von all dem aus dem Supermarkt zu stammen scheint. Er hätte nicht für möglich gehalten, dass ihm ein Frühstück außerhalb so gut schmecken würde. Draußen fängt es wieder zu regnen an, was die Angelegenheit erst so richtig gemütlich macht. Vielleicht wird er ja noch eine weitere Nacht bleiben, warum auch nicht. Zu Hause wartet niemand auf ihn und man kann nie wissen, was noch passieren wird, wenn man den Dingen seinen Lauf lässt. Er müsste sich nur noch ein Buch besorgen, dann könnte er den ganzen Tag im Bett verbringen, jedenfalls so lange, bis der Hunger kommt.

Als Jakob von seinem Teller aufschaut, wird ihm mit einem Mal klar, dass daraus nichts werden wird, aus dem Tag im Bett und dem Buch.

»Was machst du denn hier?«

»Ich habe Sie gesucht.«

»Du hast mich gesucht? Einen alten Mann.«

Die nassen Haare kleben ihr am Kopf und auf dem Boden unter ihren Füßen hat sich bereits eine kleine Pfütze gebildet, dort wo Tropfen für Tropfen von ihrer gelben Regenjacke fällt. Jakob denkt an die Theorie über Schwerkraft, die durchaus in Frage gestellt werden könne, wie er am Vortag erfahren hat.

»Solltest du denn nicht in der Schule sein?«

»Wir müssen reden. Das ist wichtiger als Schule.«

»Reden. Wichtiger als Schule.«

»Ja. Wichtiger als Schule.«

Jakob tut so, als müsse er nachdenken, obwohl er die Entscheidung längst getroffen hat.

»Nun, dann setzt dich. Nimm Platz. Leiste mir Gesellschaft. Hast du schon gefrühstückt?«

Ein alter Mann über siebzig und ein kleines Mädchen, zwei Fremde am jeweils anderen Ende der Skala. Er hat sie einmal vorher gesehen, auf dem Friedhof, und mit ihr geredet und jetzt lädt er sie zum Frühstück ein, als würden sie sich ewig schon kennen, als sei er in irgendeiner Weise mit ihr verwandt. Sie könnte seine Enkelin sein. Aber sie hat ihm das Leben gerettet. Vielleicht wird sie noch mehr retten, von dem, was von seiner Seele noch übrig ist. Wäre sie nicht zur richtigen Zeit am richtigen Ort aufgetaucht, dann würde er heute nicht hier beim Frühstück sitzen. Das ist immerhin ein guter Grund, sie einzuladen.

Anna zieht ihre Regenjacke aus und hängt sie über den Stuhl, bevor sie sich zu ihm an den Tisch setzt.

»Ich hatte einen Döner.«

»Einen was?«

»Einen Döner Kebab.«

Jakob muss etwas getan haben, von dem er nicht sagen kann, was genau, vielleicht hat er sie zu lange angesehen. Denn Anna fühlt sich veranlasst, ihm das Ganze zu erklären.

»Ein Fladenbrot. Ein Fleischspieß, der sich vor einem Grill dreht. Das äußere, gebratene Fleisch wird mit einem langen Messer abgesäbelt. Die Fleischstücke kommen dann in das Fladenbrot zusammen mit Kraut, weiß, blau, Gurken, Salat, Tomaten und Peperoni, dazu Soße mit viel Knoblauch.«

Jakob lächelte und wartet, bis Anna geendet hat.

»Ja. Ja. Ein Döner«, kommentiert Jakob süffisant und fügt an, »dazu hast du mich aber nicht gesucht. Um mir das zu erklären?«

»Haben Sie etwa noch nie einen Döner gegessen?«

Jakob überlegt, ob es für diese Dreizehnjährige von Bedeutung sein könnte, wenn er zugeben würde, noch nie einen Döner gegessen zu haben. Die Denkpause währt dann jedoch zu lange, um ihr etwas vor zu machen.

»Also nicht. Dann haben Sie etwas verpasst. Aber Achtung. Es gibt gute und schlechte Döner und wenn man richtig Pech hat, kotzt man alles wieder raus. Es kommt alles auf die Soße an.«

Jakob kann sich ein erneutes Lächeln nicht verkneifen.

»Ich schätze, eine gute Werbung hört sich anders an.«

»Ich bin nur ehrlich.«

»Das glaube ich gern.«

Jakob fragt sich, wie es möglich sein kann, dass dieses kleine, rothaarige Mädchen ihn in eine so gute Laune versetzen kann.

»Du sagst, wir müssen reden. Darf ich erfahren, worüber?«

»Es geht darum, dass Sie Uhrmacher sind. Das stimmt doch? Sie sind Uhrmacher. Und es geht darum, dass wir herausfinden müssen, was hier gerade passiert. Und es geht darum, dass ich herausfinden muss, was das Leben von mir erwartet. Sie verstehen? Was erwartet das Leben von mir? Das muss ich unbedingt wissen.«

Jakob lehnt sich gelassen zurück, faltet die Arme vor der Brust und hält seinen Blick auf Anna gerichtet.

»Wie kommst du darauf, dass ich dir dabei helfen kann?«

»Sind Sie fertig damit?«

Ohne eine Antwort abzuwarten, zieht Anna seinen Teller zu sich heran, greift das letzte Brötchen aus dem Brotkorb und schmiert so dick Marmelade darauf, dass Jakob sich nicht vorstellen kann, wie sie das essen will, ohne dass die Hälfte davon wieder runter fällt.

»Ich denke, du hattest gerade einen Döner.«

»Wenn ich nervös bin, muss ich essen, ob ich hungrig bin oder nicht.«

Belustig schaut Jakob zu, wie Anna das Brötchen vertilgt und wartet mit seiner nächsten Frage, bis sie so richtig den Mund voll hat.

»Sag mir, wie kommt es, dass ein dreizehnjähriges Mädchen redet wie eine Erwachsene und sich mit Fragen herumschlägt, die normalen Menschen nicht in den Sinn kommen würden?«

»Ist das so? Reden die Erwachsenen so wie ich? Keine Ahnung. Ist doch aber auch egal.«

Es liegt Jakob auf der Zunge zu antworten, dass Erwachsene jedenfalls nicht mit vollem Mund reden, doch dann beschließt er, dieses Mädchen nicht zu kritisieren. Oft schon hatte er sich darüber geärgert, dass es zu einer schlechten Angewohnheit geworden war, mit dem Finger ständig auf andere zu zeigen, statt mit sich selbst zu ringen.

»Wieso frühstücken Sie überhaupt im Hotel?«

»Ich habe hier übernachtet.«

»Und wieso?«

»Sag, willst du Karriere beim Geheimdienst machen?«

Anna greift das Glas mit dem Orangensaft, überlegt kurz, ohne Jakob dabei anzusehen, und stellt es dann wieder zurück.

»Tut mir leid.«

»Wieso bist du nicht in der Schule?«

Anna starrt noch kurz vor sich hin, dann hebt sie ruckartig den Kopf und blickt Jakob direkt in die Augen.

»Ich schwänze.«

Jakob hält ihrem Blick stand, bis es ihm unangenehm wird. »Ich verstehe immer noch nicht, wie ich dir helfen kann.«

»Sind Sie denn nicht froh Gesellschaft zu haben?«

Jakob steht kurz davor, sich geschlagen zu geben. Ist er froh Gesellschaft zu haben? Er ist sich nicht sicher. Aber das kann er ihr nicht sagen. Er ist gerne allein, das macht ihm nichts aus, aber mit Anna zu reden, das amüsiert ihn, und wenn er ehrlich zu sich selbst sein will, dann kann er sich im Moment keine bessere Gesprächspartnerin vorstellen, als dieses dreizehnjährige Mädchen mit den roten Haaren und der großen Klappe. Er würde jetzt einen Blick auf die Uhr werfen, wenn es noch eine Uhr geben würde, die funktionierte, nur um zu wissen, wie lange er beim Frühstück gesessen hat.

»Wollen wir nicht woanders hingehen?«

»Du bist aber ganz schön hartnäckig.«

»Sie lassen mir ja keine andere Wahl. Also, was ist?«

Jakob nickt und überlegt, ob die Bibliothek ein guter Ort wäre. Wobei er keine Vorstellung davon hat, wohin es führen würde, wenn er mit Anna den Tag verbringen würde, wozu er zu seinem eigenen Erstaunen nicht abgeneigt wäre.

»Was werden deine Eltern dazu sagen, wenn sie hören, dass du den Tag mit einem alten Mann verbracht hast?«

»Sie brauchen es ja nicht zu wissen.«

Als Jakob zu lange schweigt, geht Anna davon aus, er sei nicht damit einverstanden, dass sie ihren Eltern die Begegnung mit ihm verheimlicht.

»Hören Sie, da draußen herrscht Chaos, die Leute reden davon, die Supermärkte zu plündern. Die haben alle ganz andere Probleme. Glauben Sie, da interessiert es noch irgendwen, ob ein dreizehnjähriges Mädchen wie ich sich mit einem Opa wie Ihnen trifft. Wir machen ja nichts Verbotenes. Nirgendwo steht geschrieben, dass sich nur Personen im gleichen Alter treffen dürfen. Der Rest, der spielt sich doch nur in der Phantasie der Leute ab.«

Jakob weiß nicht, was er tun soll. Also spricht er aus, was ihm gerade in den Sinn kommt.

»Vielleicht darf man sich ja bald überhaupt nicht mehr treffen.«

»Wie kommen Sie denn auf so was?«

»Keine Ahnung. Nur so ein Gefühl.«

»Alles, was wir denken können, das geschieht auch irgendwann. Deshalb sollten wir mit unseren Gedanken vorsichtig sein.«

Jakob schüttelt den Kopf, als wolle er einen lästigen Gedanken vertreiben.

»Sag mal, hast du denn nichts anderes vor? Dich mit Freunden treffen zum Beispiel.«

Anna rollt mit den Augen und schenkt ihm einen dieser Blicke, die alles zu sagen vermögen.

»Wovor haben Sie Angst?«

Jakob wendet den Blick ab und versucht, einen klaren Gedanken zu fassen.

Sie hat ja Recht, sagt er sich, es ist nichts Anstößiges dabei, wenn er sich mit ihr unterhält. Und sie vor den Kopf zu stoßen und sie zurückzuweisen, nur aus Angst vor dem Gerede der Leute, das ihn noch nie wirklich interessiert hat, damit würde er ihr Unrecht tun.

Also lässt er sich dazu hinreißen, etwas zu tun, was er vorher nicht für möglich gehalten hätte, nicht weil es nicht möglich gewesen wäre, sondern ganz einfach nur deshalb, weil er so etwas nie getan hätte. Warum? Moral, Anstand, Gewohnheit, Unsicherheit, Egozentrik, Vermeidung von Unannehmlichkeiten und was sonst noch alles eine Rolle spielt, wenn ein Mensch vor anderen Menschen Angst hat.

18

»Hier ist ein Hausputz fällig«, sagt Anna, nachdem sie sich in seiner Wohnung lange und schweigend umgesehen hat. Dann fährt sie demonstrativ mit dem ausgestreckten Zeigefinger der linken Hand über die Kommode im Wohnzimmer und zeigt ihm die graue Staubschicht, die an der Kuppe klebt. Ohne die graue Fingerspitze anzusehen, weiß Jakob, wie das aussieht, wenn jemand mit dem Zeigefinger über eine dicke Staubschicht streicht.

Er untersagt sich, seinem Impuls nachzugeben, den Kommentar dieser Dreizehnjährigen als Beleidigung von Magdalena aufzufassen und dieser Göre eine Ohrfeige zu geben. Magdalena war immer peinlich darauf bedacht, dass ihre Wohnung sauber und aufgeräumt blieb. Zwischen dem ersten Impuls, der in erster Linie dem Verleugnen der Wahrheit dient und der nachfolgenden Reaktion, die gewöhnlich eine Bestrafung derjenigen Person darstellt, die die Wahrheit auszusprechen sich wagte, schiebt sich manchmal ein Hauch dessen, was Selbsterkenntnis ist. Es wird ihm klar, dass er im ganzen letzten Jahr versäumt hat, irgendetwas zu unternehmen, was hätte verhindern können, dass Magdalena, oder ihr

Andenken, durch Schmutz, Dreck, Staub, Spinnweben und Krümel beleidigt wurde.

Jakob, der immer bemüht war, freundlich und höflich zu sein, nicht nur, weil diese Eigenschaften im Geschäftsleben unabdingbar waren, sondern die richtigen Umgangsweisen darstellten, beschließt sowohl sich selbst als auch Anna zu verzeihen.

»Du hast recht«, antwortet er knapp, wendet sich ab und überlegt, ob er sich jetzt irgendeine Entschuldigung zurechtlegen soll, gegenüber einer Dreizehnjährigen, was die Sache erheblich erschweren würde, oder ob er lieber versuchen sollte, den Dingen mithilfe von Lappen, Wasser und Putzmittel zu Leibe zu rücken.

Zuerst einmal nimmt er in seinem Ohrensessel Platz und macht sich daran, seine Pfeife zu stopfen, wobei er bemerkt, dass der Tabak zu trocken ist.

»Ich werde im September 14 am 14ten. Ist das nicht komisch?«, meint Anna beiläufig, als habe sie seine Gedanken lesen können.

»Das macht keinen großen Unterschied«, murmelt Jakob vor sich hin, während er nach Feuer sucht. »Je älter man wird, umso weniger spielen die Jahre eine Rolle.«

»Aber am 14ten 14 werden, das ist schon komisch, meine ich.«

»Meinetwegen.«

»Warum sind Sie denn plötzlich so mürrisch wie ein alter Knurrhahn?«

Jakob schweigt. Er ist sich nicht sicher, ob es stimmt, dass die Jahre im Alter immer weniger eine Rolle spielen, wo doch jeder an seinem Leben hängt, an einem Leben, dessen Zeit kontinuierlich abzulaufen scheint, was bedeutet, dass es letztendlich auf jede Minute ankommt, und zwar in exakt der gleichen Wertigkeit.

»Und ob das einen Unterschied macht.«

Während Anna Jakobs letzten Kommentar zum Alter aufgreift, lässt sie den Kopf des Streichholzes über die Reibefläche der Schachtel gleiten, die sie plötzlich in der Hand hält. Jakob hört das Zischen der Flamme, als sie zu ihrem gelben Leben erwacht, und ist erstaunt, dass Anna ihm Feuer gibt, als habe sie zigmal beobachtet, wie das gemacht wird, oder es schon zigmal gemacht.

»Vielleicht hast du die Güte, mir das näher zu erläutern.«

Mit einem Mal ist seine miese Laune verflogen und Jakob hat Mühe, sein Schmunzeln zu verbergen.

»Mit vierzehn können sie mich einlochen«, erklärt Anna. »Sie können mich in den Knast schicken, wenn ich was richtig Schlimmes anstelle.«

Jakob zieht genüsslich an seiner Pfeife und überlegt, ob er sich einen frischen Tabak kaufen sollte und schweigt. Zu einem Gefangenen gemacht werden, weil man nicht in die Gesellschaft passt, auf die man ohnehin keinen Wert legt, überlegt Jakob, ist keine wirklich gute Aussicht für eine Vierzehnjährige, die alles noch vor sich hat, und auch keine gute Aussicht für irgendjemanden.

»Wie kommst du darauf, man könnte dich ins Gefängnis stecken?«

»Nur so. Man kann ja nie wissen, was noch alles passieren wird.«

Jakob überlegt, ob es wirklich eine gute Idee war, Anna zu sich nach Hause einzuladen.

»Riecht gut, was du da rauchst.«

»Willst du mal probieren?«, will Jakob sagen, doch dann besinnt er sich darauf, dass es wahrscheinlich zu Schwierigkeiten kommen würde, sollte er ein kleines Mädchen zum Rauchen verführen.

»Willst du mal probieren?«, hört er sich fragen und traut seinen Ohren und dann sich selbst nicht, und bietet ihr dann die Pfeife an, indem er sie ihr entgegenstreckt.

Anna schaut zuerst ihn, dann die Pfeife ungläubig an, als erwarte sie eine Hinterlist, die darauf abzielen soll, sie eines Vergehens zu überführen.

Jakob kann nicht glauben, was da gerade mit ihm geschieht, hat er sich doch heute bereits zum zweiten Mal dazu hinreißen lassen, etwas zu sagen, bevor er ausgiebig darüber nachgedacht hat, welche Tragweite das Gesagte haben könnte. Diese Mädchen scheint ihn leichtsinnig zu machen und er hat keine Erklärung dafür und er ist sich auch nicht sicher, ob er versuchen soll eine zu finden. Wie er bereits herausgefunden hat, gibt es in dieser Welt Phänomene, die nicht erklärt werden können, und dies ist eines davon, schießt es ihm in den Sinn.

»Ein anderes Mal«, antwortet Anna, kehrt ihm den Rücken zu und schaut sich die Fotographien an, die an der Wohnzimmerwand hängen.

»Was meinst du damit?«

»Ich werde ein anderes Mal rauchen, heute nicht.«

Jakob hat den Eindruck, dass Anna die Fotos etwas zu ausgiebig betrachtet, hält sich aber mit einem Kommentar zurück.

»Aber dann will ich eine eigene Pfeife.«

»Gut. Wenn du willst, können wir gleich losziehen und dir eine besorgen.«

Wenn der alte Jakob die Worte hören könnte, die dieser andere Jakob so von sich gibt, dann würde er ihn aus seiner eigenen Wohnung werfen, denkt Jakob und schüttelt den Kopf.

»Nein. Nicht jetzt. Später vielleicht. Aber ich könnte die Wohnung putzen«, schlägt Anna vor und wendet sich mit einem Ruck zu ihm um. So viel Begeisterung wie ihr Gesicht bei diesem Vorschlag ausdrückt, kann keine Dreizehnjährige aufbringen, wenn es ums Putzen geht, dafür würde Jakob seine Hand ins Feuer legen.

»Kommt nicht infrage.«

»Warum nicht?«

»Weil sich das nicht gehört. Du kannst nicht bei einem alten Mann, den du nicht kennst und der nicht mit dir verwandt ist, putzen. Das gehört sich einfach nicht.«

»Das ist Blödsinn. Ich putze jetzt die Wohnung und damit basta.«

Bevor Jakob die Gelegenheit zur Gegenrede bleibt, stapft Anna los, um Eimer und Putzzeug zu holen. Von seinem Platz im Ohrensessel aus kann er hören, wie sie im Badezimmer Schranktüren öffnet und wider schließt.

»Wo ist das verdammte Putzzeug?«

Jakob zieht lange und ausgiebig an seiner Pfeife und entlässt den Rauch stoßweise aus seinem Mund.

»Du sollst nicht fluchen.«

Nach etwa 5 Sekunden erscheint Anna in der Tür, hält dort inne und stemmt beide Arme in die Seite.

»Also gut. Wo bitte kann ich das Putzzeug finden?«

»Was kriege ich, wenn ich es dir verrate?«

»Das kannst du vergessen.«

Anna lehnt sich mit der Schulter an den Türrahmen, verschränkt die Arme über der Brust und grinst ihn überlegen an.

»Du bist nicht der Erste, der diese Frage nicht beantworten kann. Am besten, du sagst es mir gleich. Entweder du hast es vergessen oder du weißt nicht, wo deine Frau das Zeug verstaut hat.«

Ihm gefällt nicht, wie Anna »deine Frau« sagt und sie nicht bei ihrem Namen nennt. Magdalena. Das wäre persönlicher, findet er, liebevoller und ehrfurchtsvoll.

»Magdalena. Meine Frau heißt Magdalena.«

Anna löst sich vom Türrahmen und kommt ein paar Schritte näher.

»Tut mir leid. Also. Hättest du die Güte, mir zu verraten, wo Magdalena das Putzzeug aufbewahrt?«

»Was soll das heißen, ich bin nicht der Erste?«

Jakob versucht Zeit zu gewinnen, in der Hoffnung, dass es ihm noch irgendwie gelingen wird, Anna von ihrer verrückten Idee abzubringen. Nachdenklich zieht er an seiner Pfeife und entlässt den Rauch so langsam wie möglich aus seinem Mund

»Na, sag schon, wo befindet sich das Putzzeug?«

»Des Menschen Wille ist sein Himmelreich.«

Mit diesen Worten untermauert Jakob seine Entscheidung.

»Im Keller. Im Flur neben der Haustür. Die kleine Treppe runter, dann rechts um die Ecke, den Riegel der Kellertür zurückziehen, den Lichtschalter findest du links, Treppe runter, gerade aus befindet sich der Waschraum, dort findest du alles, was dein Herz begehrt. Eimer. Lappen. Putzmittel und ein Waschbecken mit heißem und kaltem Wasser, heiß, rechter Hahn, kalt, linker Hahn.«

»Danke.«

Anna verschwindet aus seinem Gesichtsfeld und er hört wie sie den Riegel der Kellertür zurückzieht und die Treppe hinuntergeht. Seine Pfeife ist ihm ausgegangen und er überlegt, was er tun soll, wenn Anna jetzt tatsächlich die Wohnung putzen wird. Weiterrauchen, Zeitung lesen, geht nicht, hat er nicht, ein Buch, dazu wird er keine Ruhe haben, wenn sie in seiner Wohnung herumhantiert.

Als Anna mit Eimer und Putzzeug zurückkommt, sitzt Jakob immer noch in seinem Ohrensessel.

»Ist das wirklich dein Ernst? Du willst jetzt putzen?«

Anna setzt den Eimer ab und lässt den Putzlappen in das dampfende Wasser fallen.

»Entweder du oder ich.«

Sich mit beiden Händen auf den Lehnen des Sessels abstützend, erhebt sich Jakob und versucht dabei, seinem Gesicht einen Ausdruck von Entschlossenheit zu geben.

»Wenn das so ist, dann sagst du mir jetzt, was ich tun kann, um dir zu helfen.«

Anna muss nicht lange überlegen, um ihm eine erste Anweisung zu geben, der Jakob augenblicklich Folge leistet. Es sind klar umrissene Handlungsanweisungen, die Anna ihm in den nächsten Stunden gibt, Anweisungen, die Aufgaben umfassen, deren Ausführung ihm keine Schwierigkeiten macht und die zu einem sichtbaren Erfolg führen, sodass sie beide zufrieden sein können. Unterdessen nimmt sich Anna diejenigen Stellen vor, die mit kleinen Händen und einem gesunden Rücken besser zu erreichen sind, Erledigungen, die für jemanden bestimmt sind, der darauf achtet, dass nichts zerbricht, Arbeiten, die ins Kreuz gehen, weil man sich oft bücken oder gebückt arbeiten muss.

Auch auf den Knien rutschen ist ein Vorgang, der von einer Dreizehnjährigen besser vollzogen werden kann, als von einem alten Mann, dem das Leben in den Knochen sitzt, und dem der Schmerz kommt, wenn sein Körper zu lange in die falsche Haltung genötigt wird. Und das geht nicht nur dem Körper so, sondern auch der Seele, ein Tatbestand, über den beim Putzen wahrscheinlich nur selten nachgedacht wird, nicht etwa, weil Menschen, die putzen, nicht über seelische

Leiden nachzudenken pflegen, sondern weil Saubermachen in aller Regel keinen seelischen Schaden verursacht.

Stunden vergehen, während sich Einfallswinkel und Farbe des Lichts verändern, was darauf hindeutet, dass Zeit vergeht, Zeit, die noch vor nicht allzu langer Zeit gemessen werden konnte, wodurch sie ihre Freiheit an die Zählbarkeit verlor, so wie die Arbeit ihren Wert ans Geld.

19

Während ein alter Mann und ein junges Mädchen sich zu einem Feldzug gegen Staub und Dreck berufen fühlen und ein Junge, der aussieht wie Huckleberry Finn, von dem einzigen Mädchen träumt, das er in dieser fremden Stadt kennt, betritt ein Dritter die Bühne, der unerbittlicher noch und entschlossener als die Anderen zur Tat schreitet. Jedoch hinterlässt dieser weniger sichtbare Spuren, sondern nur einen einzigen unwiderruflichen Zustand. Wir kennen ihn bereits, sind ihm begegnet, als er zum ersten Mal in Erscheinung getreten ist, neulich vor dem Uhrmacherladen *TENNRIEGEL*, in der Gestalt eines Schlaksigen, mit einer Standuhr im Gepäck.

Als sei das Abhandenkommen der von Menschen gemachten Zeit lediglich der Vorbote eines noch größeren Unheils, so betritt der Tod die Bühne wie einer, der eine Ewigkeit auf seinen großen Auftritt gewartet hat, wobei zur Richtigstellung anzumerken sei, dass er in unregelmäßigen Abständen sich zu entschließen scheint, der ewigen Stetigkeit seiner

Wirkungsmacht etwas hinzuzufügen, was der menschlichen Gier nicht unähnlich ist.

Langsam, aber stetig setzt das große Sterben ein.

»Es ist an der Zeit.«

Mit diesen Worten heißt der Schlaksige mit tiefer Stimme, in der eine eigentümlich heitere Gelassenheit mitschwingt, die Lebenden willkommen und sagt ihnen einen sanften Übergang zu. Keine Schmerzen, keine Leiden, keine Trauer, so verspricht er es einem jeden, den er an der Schulter berührt. Kein Abschied von den Lieben, kein letzter Wille, das ist der Preis für seine Gunst der Freiheit von jeder Qual während dem Übergang.

Unerklärlich ist den Zurückbleibenden der plötzliche Tod derer, die kein einziges Zeichen ihres nahenden Endes trugen, weshalb viele Fragen bleiben, auf die sich keine Antworten finden lassen. Unerwartet kommt er für viele, ganz ohne Ankündigung, wie der Ausbruch einer Krankheit, oder einfach nur die Tatsache des hohen Alters.

Woran ist er gestorben, woran sie, die doch völlig gesund waren und jung, und noch ein langes Leben vor sich hatten, alle im besten Alter, ohne Anzeichen eines bevorstehenden Ablebens? Wie kann es sein, dass Menschen von einem auf den anderen Tag nicht mehr da sind, und es gibt niemanden, der es erklären kann oder sich wenigstens anschickt, eine Untersuchung durchzuführen?

Fragen über Fragen, auf die es keine Antworten gibt. Stattdessen nur noch mehr Fragen und der schlaksige Tod, der den Menschen nicht mehr von der Seite weicht und sie einen nach dem anderen in die Fraglosigkeit zurückführt, dorthin wo alles eins ist.

Es kann auf Dauer nicht unbemerkt bleiben, ein solches Sterben, dem sich offenbar niemand entziehen kann, auch die Gesunden nicht, da die Menschen sich für gewöhnlich in Gemeinschaften befinden - Familien, Freundschaften, Vereine, Arbeitskollegen, Nachbarschaften - denen allen gemeinsam ist, dass sie den einen mit dem anderen verbinden.

Da wird es schnell bemerkt, wenn einer plötzlich nicht mehr da ist. Und es werden Fragen gestellt. Was ist passiert? Und wieso so plötzlich? Hat er uns eine Krankheit verschwiegen, oder hat sie Selbstmord begangen? Die Menschen reden miteinander, die Menschen stellen Fragen, die Menschen stehen vor Rätseln und die Statistiker registrieren ein Ansteigen der Zahl.

Manche erzählen von einem groß gewachsenen Schlaksigen, ganz in Schwarz gekleidet, der eine Standuhr mit sich getragen habe, die, so wird behauptet, den Todeszeitpunkt derer angezeigt habe, deren Zeit gekommen war. Woher sie das wissen wollten? Ob sie ihm persönlich begegnet seien? Das höre sich ziemlich verrückt an, es sei wohl besser einen Arzt aufzusuchen.

Es sind und bleiben Gerüchte, vorgestellt und weitergetragen von Menschen, die dazu neigen, hinter den Ereignissen Gesetzmäßigkeiten zu suchen, die das Unbekannte auf eine Ursache zurückführen. Dadurch glauben sie, die Ereignisse irgendwann kontrollieren zu können, wodurch es ihnen gelingt, ihrer existentiellen Angst die Illusion von Sicherheit entgegenzusetzen.

Allein, es bleibt eine Illusion, allein, sie sperren dadurch alles Lebendige aus und liefern sich dem großen Schwarzen bereitwillig aus, obwohl sie noch über alle Zeichen eines Menschen verfügen, der noch lebt. Blut zirkuliert durch ihre Adern, Gedanken finden sich in ihrem Gehirn, ihre Lungen füllen sich noch mit Sauerstoff, allein, es genügt nicht.

Woher er gekommen sei und wohin gegangen, der Schlaksige, ob jemand ihn zuvor schon einmal in der Gegend gesehen habe, oder ob er plötzlich auftauche wie ein Gespenst und sich genauso schnell wieder auflöse wie ein Schatten in der Nacht?

Der Tod selbst bleibt eine Antwort schuldig. In seiner Welt gibt es keine Fragen. Allein dadurch vermag er die Lebenden zu täuschen. Er belässt sie in dem Glauben, es müsse für alles eine einzige Ursache geben und sei es auch nur ein einzelner, schlaksiger, ganz in schwarz gekleideter Mann mit einer Standuhr.

Doch auch wenn das Ableben der einen schnell bemerkt wird von den Überlebenden, die sich ihnen verbunden fühlen, so bleibt die schnell steigende Todesrate zunächst noch verborgen, weil die Statistiker dieses Mal viel länger brauchen, bis sie ihre Daten ausgewertet haben, als gewöhnlich. Ihr Augenmerk ist wohl in dieser Zeit, ebenso wie das der Wenigen, die das Außergewöhnliche eher bemerken müssten, wie Bestattungsunternehmer, Priester, Gemeindearbeiter und Friedhofswärter, gerade auf andere Vorgänge gerichtet.

Am Ende des Jahres werden diese feststellen, dass ihre Gewinnspanne sich vergrößert hat, sofern sie dann noch am Leben sein werden, wovon natürlich jemand, der sich insbesondere für seinen Gewinn interessiert, ausgehen sollte.

20

März

Im Februar ist so viel passiert, dass es für ein ganzes Leben reichen würde.

Diesen Satz schreibt Jakob in sein Notizbuch und überlegt, wie viel in einem Leben passieren muss, damit diese Worte ihre Berechtigung finden. Was muss in einem Leben passieren, damit es für ein ganzes Leben reicht? Ein Unfall mit Todesfolge genügt, fällt ihm dazu ein, und er versucht den Gedanken zu verwerfen. Sind die Ereignisse im Leben eines Menschen dazu geeignet, dem Leben Sinn zu geben?

In jedem Fall ist sein Haus von oben bis unten geputzt.

Die Minuten und Stunden sind nicht mehr genau zu ermitteln, doch die Tage, die vergehen und kommen, bleiben die Tage des Kalenders, schließlich werden sie durch die Nacht, die ihnen folgt, unabänderlich festgeschrieben. Solange die Nacht dem Tag folgt und der Tag der Nacht, so lange ist ein Mensch imstande, dem Verstreichen der Zeit eine eigene Rechnung entgegenzusetzen. Doch wenn er mit dem Zählen innehält und wenn er Verzicht leistet, den Lauf der Dinge in eine Ordnung zu zwingen, dann löst sich auch die Zeit auf.

Seele und Zeit bleiben untrennbar verbunden. Heißt es nicht nach einer viel zu weiten und viel zu schnellen Reise, die Seele brauche ihre Zeit, bis sie angekommen sei.

Das Eine kann nicht existieren, ohne das Andere.

Es ist März geworden. Der Frühling ist zu riechen, genau in dem Augenblick, als ein erster warmer Lufthauch aus Süden eine winzige Ahnung von dem heranträgt, was kommen wird. Die Vögel singen ihr Lied dazu. Auch eine dieser Launen der Natur, die von dem erzählen, was uns umgibt. Zu alledem braucht es freilich ein gutes Organ, eine Nase, die ihre Fühler auszustrecken vermag und achtsam jedem auch noch so leichten Duft auf seine ihm eigene Weise begegnet, Ohren, die nicht taub sind gegenüber dem Klang, der in allem, was beheimatet ist, wohnt.

Seit dem Tag, an dem sie sich zum ersten Mal begegnet waren, schien bestimmt, dass eine schwer zu fassende und merkwürdige Art von Verabredung den Uhrmacher und das Mädchen immer wieder zusammenführte. Nicht, dass Jakob nur noch zu Hause gesessen und auf sie gewartet hätte wie einer, der es ohne den Anderen nicht aushalten kann, aus purer Verzweiflung ständig im Kreis läuft und auf die Uhr schaut, wann endlich der Andere kommen wird, der Andere, dem es im Laufe seines Lebens zur Eigenart geworden ist, immer zu spät zu kommen, wovon in diesem Fall allerdings keine Rede sein kann. Ein Zuspätkommen gibt es nicht mehr in dieser Zeit ohne Zeit, von der man nicht weiß, wie lange sie noch andauern wird. Denn eines dürfte inzwischen allen klar geworden sein, auch denjenigen, die sich ausschließlich mit Fragen der pragmatischen Lebensführung beschäftigen, die Messung der Zeit unterliegt seit Februar ebenso wenig der Herrschaft durch den Menschen wie die Zeit selbst.

Ein Bäcker vermag ein gutes und wohlschmeckendes Brot aus Mehl, Wasser und Zeit herzustellen, Zeit, die ihm jetzt wieder gegeben wird, weil alles andere nur möglich war durch den Rückgriff auf einen Taktgeber, der es verstand aus einem Bäcker einen Industriearbeiter zu machen. Und so widerfährt es nicht nur dem Bäcker, der noch vermag, Brot zu backen, wie ein Brot erwartet gebacken zu werden, wenn es ein Brot sein soll. Ein Jeder, der mit seinen Händen sich anschickt, den Dingen Gestalt zu geben, findet sich zurückgeworfen in ein Dasein, indem wieder die Tätigkeit selbst und nicht die Zeit den Takt vorgibt.

Wüssten die Menschen, dass der Tod vor der Tür steht, würde ihre Verzweiflung sie in alle Richtungen auseinandertreiben wie eine Herde Schafe, in die der Wolf eingebrochen ist, der kein Erbarmen kennt im Blutrausch.

Was Anna betrifft, sie fühlt sich zu am alten Mann hingezogen. Weshalb, das kann sie noch nicht sagen und der nahende Tod, wüsste sie von ihm, würde ihr keine Angst machen können. Manchmal wird es ihr unheimlich, wenn sie an den alten Mann denkt, wie an ihre erste große Liebe, Tom Feuerbach, und wenn sie über sich selbst erschrickt, weil es ja nicht sein kann und darf, dass ein dreizehnjähriges Mädchen sich anschickt, einen Fremden gern zu haben und sich in Huckleberry Finn zu verlieben.

Hin und wieder kommt ihr der Gedanke, einfach nicht mehr hinzugehen und den Kontakt einschlafen zu lassen, wie man zu sagen pflegt, wenn Begegnungen immer seltener werden und ihre Abstände immer länger, bis es sie schließlich nicht mehr gibt. Aber warum sollen sich nicht zwei Menschen begegnen als Menschen, ungeachtet ihres Alters und dem ganzen Rest, der sich gewöhnlich dazwischen drängt, wenn zwei sich treffen, die sehr unterschiedlich sind?

Aber es muss auch noch einen anderen Grund geben, weshalb eine Kraft, für die sie noch keinen Namen gefunden hat, sie zu ihm hinzieht, zu diesem alten Uhrmacher, der sein ganzes Leben in einer Werkstatt zugebracht hat, zusammen mit defekten Uhren und seiner Frau Magdalena.

Vielleicht hätte Großvater das so gewollt.

Bisher hat Anna ihren Eltern noch kein Wort über den alten Uhrmacher erzählt, geschweige dann von Huckleberry Feuerbach, weiß sie doch ihrem Gefühl zu vertrauen, das ihr sagt, die beiden würden es nicht verstehen und ihr den Kontakt zu beiden verbieten, was dann wiederum dazu führen müsste, dass sie das Verbot missachten würde. Immerhin steht sie auf dem Standpunkt, dass ihr niemand etwas verbieten darf, der üblicherweise nur schlechte Argumente hat und es gewohnt ist, dass seine Drohungen beim jeweiligen Adressaten so viel Angst auslösen, dass dieser sich fügt, widerwillig zwar, aber folgsam. Blinder Gehorsam ist nicht ihr Ding, um es in den Worten ihrer Generation auszudrücken.

Anna kann sich nicht vorstellen, dass es möglich sein würde, ihren Eltern von den beiden zu erzählen, ohne unterbrochen zu werden, entweder durch unnötige Fragen oder elterliche Kommentare, oder eben, was zu erwarten wäre, Verbote und Ordnungsmaßnahmen. Besser also, sie hält die Klappe und macht, was sie will, zumal sie bei der ganzen Sache auch kein schlechtes Gewissen hat.

Und schließlich ist das der einzige Maßstab, an dem sie sich zu orientieren beschlossen hat, ihr Gewissen, dessen Stimme sie erst im letzten Jahr zum ersten Mal vernommen hat, ganz leise und bedachtsam am Anfang, dann immer deutlicher und bestimmender.

Eine Stimme in ihr sprach zum ersten Mal in einer Weise, dass sie in ihrer sanften Bedachtsamkeit nicht mehr zu überhören war. Und nicht nur das. Sie gab keine Ruhe, wenn sie versuchte, sie zu ignorieren oder etwas tat, was mit dem, was die Stimme sagte, nicht in Einklang zu bringen war. Zurück blieb dann ein Gefühl der Schuld, das kaum zu ertragen war, weil sie mit sich selbst in heftigen Streit geriet, der sich nicht beilegen ließ, solange, bis ein überzogenes Ich mit dem Namen Anna sich dazu durchringen konnte, der überwältigenden Stimme aus ihrem Inneren ein Versprechen abzugeben, das niemals gebrochen werden würde.

21

Seit Februar schwänzt Anna die Schule und es ist kein Tag vergangen, an dem sie nicht an Tom Huckleberry Feuerbach gedacht hätte. Sein Bild drängt sich in ihre Gedanken und lässt sich nur schwer abschütteln. Ein paar Mal stand sie

146

kurz davor, wieder in die Schule zu gehen, nur um ihn zu treffen. Doch dann verweigerten ihre Füße den Gehorsam.

Gegenüber Jakob hat sie Huck, der sich als Tom ausgab, bisher nicht erwähnt. Wenn zwei sich zueinander hingezogen fühlen und nichts wichtiger ist, als den Anderen zu treffen und mit ihm zusammen zu sein, muss einer von beiden irgendwann den ersten Schritt machen.

Ziellos läuft Anna durch die Straßen und hofft auf den Zufall. Auf wen von den beiden wird sie treffen? Wen wünscht sie sich am meisten herbei? Was wird wohl Tom gerade machen? Vielleicht denkt er gerade an sie. Vielleicht sucht er sie.

Wenn sie zu intensiv darüber nachdenkt, kann es plötzlich geschehen, dass sie wegrennen muss und sich irgendwo verstecken will. Ihre Hände zittern.

In einer Zeit ohne Zeit gewinnt auf jeden Fall die Liebe, auch wenn es so aussehen mag, dass Angst und Not bei vielen Menschen die schlechtesten Eigenschaften hervorrufen. Während die Einen die Supermärkte plündern, weil ihre Angst im Anblick leerer Regale größer ist, als ihre Zuversicht oder Hoffnung, und Andere sterben, weil ihre Zeit gekommen ist, begegnen sich die Liebespaare in einer Welt, die sich ihnen zuneigt, so als wolle sie den Unsterblichen eine Gefälligkeit erweisen. Der Tod hält sich von den Liebenden fern, weil es ihm durch einen göttlichen Richterspruch nicht erlaubt ist, denen die Freiheit zu nehmen, die sich ganz der Liebe überlassen.

Aber von einem Liebespaar kann überhaupt keine Rede sein, meldet sich Annas Verstand. Wir haben uns nur einmal kurz gesehen. Was, wenn Tom überhaupt nicht interessiert ist? Was, wenn er es bescheuert findet, dass ich mich mit einem alten Uhrmacher abgebe? Was, wenn es keine Zukunft gibt?

Sie muss ihn unbedingt wiedersehen. Und ein Huckleberry Finn wird sich nicht gleich ins Bockshorn jagen lassen, wenn es schwierig oder sogar gefährlich wird.

So wie es aussieht, hat noch kein Lehrer bei Anna zu Hause angerufen, was unter normalen Umständen niemals vorgekommen wäre. Fernbleiben von der Schule ohne Entschuldigung der Eltern oder ärztliches Attest, hat bisher immer Folgen gehabt, auch wenn Anna das nur vom Hörensagen weiß. Aber warum um Gottes willen, sollte sie bei all den Katastrophen, die durch Türen und Fenster in die Welt einfallen wie der Schwarm Heuschrecken über die Felder sudanesischer Bauern, warum sollte sie da noch zur Schule gehen?

Der einzige Grund wäre Tom Feuerbach.

Nicht alle Katastrophen sind selbstgemacht. Vulkanausbrüche, Sonnenstürme, Meteoriteneinschläge und Erdbeben, um nur einige Beispiele zu nennen. Anna ist in ihrem kurzen Leben von all dem Gerede über all das Unglück nicht verschont geblieben, obwohl sie lieber von allem nichts gewusst hätte. Das scheint wohl eine der Gemeinsamkeiten mit Jakob, von all dem Übel einfach nichts wissen wollen, um sich unbelastet den schönen Dingen zuwenden zu können, irgendwo zwischen all dem Unrat Harmonie zu finden, an den

Stämmen der Bäume hochzuschauen und durch ihre Kronen hindurch ein Stück Himmel zu erspähen.

Oder sich mit Huckleberry Finn zu treffen.

Weshalb nennt sie ihn nicht bei seinem richtigen Namen? Sie könnte nach der Schule auf ihn warten. Sie könnte sich irgendwo verstecken, wo man sie nicht sehen kann, sie könnte ihm heimlich folgen, um herauszufinden, wo er wohnt. Bei dem Gedanken beschleunigt sich ihr Pulsschlag und ihre Füße folgen eigenwillig ihrem Plan.

22

»Wissen deine Eltern inzwischen, dass du mich besuchst?«, will Jakob wissen. »Einen alten Mann, der gerade versucht, sich in seinem Rentnerleben zurechtzufinden, um dort am passenden Ort auf den Tod zu warten.«

Die beiden sitzen am Küchentisch und essen. Anna hat Döner besorgt. Schließlich sollte man diese Welt nicht verlassen, ohne alles einmal probiert zu haben. Jakobs Mund ist mit Soße verschmiert und Anna muss lachen, weil es lustig aussieht, wie Jakob versucht den Döner zu essen, ohne sich zu bekleckern.

»Es ist besser, sie werden es nie erfahren.«

»Warum?«

»Sie würden es mir verbieten.«

Jakob wäre in diesem Augenblick lieber, Annas Eltern hätten kein Problem damit gehabt, dass ihre Tochter sich regelmäßig mit ihm traf, aber das würde jeglichem elterlichen Instinkt widersprechen, weshalb es nur der unerfüllte Wunsch eines einsamen, alten Mannes bleiben soll.

»Und was würdest du an ihrer Stelle tun? Stell dir vor, du hast eine dreizehnjährige Tochter und du erfährst, dass sie jeden Tag einen alten Mann besucht und du weißt nicht, was dort vor sich geht und du hast eine ausgeprägte Phantasie.«

»Meine Eltern haben keine ausgeprägte Phantasie.«

»Alle Eltern haben eine ausgeprägte Phantasie, wenn es um ihre Kinder geht, auch wenn es anders aussieht. Also. Was würdest du tun?«

»Ich würde es ihr verbieten. Aber meine Eltern haben keine ausgeprägte Phantasie.«

»Und was würdest du tun, wenn du erfahren würdest, dass deine Tochter seit Wochen die Schule schwänzt?«

Anna starrt Jakob an. Sie befürchtet, er wird sie gleich nach Hause schicken und ihr sagen, sie solle nie wieder kommen.

Stattdessen schiebt sich Jakob den letzten Bissen in den Mund, erhebt sich von seinem Stuhl und geht zum Spülbecken, um sich Hände und Gesicht zu waschen. Dann öffnet er den Kühlschrank und nimmt sich ein Bier heraus.

Jakob hält die Kühlschranktür noch geöffnet und das gelbe Licht darin leuchtet ihn an.

»Wer alt genug ist, die Schule zu schwänzen, der darf noch lange kein Bier trinken.«

»Was denkst du?«, will Anna wissen, als sich Jakob wieder nachdenklich am Küchentisch niederlässt.

»Ich denke, wir müssen dem auf den Grund gehen, was gerade in der Welt geschieht.«

Unbestimmt bleibt, was Jakob genau damit meint, dem Geschehen auf den Grund zu gehen, höchstwahrscheinlich weiß er es selber noch nicht.

»Und warum können wir es nicht einfach so lassen, wie es ist?«, will Anna wissen.

»Weil du dein Leben noch vor dir hast.«

»Das verstehe ich nicht.«

»Du bist doch sonst so ein kluges Mädchen.«

Anna zuckt mit den Schultern und versucht einen nichtssagenden Gesichtsausdruck aufzusetzen. Sie sieht Jakob mit großen, erwartungsvollen Augen an, so als könne sie dadurch allein schon etwas aus ihm hervorlocken, was tief in ihm verborgen zu sein scheint.

Jakob wendet den Blick ab und fühlt sich plötzlich ganz leer. Sein Blick gleitet in die Unschärfe, was Anna nicht verborgen bleibt.

»Ich mache uns erst mal einen Tee.«

Anna verschwindet in der Küche und Jakob, der nur langsam wieder in die Anwesenheit zurückkehrt, kann hören, wie sie die Schränke öffnet und schließt, Wasser in den Wasserkocher laufen lässt, den Wasserhahn abdreht und das Gerät anschaltet und er denkt, es ist schön, wenn noch jemand im Haus ist, der der Einsamkeit keine Chance lässt, einen alten Mann, dem die Selbstzweifel kommen, aufzufressen.

»Ist Pfefferminz o.k.?«

»Meinetwegen. Aber ein Bier wäre mir lieber.«

Es ist ganz gut, dass Anna sich die Zeit mit dem Tee nimmt, so hat Jakob Gelegenheit, sich zu sammeln. Irgendwie hat er das Gefühl, nicht einfach nur untätig dasitzen zu dürfen und den Lauf der Dinge abzuwarten, irgendwie spürt er den Drang sich einzumischen, auch wenn er keine Ahnung hat, auf welche Weise und mit welchem Ziel. Irgendetwas tun, sagte er sich, irgendetwas, das Magdalena gefallen würde. Magdalena schweigt.

Anna stellt die beiden Tassen auf dem kleinen Beistelltisch ab, der zwischen den beiden Ohrensesseln steht und macht es sich in Magdalenas Sessel bequem. Sie zieht ihre Schuhe aus und verschlingt ihre Beine zu einem Schneidersitz, bei dessen Anblick Jakob schaudert, da er an seine Knochen denkt, die ihm bei einer solchen Übung den Dienst versagen würden. Mit beiden Händen die warme Tasse umfassend, schlürft Anna ihren Tee wie ein indischer Schamane, wobei ihre Haare die Hälfte ihres Gesichtes bedecken.

»Und wenn ich meinen Tee getrunken habe, dann fahren wir in die Stadt und kaufen dir eine neue Pfeife«, schlägt Anna vor.

Normalerweise hätte Jakob jetzt auf die Uhr geschaut, um herauszufinden, wie lange die Geschäfte noch geöffnet sind, worauf aufbauend er dann den weiteren Tagesablauf hätte planen können. Manchmal erlebt ein Mensch Rückfälle in ein altes Leben, von dem er glaubte, es hinter sich gelassen zu haben.

»Fahren denn überhaupt noch Busse?«

»Wenn nicht, dann laufen wir eben zu Fuß.«

Anna weiß nicht so recht, was sie von der Idee halten soll.

»Glaubst du denn, dass eine neue Pfeife uns weiterhelfen kann bei der Lösung der Probleme, die vor uns liegen?«, will Jakob wissen.

»Ich will heute nicht an Probleme glauben. Ich fände es einfach nur lustig, wenn wir dir eine neue Pfeife kaufen würden.«

»Du fändest es lustig?«

»Ja. Lass uns einfach Spaß haben und das Leben genießen«, begeistert sich Anna.

Das Leben genießen? Wann hat Jakob zum letzten Mal daran gedacht, das Leben zu genießen. Er kann sich nicht daran erinnern. Weiß er überhaupt, wie das geht?

»Ja. Lass uns das Leben genießen.«

Mit dieser Selbstbestätigung auf den Lippen erhebt sich Jakob von seinem Stuhl und bemerkt nicht, dass ihm das Aufstehen plötzlich ganz leicht fällt und er sich nicht erst mühsam nach oben wuchten muss, um auf die Beine zu kommen. Anna schaut ihn mit großen Augen an, hat sie doch nicht erwartet, dass Jakob mit solcher Begeisterung auf ihren Vorschlag reagieren würde.

»Worauf wartest du?«, drängelt Jakob. „Hopp, Hopp, auf geht`s, draußen wartet das Leben auf mich.“

Dabei klatscht Jakob dreimal in die Hände, als könne er Anna dadurch anspornen.

»Das Leben ist immer und überall«, kontert Anna in weiser Gelassenheit, während sie sich aus dem Sessel aufrappelt und ihre Schuhe anzieht. Jakob drängt zur Eile, um keinen

Raum zu lassen für das Aufkommen einer Vernunft, die eine verrückte Idee jederzeit unter einem Haufen guter Gründe zu ersticken vermag.

Als die beiden keine hundert Atemzüge später das Haus verlassen, denkt keiner von ihnen an den Tod.

23

An der Haltestelle zu sitzen und auf einen Bus zu warten, der keinen Fahrplan kennt, ist nicht das, was Jakob unter Spaß haben versteht. Das wird ihm klar, als er ungeduldig wird.

»Vielleicht sollten wir wirklich zu Fuß gehen.«

Sein Vorschlag löst bei seiner jungen Begleiterin nicht unbedingt Begeisterung aus.

»Warum fahren wir nicht einfach mit dem Auto?«

»Mit welchem Auto?«

»Mit dem Auto, das bei dir in der Garage steht.«

»Magdalenas Auto.«

Diese Klarstellung entfährt Jakob so spontan, dass er seine Entrüstung nicht verbergen kann.

»Aber es funktioniert doch noch, oder?«

Annas erfreuliche Nüchternheit dem Nostalgischen gegenüber besitzt etwas Ansteckendes, zumal sie ihre gute Laune durch häufiges Lächeln unterstreicht. In ihrem rechten Mundwinkel bildet sich, wenn sie lacht, ein kleines Grübchen, wodurch die sonst ebenen Gesichtszüge eine markante

Eigenheit gewinnen, die wohl mit dazu beiträgt, den Eigensinn dieser Dreizehnjährigen zu betonen.

»Ja schon. Aber ich habe mir geschworen, niemals wieder Auto zu fahren.«

»Aber Autos sind zum Fahren da.«

Anna erhebt sich, ohne ihm eine Antwort auf seine Frage zu geben, geht ein paar langsame Schritte, hält inne, als müsse sie sich sammeln und dreht sich schließlich zu ihm um.

»Du musst mir versprechen, nicht gleich auszuflippen.«

»Wie kommst du darauf, ich könnte ausflippen?«

»Weil es dir nicht gefallen wird, was ich dir gleich vorschlagen werden. Und weil Erwachsene immer gleich ausflippen, wenn Kinder einen Vorschlag machen.«

Jakob kann sich an dieser Stelle ein Lächeln nicht verkneifen. »Du scheinst uns Erwachsene ja ziemlich gut zu kennen.«

Anna geht einen Schritt nach vorn auf ihn zu und hebt den Zeigefinger, als drohe sie einem Kind, wobei sie ihrer Stimme die notwendige Entschlossenheit gibt.

»Ich kenne euch gut genug, um zu wissen, dass ihr immer ziemlich erwachsen seid, wenn es darum geht, etwas zu riskieren.«

»Was soll das, bitte schön, heißen?«

»Das soll heißen, dass Erwachsene in der Regel feige sind.«

Jakob senkt den Blick, betrachtet den Boden vor seinen Füßen, auf dem sich Zigarettenkippen um die Reste getrockneter Spucke versammeln und überlegt, was er jetzt sagen oder tun soll, und zu beidem fällt ihm nichts ein.

»Und ich denke, je älter sie werden, umso feiger werden sie auch.«

Hier schweigt Anna und wartet geduldig auf Jakobs Reaktion und hofft dabei, dass jetzt nicht gleich der Bus um die Ecke biegt und ihr schön verrückter Plan scheitert, woran schön verrückte Pläne allzu oft zu scheitern pflegen, an der unwiderruflichen Ordnung der Dinge eben. Doch die Ordnung der Dinge ist bereits so gehörig durcheinander gebracht, dass schön verrückte Pläne endlich ihre Gelegenheit bekommen dürfen, auf die sie so lange gewartet haben. Verdammt, sie hat einfach keine Erklärung dafür, woher und wieso ihr ständig diese Gedanken kommen, die, wenn sie ausformuliert werden, klingen, als sei sie eine altkluge, belesene Intellektuelle, die in ihrem Leben nichts anderes getan hat, als Bücher zu lesen und zu philosophieren.

Gott sei Dank erhebt sich Jakob, bevor der Bus um die Ecke biegt, wobei er sich wie zur Selbstbestätigung mit den Handflächen auf die Oberschenkel klopft.

»Gut. Ich riskiere es und verspreche nicht auszuflippen.« Bevor Jakob aufgestanden ist, hat er nicht gewusst, was er sagen wird und als er es gesagt hat, kann er sich nicht daran erinnern, vorher darüber nachgedacht zu haben. Anna betrachtet ihn, als überlege sie, ob sie die günstige Gelegenheit nutzen und gleich mit der Sache herausrücken oder besser so lange damit warten soll, bis so etwas wie der Punkt erreicht ist, ab dem es kein Zurück mehr gibt.

»Gut. Ich mache jetzt einen Vorschlag.«

Anna stockt und hofft, dass Jakob seinen fragenden Blick endlich von ihr abwenden wird. Es scheint, als würden die Sekunden zu Minuten und die Minuten zu Stunden. Unterdessen versucht Jakob durch leichtes Kopfnicken Anna zu ermutigen, endlich mit der Sprache herauszurücken. Schließlich gibt sich Anna einen Ruck.

»Also. Wenn du nicht fahren willst...«

Anna stockt in ihrer Rede und stellt dabei fest, dass ein Ruck nicht genügt. Ihr bleibt keine Wahl, einen weiteren Anlauf zu nehmen, will sie nicht selbst als feige erscheinen.

»...dann werde ich eben fahren.«

Annas Worte klingen, als sei sie fest entschlossen. Jakob schweigt und während Anna versucht herauszufinden, was er wohl denken mag, setzt sich Jakob in Bewegung. Anna bleibt keine andere Wahl, als ihm zu folgen.

Aus der Perspektive eines auf den Bus wartenden Reisenden befinden sich Großvater und Enkelin auf dem Weg in eine hoffnungsvolle Zukunft am Ende eines Kinofilms und am Anfang einer endlosen Straße, die immer geradeaus durch ein Land voller Abenteuer führt, unterlegt mit der passenden Musik, eingespielt durch ein hundertköpfiges Orchester.

Es sind die Träume eines auf den Bus wartenden Reisenden, die Jakob und Anna in zeitlose Figuren verwandeln, welche als Protagonisten heldenhaft in den Sonnenuntergang reiten, als die einzige Möglichkeit, weil das Drehbuch ein Happy End verlangt. So, als obliege es nicht der Entscheidung der Figuren, was zu geschehen hat, sondern dem Talent eines Erfinders.

24

Jakob öffnet das Garagentor, wobei das dabei entstehende schrille Quietschen den Traum des auf den Bus wartenden Reisenden wie ein Kartenhaus zusammenfallen lässt und dabei alle Erinnerungen und Phantasien mit sich fortreißt.

Anna betrachtet den roten Ford Mustang aus dem Jahre 1968, auf dessen Dach sich eine dicke Staubschicht angesammelt hat, und sie traut ihren Augen nicht, hat sie doch ein Auto erwartet, das einer älteren Dame angemessener wäre, jedenfalls nach ihrer Vorstellung von älteren Damen und ihren Autos, die zu ihnen passen. Sie wird ihr Bild von Magdalena korrigieren müssen, denkt sie, schweigt und bekommt weiche Knie.

Jakob betrachtet Anna, die wie angewurzelt neben ihm steht und sich nicht rührt.

»Das Leben genießen, will gelernt sein.«

Anna schweigt und Jakob glaubt ein leichtes Zittern ihrer Hände wahrnehmen zu können.

»Du bekommst wohl kalte Füße?«

Anna nickt und Jakob übt sich in Geduld.

»Hast wohl gehofft, ich würde deinen Vorschlag ablehnen?«

Annas Mund wird plötzlich ganz trocken. Als Jakob ihr den Schlüssel in die Hand drückt und sie auffordert, einzusteigen und den Motor zu starten, während er sich gelassen auf dem Beifahrersitz niederlässt, spürt sie, wie ihre Hand zu zittern beginnt.

»Na los. Worauf wartest du? Es war schließlich deine Idee.«

Anna zögert, weil sie nicht sicher ist, ob Jakob es wirklich ernst meint. Sie kann es sich nicht vorstellen, dass ein Erwachsener ein Kind wirklich Auto fahren lässt. Außerdem hat sie noch nie einen Motor gestartet, noch nicht einmal einen Rasenmäher. Wenn sie richtig darüber nachdenkt, weiß sie überhaupt nicht wie das geht, Auto fahren.

»Erwachsene sind also feige, sagst du.«

Anna spürt, wie sich Schweißperlen auf ihrer Stirn bilden. Warum um Himmels willen hat sie nicht den Mund halten können? Na klar, sie hat schon oft in einem Auto gesessen und ist mitgefahren, aber nie ist sie auf den Gedanken gekommen, selbst einmal hinter dem Steuer zu sitzen. Soweit sie sich erinnern kann, hat sie noch nie Autofahren geträumt. Aber das hat nichts zu sagen. Schließlich bleiben die wenigsten Träume in Erinnerung, und auch die verblassen mit der Zeit. Es bleibt ihr keine Wahl. Jetzt zu kneifen, wäre ein Zugeständnis an die Vernunft. Und die soll ihr verdammt nochmal gestohlen bleiben. Anna ballt ihre Faust so fest, dass ihre Knöchel weiß anlaufen und das Zittern nachlässt. Zögerlich nimmt sie auf dem Fahrersitz Platz, versucht sich zu entspannen, legt die Hände an das Lenkrad, lässt sie darüber gleiten und spürt das harte, kalte Holz, das so glatt ist, als hätten tausend Hände vor ihr in genau der gleichen Weise darüber gestrichen.

»Die Menschen sind nicht zum Autofahren gemacht. Ich denke, wir sollten alle wieder zu Fuß gehen. Dann wäre alles viel einfacher.«

Altkluge Reden zu führen, liegt Anna besser, als Dinge zu tun, die so richtig gefährlich werden können.

»Es war deine Idee.«

Jakob scheint nicht müde zu werden, die Tatsache zu betonen, dass Ideen ein Eigenleben entfalten können und dann penetrant ihr Recht einfordern. Er lächelt überlegen und schnallt sich an.

»Kann man den Sitz höher stellen?«

Anna muss sich etwas nach oben strecken, um die Kühlerhaube sehen zu können.

»Der Hebel links neben dem Sitz.«

Anna bringt den Sitz in die richtige Position, stellt den Rückspiegel ein und dreht den Schlüssel. Jakob hat nicht erwartet, dass sich etwas tun würde unter der Motorhaube, zu lange schon wurde der Motor nicht gestartet und zu alt ist die Batterie. Umso erstaunlicher ist, dass der Motor ohne Murren anspringt, so als sei er gerade erst gewartet worden. Jakob würde das liebend gerne als Zeichen des Himmels interpretieren. Jetzt gibt es auch für ihn kein Zurück mehr.

»Weißt du, wie eine Gangschaltung funktioniert? Das ist eine H-Schaltung. Vier Gänge. Oben links 1, unten links 2, oben rechts 3, unten rechts 4. Und dann gibt es noch irgendwo einen Rückwärtsgang, aber den brauchen wir heute nicht.

Bevor du einen Gang einlegst, vergiss nicht, die Kupplung zu treten. Das ist das Pedal ganz links. Rechts ist das Gas, in der Mitte die Bremse. Anfahren im ersten Gang. Dann beschleunigen und hochschalten.«

Anna probiert die Pedale aus und lässt den Motor aufheulen. Dann wiederholt sie, was Jakob gesagt hat, drückt das Kupplungspedal und legt nacheinander die Gänge ein. »Eins, zwei, drei, vier und rückwärts brauchen wir nicht.«

Anna überlegt kurz, dann schaltet sie den Motor ab und blickt Jakob an.

»Und was ist, wenn ich Scheiße baue?«

Jakob blickt Anna direkt in die Augen und macht keine Anstalten, auszusteigen und Anna spürt, wie plötzlich ihre Hände erneut leicht zu zittern beginnen.

»Dann sterben wir und im schlimmsten Fall noch jemand, der unschuldig ist.«

»Denn sie wissen nicht, was sie tun.«

»Ja. Genau.«

»Das ist der Titel von einem Film, den ich neulich im Fernsehen gesehen habe.«

»Hast du gewusst, dass James Dean bei einem Autounfall ums Leben gekommen ist?«

»Dein Gerede macht alles andere, nur keinen Mut.«

»Es war dein Vorschlag, deine Idee.«

Anna betrachtet ihre zittrigen Hände und versucht sich zu beruhigen. Sie atmet tief ein, hält die Luft ein paar Sekunden in ihren Lungen und presst sie dann vollständig raus. Sie ist nicht sicher, ob Jakob sie nur herausfordern will oder ob es ihm wirklich ernst ist. Dieser alte Mann hat ja nicht mehr viel zu verlieren, ist sie geneigt zu denken, doch diesen Gedanken verbietet sie sich schnell wieder. Denn sie mag ihn und eine solch böswillige Gemeinheit mag sie ihm nicht zutrauen.

»Scheiße! Scheiße! Scheiße!«, flucht Anna und klammert dabei ihre immer noch zitternden Hände so fest um das Lenkrad, dass ihre Knöchel erneut weiß anlaufen.

Das Aufblitzen in Annas Augen währt nur kurz, aber nicht kurz genug, als dass Jakob es nicht hätte wahrnehmen können. Entschlossen dreht sie den Zündschlüssel und lässt den Motor laut aufheulen. Jakob zeigt keine Regung. Anna drückt die Kupplung und legt den ersten Gang ein.

»Jetzt die Kupplung langsam kommen lassen und leicht Gas geben. Und achte auf die Straße.«

Nachdem sie den Motor dreimal abgewürgt hat, setzt Anna den Mustang in Bewegung und er rollt langsam aus der Garage.

»Rechts oder links.«

»Ich würde ja sagen, geradeaus, aber da befindet sich der Garten der Nachbarn.«

Insgeheim bereitet es Jakob erheblichen Spaß, Anna herauszufordern, um nicht zu sagen, er hat eine himmlische Freude daran, aber auch Angst, dass es schiefgehen wird. Ohne den Blinker zu setzen, fährt Anna nach rechts, nicht weil das ihre bevorzugte Richtung wäre, sondern aus dem einfachen Grund, weil sie, wenn sie nach rechts abbiegt, nicht auf den Gegenverkehr achten muss. Beim Einlegen des zweiten Gangs gibt das Getriebe ein Knirschen von sich. Anna beschleunigt und schaltet in den dritten, dann in den vierten Gang.

»Ich hätte nicht gedacht, dass es so einfach ist.«

»Ich auch nicht.«

»Du hast wohl gehofft, ich kneife.«

»Ja.«

»Jetzt ist es zu spät, um auszusteigen.«

Anna gibt Gas und fährt Auto, als hätte sie in ihrem Leben nie etwas anderes getan. Nach drei Kilometern ist ihre anfängliche Unsicherheit verschwunden und einer erstaunlich unbedarften Risikofreude gewichen. Was soll schon passieren? Scheiß auf die Vernunft. Aber komisch ist es schon. Zuerst alle ihre tiefsinnigen Gespräche mit Jakob, die sich anhören mussten wie die Unterhaltung zweier Philosophen und dann das hier, Autofahren ohne Führerschein, mit dem Auto einer Toten, dessen Zulassung längst erloschen ist und die wahrscheinlich auch seit Jahren keine Versicherungsprämie mehr überwiesen hat.

»Scheiße! Wenn die uns anhalten, sind wir dran.«

»Mir kann nichts mehr passieren. Ich bin schon so gut wie tot.«

Anna wirft Jakob einen kurzen Blick zu, dem es allerdings nicht gelingt wirklich böse zu wirken. Zum ersten Mal in ihrem kurzen Leben fehlen Anna die Worte. Sie weiß plötzlich nicht mehr, was sie von der ganzen Sache halten soll. Und während ein Teil von ihr sagt, »fahr jetzt lieber rechts ran, steige aus dem Wagen und mach, dass du nach Hause zu

Mama kommst«, sagt der andere Teil, »jetzt zeigst du ihm mal so richtig, was in dir steckt, beweise ihm und dir selbst, dass du vor nichts und niemandem Angst hast.«

»Aber Angst ist ein guter Ratgeber«, wendet der vernünftige Teil ein, »sie warnt uns vor tödlichen Gefahren.«

»Quatsch«, erwidert der verwegene Teil, »Angst ist ein schlechter Ratgeber, sie zieht das Unheil an wie die Scheiße die Fliegen, sie lässt uns zögern und treibt uns dem Tod direkt in die Arme.«

Die beiden Stimmen setzen ihr Wortgefecht ungehindert und mit erbarmungsloser Härte fort, während Anna versucht sich auf die Straße zu konzentrieren.

Gott sei Dank sind auf der Landstraße nicht so viele Autos unterwegs und Fußgänger scheint es auch keine mehr zu geben. Nur hin und wieder taucht ein Fahrradfahrer in einem knallbunten Trikot auf, der versucht einen neuen Rekord im In-der-Mitte-der-Straße-fahren aufzustellen. Vereinzelt ziehen am Straßenrand Bäume vorbei, die nur darauf zu warten scheinen, ihr in den Weg zu springen. Anna versucht die beiden Stimmen zum Schweigen zu bringen, was ihr aber nicht so recht gelingen will. Irgendwie muss sie aus der Nummer mit heiler Haut herauskommen, sagt sie sich und weiß nicht so recht, wie sie das anfangen soll.

»Wo fahren wir eigentlich hin?«

»Dorthin, wo es Pfeifen gibt.«

Anna kann sich einfach nicht erklären, wie es zu dieser merkwürdigen Verwandlung ihres Beifahrers gekommen ist. Eben noch war er ein alter Mann, der sich nur noch zu Hause verkriechen wollte und jetzt? War es das, was Magdalena an ihm liebte?

»Ich habe eine andere Idee. Da wollte ich immer schon mal hin.«

Annas Gesicht beginnt vor Begeisterung zu glänzen, als sie die Finger um das Lenkrad schließt und den Mustang ein klein wenig beschleunigt.

»In die Stadt fahren, ist mir zu riskant.«

»Und was wird aus meiner Pfeifen?«

»Ein anderes Mal.«

Jakob versucht seine Neugier zu verbergen und überlegt, wie es wäre, die Augen zu schließen. Wenn er sehen kann, was auf ihn zukommt, behält er das Gefühl der Kontrolle. Die Augen schließen, würde bedeuten, sich ausschließlich den fehlenden Fahrkünsten einer Dreizehnjährigen zu überlassen oder dem Schicksal, was letztendlich auf das Gleiche hinauslaufen dürfte. Er entscheidet sich für das Schicksal, schließt die Augen und stellt sich vor, dass Magdalena am Steuer sitzt. Sie hat nie viel geredet, wenn sie Auto gefahren ist.

Sie fehlt ihm so sehr, dass es kaum auszuhalten ist.

Aber da ist auch das andere Gefühl, zart und verletzlich wie der Sprössling einer neuen Pflanze, das sich wieder in ihm auszubreiten beginnt.

Lebenslust.

Das gleichmäßige Surren des Motors lässt ihn langsam wegdämmern. Es ist ein traumloser Schlaf, der ihn mitnimmt in eine Welt, von der es keine Erinnerung gibt.

25

Als Jakob erwacht, starren ihn die umstehenden Bäume an, als hätten sie nur darauf gewartet, dass er die Augen aufschlägt und sie sieht.

»Am Anfang war das Wort. Ob diese Bäume auch da wären, wenn ich sie nicht sehen könnte?«

Noch schwingt in ihm ein Nachhall dessen, was er in der Bibliothek über >Das Neue Denken< gelesen hat, anders sind solche leise vor sich hin gesprochene Aussagen nicht zu erklären.

Der Fahrersitz neben ihm ist leer. Anna ist verschwunden und nirgendwo zu sehen. Immerhin ist er noch am Leben, sagt er sich, und auch nicht verhaftet. Jakob öffnet die Tür und steigt aus, um sicherzugehen, dass das alles kein Traum ist. Wäre es ein Traum, würde jetzt etwas Sonderbares passieren. Er könnte zum Beispiel fliegen, wenn er es wollte, oder er müsste wegrennen, weil plötzlich eine Meute von Verfolgern hinter ihm her wäre. Jakob breitet die Arme aus, springt in die Luft und landet gleich wieder auf seinen Füßen. Zu viel Gewicht für einen längeren Flug, denkt er und lächelt, legt die Hand in den Rücken, drückt das schmerzende Kreuz durch und blickt sich um.

Er hat keine Ahnung, wo er sich befindet. Der Mustang parkt auf einem Waldparkplatz. Der schmale Weg ist nicht asphaltiert und verliert sich weiter unten im Grün des Waldes. Es würde ihn überhaupt nicht wundern, wenn Magdalena plötzlich aus dem Unterholz auftauchen würde und er ist in der Tat ein klein wenig enttäuscht, als Anna plötzlich vor ihm steht.

»Ich hab schon mal die Gegend erkundet. Ich glaube, wir müssen da lang.«

Anna zeigt mit dem ausgestreckten Arm in Richtung eines schmalen Durchgangs, der zwischen zwei Haselnusssträuchern hindurch den Blick auf einen schmalen Pfad freigibt. Es ist unerwartet still auf dem Parkplatz, die Hauptstraße muss ein gutes Stück entfernt sein, fällt Jakob auf, sonst müsste man das Geräusch vorbeifahrender Autos hören. Die Vögel üben unbeeindruckt ihre Lieder und Jakob konzentriert sich auf die leichten Variationen, die er herauszuhören glaubt. Schon merkwürdig, das Ganze, vor allem, wenn sich die Perspektive der Wahrnehmung verschiebt, ohne dass man es sich vorgenommen hat. Der Weg, den der Durchgang freigibt, schlängelt sich zwischen den Bäumen hindurch und führt serpentinenartig bergauf. Jakob hält kurz inne und überlegt, ob er mitgehen soll.

»Du hast ja nichts mit dem Herzen, oder?«

Anna wirkt irgendwie nervös, hat er den Eindruck, sie kann kaum stillstehen und scheint unentschlossen, ob sie sich auf dem richtigen Weg befinden.

»Mit dem Herzen? Keine Ahnung. Warum fragst du?«

»Ich glaube, das geht noch ziemlich steil da hoch.«

Fest entschlossen, sich nicht die kleinste Schwäche anmerken zu lassen, setzt sich Jakob in Bewegung. Er muss aufpassen, dass er nicht an Wurzeln hängenbleibt oder über Steine stolpert, das versucht er sich einzuschärfen, und gleichmäßig atmen, das verhindert einen Seitenstich. Anna schreitet scheinbar mühelos, obgleich Jakob hin und wieder glaubt, ein leises Pfeifen ihres Atems wahrzunehmen. Auf dem feuchten Waldboden sind ihre Schritte kaum zu hören. Es riecht nach Baumharz und nassem Laub. Beim weiteren Aufstieg durch den Wald kommt Jakob allerdings nicht umhin, gegen alle Zuversicht festzustellen, dass ihm das Alter in den Knochen sitzt. Immer wieder muss er kurze Pausen einlegen, um wieder zu Atem zu kommen. Anna wartet dann geduldig, da ihr die Pausen stärker entgegenkommen, als sie zugeben möchte. Schweißperlen stehen Jakob auf der Stirn und er ist versucht anzumerken, dass sie sich etwas zu essen und zu trinken hätten einpacken sollen. Dann gibt er sich einen Ruck und weiter geht es bergauf, Schritt für Schritt, Atemzug um Atemzug, bis sie die Kuppe erreicht haben.

Als sie aus dem Wald auf eine kleine Lichtung treten, erheben sich unmittelbar vor ihnen die halb zerfallenen Mauern einer Klosterruine. Gerade in diesem Augenblick bricht die Sonne durch die Wolkendecke und taucht die Welt in ein ungewöhnlich warmes Licht.

»Es heißt, hier soll es spuken. Die Geister der verstorbenen Mönche würden jeden heimsuchen, der mit unlauteren Gedanken ihr Kloster betritt.«

»Glaubst du etwa an solche Gespenstergeschichten?«

Anna zögert auf die Frage eine Antwort zu geben.

»Es heißt, bei Einbruch der Dunkelheit gingen hier merkwürdige Dinge vor sich.«

»Merkwürdige Dinge?«

»Ja. Zum Beispiel sei schon des Öfteren ein großer Hund mit einem langen, grauen Fell gesehen worden, dem ein Ohr fehle.«

»Ein großer, grauer Hund mit nur einem Ohr?«

»Warum wiederholst du immer, was ich sage?«

Anna wirkt in der Tat nervös und Jakob weiß nicht, was er davon halten soll. Vor ihren Füßen liegt ein gepflasterter Weg, der auf einen Torbogen zuläuft, durch den hindurch man ins Innere des Klosters gelangen kann. Beide zögern den ersten Schritt zu machen, was Jakob zu einer nicht ganz so ernst gemeinten Anregung veranlasst.

»Wir sollten uns gut überlegen, was wir jetzt tun.«

»Ich bin nicht den steilen Weg hier hoch gelaufen, um jetzt zu kneifen.«

Dem versuchten Ausdruck der Empörung ist die fehlende Ernsthaftigkeit anzumerken, woraufhin Anna nicht lange zögert und entschlossen auf das Portal zuschreitet.

»Achtung, da vorn ist er, der graue Hund.«

Erschrocken hält Anna inne und Jakob glaubt sogar ein leichtes Zittern in ihrem Gesicht zu erkennen, als sie sich zu ihm umwendet.

»Wo?«

Jakob kann ein herzhaftes Lachen nicht mehr unterdrücken.

»Blödmann.«

Noch vor ein paar Wochen hätte keine Dreizehnjährige gewagt, ihn Blödmann zu nennen, weder im Spaß noch im Ernst. Damals strahlte er noch eine von Trauer getragene

169

Ernsthaftigkeit aus, die jedem unmissverständlich klarmachen musste, dass man ihn besser in Ruhe ließ.

Als Anna entschlossen unter dem Torbogen hindurchgeht, befindet er sich nur ein paar Schritte hinter ihr. Ein kurzer, aber heftiger Windstoß lässt sie beide auf der Stelle wie angewurzelt stehen bleiben. Die Blätter der umstehenden Bäume bewegen sich kaum, es ist nahezu windstill. Die Vögel sind verstummt, nur das Knarren eines Baumes ist zu hören.

»Vielleicht sollten wir besser zurückgehen«, hört sich Anna flüstern, so leise, dass ihre Worte kaum hörbar sind.

»Ich bin nicht den steilen Weg hier hoch gelaufen, um jetzt zu kneifen«, wiederholt Jakob Annas Worte ebenso leise.

»Aber es wird bald dunkel.«

Die Sonne, die sich gerade hinter einer kleinen Wolke versteckt, steht steil am Himmel und Jakob hat das Gefühl, dass es für März schon relativ warm ist.

»Lass uns noch bleiben«, schlägt er vor. »Wer weiß, vielleicht passiert ja noch was.«

An diesem Mittag entfernt sich Anna von Jakob nicht mehr weiter als ein paar Meter, sodass sie sich bei plötzlich auftretender Gefahr schnell würde hinter ihm verstecken können. Derweil lässt sich Jakob auf einem flachen Stein nieder, gerade als sich eine zweite Wolke vor die Sonne schiebt, lehnt sich mit dem Rücken gegen die Mauer, schließt die Augen und spürt die Wärme auf seinem Gesicht. Es riecht nach feuchter Erde und frischem Gras.

»Welch ein herrlicher Tag. So stelle ich mir das Leben vor. Warm und satt und gut riechend.«

Anna sagt nichts. Ihre Augen wandern unablässig über den Saum des Waldes, als erwarte sie, dass jederzeit ein großer, grauer Hund hervorkommen und sich auf sie stürzen wird.

Jakobs Atem geht ruhig und langsam, er versucht, was er seit langer Zeit nicht mehr getan hat, seine Gedanken zum Stillstand zu bringen. Es ist nicht leicht, nicht zu denken, dem Ansturm der Gedanken die Konzentration auf das Nichts entgegenzuhalten.

Am liebsten würde Anna herausfinden, ob Jakob eingeschlafen ist, aber irgendwie hat sie das Gefühl, gerade jetzt besser überhaupt nichts zu tun, nichts sagen, nicht bewegen, nur mit zusammengekniffenen Augen leicht blinzeln und den Waldrand nicht aus den Augen lassen.

Die Welt scheint sie zu beobachten, ohne Augen, ohne Ohren, ohne Hände, die nach ihr greifen können, und doch mit allen Sinnen. Selbst jedes ihrer Worte kann die Natur hören, denkt sie, und dann bricht, als wolle die Welt ihr ein Zeichen geben, noch einmal ein Sonnenstrahl zwischen den Wolken hindurch und um sie her erstrahlt alles in hellem Licht. Die Bäume, das Gemäuer der alten Abtei, der Himmel, alles erstrahlt im Licht einer neuen Morgenröte und ergießt sich über das Land in langen Schatten. Die Natur offenbart sich ihr für den Bruchteil einer Sekunde als vollkommene Einheit des Lebens. Auch wenn nicht zu verstehen ist, was gerade geschieht, wird dieser Eindruck für immer bleiben.

Tief in Annas Seele wird er sich verschließen und weiter leuchten.

Während der Tod im übrigen Teil der Welt bedachtsam und ohne Unterlass seiner Arbeit nachgeht, ist für Jakob, der nun bereit ist, sich allem hinzugeben, der richtige Augenblick gekommen, von Magdalena zu träumen.

26

Während ein alter Mann inmitten zerfallener Klosterruinen von der Frau träumt, die mit ihm das Leben geteilt hat, und ein dreizehnjähriges Mädchen diesen schönen Traum bewacht und darauf achtet, dass die Geister der Mönche, die einst den Berg bewohnten, den sich der umstehende Wald längst schon wieder zurückgeholt hat, nicht allzu aufdringlich werden, versuchen die Sterblichen immer noch eine Lösung zu finden für all jene Probleme, die sich daraus ergeben, dass sich die Zeit der Berechenbarkeit und Messbarkeit immer wieder zu entziehen vermag, ganz gleich welche Verfahren zur Anwendung gebracht werden.

Offenbar unabhängig voneinander haben chinesische und australische Wissenschaftler versucht eine Sanduhr zu entwickeln, die ihren Sand, gemäß der Anzahl der Stunden, die einem Tag und einer Nacht zugeschrieben werden, in 24 voneinander getrennte Röhrchen gleichmäßig verteilen soll. Was als mögliches Verfahren zur Messung der Zeit einer Nacht und eines Tages hätte Anwendung finden können, erschöpft sich in der Eigenwilligkeit eines Sandes, der den menschlichen Erwartungen von Exaktheit eine ihm wesenhafte Unbestimmtheit entgegenhält, die ihm niemand zugestehen will, wodurch sich nicht nur die Mechanik der Sanduhr einer Feinjustierung widersetzt, die erforderlich wäre, um das Projekt als erfolgreich zu bezeichnen, sondern der Sand selbst zum Ausgangspunkt von Fragen wird, die sich einer eindeutigen Beantwortung entziehen.

Doch weil Erfinder nur sehr ungern gegenüber anderen und vor allem gegenüber sich selbst zu dem Eingeständnis bereit sind, dass eine auf der Grundlage ihrer Berechnungen vollbrachte Herstellung eines Gerätes den Ergebnissen der vorangestellten Berechnungen nicht entsprechen will, beharren sie darauf, dass Sand immer denjenigen Gesetzen zu gehorchen habe, die ihm von der Natur zuerkannt wurden. Sie korrigieren so lange an allem herum, woran sich Korrekturen vornehmen lassen, drehen Schräubchen, feilen Zahnräder, spannen Federn, ölen Ketten, berechnen Formeln, solange und so intensiv, bis sich irgendwann keine Konstanten mehr finden lassen und sie das Interesse verlieren, oder die Übersicht, oder beides, was ihnen als Experten noch nie zuvor passiert ist.

Den Überblick verloren haben sie noch nie, das kennen sie nicht, weshalb sie zum ersten Mal in der langen Geschichte der Erfindungen in die Lage kommen, nun sich selbst, ihre Fähigkeiten als Hersteller, das Wesenhafte der Herstellung, ihr Denken und schließlich sich selbst und nicht ihre Erfindung infrage zu stellen. In Folge der auf den eigenen Wesenskern bezogenen Offenbarungen kommt es zu einer nie

dagewesenen Serie von Selbstmorden unter Wissenschaftlern, die das Ende wissenschaftlicher Erkenntnis zu markieren scheinen.

Nicht anders ergeht es den Amerikanern und Europäern,
die ihre ganze Energie auf die Entwicklung und Produktion
einer Sonnenuhr richten, die auch in der Nacht den Lauf der
Sonne in gleich große Einheiten aufteilen soll, wozu letztlich
auch die Mitarbeit der Chinesen unerlässlich ist.

Allein, es finden die Abläufe des alltäglichen Lebens, die
einst dem Takt der Uhrwerke und Digitalanzeigen folgten,
nachdem sie ins Stocken geraten sind, langsam wieder in
einen eigenen Rhythmus zurück. Denn es sind die Menschen
immer noch in der Lage sich an veränderte Bedingungen
anzupassen, zumal die Abwesenheit von Zeit auf ihre Anwesenheit hindeutet, und die veränderten Bedingungen somit
ihrem ureigenen Wesen entgegenzukommen scheinen. Dafür
haben die Menschen schon viel länger auf der Erde zugebracht, bevor sie in die Verlegenheit kamen, die Zeit messen
zu können.

Nun wäre es voreilig, auf den Gedanken zu verfallen, die
Menschen würden wieder dahin zurückfinden, woher sie
gekommen sind, nur weil ihnen plötzlich und unerklärlich
die Uhrzeit abhandengekommen ist. Aber eine erste Spur
taucht auf, die sich nicht mehr ganz verbergen will, ein Pfad
vielleicht, der kaum erkennbar wie ein Wildwechsel sich
durch das Gestrüpp und Unterholz einer alten und längst
vergessenen Ordnung zu winden scheint.

Am Ende findet Magdalenas Auto seinen Weg in die Garage zurück und Jakob beschließt die gemeinsam verbrachte Zeit mit den Worten, »Das war ein wunderschöner Tag.«

27

Als Jakob am nächsten Morgen in den Spiegel blickt, glaubt er sich kaum wiederzuerkennen. Er wirkt jünger, vitaler, seine Augen strahlen ihn, glasklar, durchdringend und leuchtend, und eine leise Stimme sagt ihm, es lodere noch ein Feuer in ihm, das darauf dränge, die ganze Welt zu erobern.

»Die Seele ist ohne Raum und ohne Zeit«, sagt eine Stimme, die von weit herzukommen scheint. »Sie ist nur auf einen Körper angewiesen, um die Erfahrung zu machen, wie es ist, dem Leben zu begegnen.«

Selten antwortet eine Stimme, die zu einem spricht, auf voreilige Fragen, und man gewinnt deshalb schnell den Eindruck, als gäbe es solche Stimmen überhaupt nicht, als sei alles nur Einbildung, zumal, wenn ein Mensch älter wird.

Beim Blick in den Spiegel spürt Jakob, wie Freude in ihm aufsteigt. Er kann sich nicht erklären, wohin die Traurigkeit verflogen ist, wohin die Einsamkeit. Ja, jetzt erst, an diesem Morgen, beim Blick in den Spiegel, wird ihm klar, er war einsam, so einsam, wie ein in eine fremde Welt geworfenes Lebewesen nur sein konnte, einsam bis ins Mark. Aber nicht nur, dass er einsam gewesen war, vielmehr hatte ein Gefühl der Leere in ihm vieles von dem verdrängt, was ihn einst hatte lebendig sein lassen.

»Tu endlich was, du hast in deinem Leben viel zu lange herumgesessen.«

Und diesmal ist es keine Stimme von außerhalb, die zu ihm spricht, diesmal kommt sie tief aus ihm selbst heraus. Noch nie in seinem Leben hatte Jakob das Gefühl, seine Zeit vergeudet zu haben, jedenfalls kann er sich an keinen einzigen Augenblick erinnern. Das Problem der Zeitvergeudung gab es nicht in seinem Leben. Er war glücklich, solange er mit Magdalena zusammen war. Und als sie gestorben war, hatte das Leben für ihn die Bedeutung verloren, die es einst gehabt hatte. Lange Zeit war es so, als sei ein Teil von ihm mit ihr fortgegangen. Der Rest von ihm, der Teil, der noch nicht gestorben war, fristete ein karges, freudloses Dasein in der Werkstatt. Wenn es ihm gelang, eine Uhr zu reparieren und wieder zum Laufen zu bringen, blieb die für gewöhnlich damit verbundene Zufriedenheit aus. Irgendwann konnte er sich zu dem Entschluss durchringen, die Werkstatt für immer zu schließen. Damals befand sich der Tod bereits in Rufweite.

Und plötzlich sieht er sich vor die Frage gestellt, was er mit seiner verbleibenden Lebenszeit anfangen soll? Und nicht nur das, sondern er hofft, sie möge noch andauern. Ein Zustand, der zutiefst menschlich zu sein scheint, am Leben bleiben wollen, atmen, lachen, genießen, den Blick nach oben in den Himmel heben und die Wolken zählen, barfuß durch Regenpfützen laufen, Schnee essen, mit den Händen in der Erde wühlen, und wieder atmen, Luft holen und einen ersten Sprung wagen. Wenn es nach dem Leben gehen würde, würde es immer weitergehen und vielleicht tut es das ja auch. Seine Seele ist noch nicht fertig mit ihm, noch fehlen die Erfahrungen, die sie machen muss, um in der Welt gewesen zu sein. Nicht, dass Jakob Angst vor dem Tod hätte, dafür hat er ihn bereits zu sehr herbeigesehnt. Aber er will jetzt nicht mehr sterben, er will leben.

Leben. Leben. Leben.

Allerdings nicht um jeden Preis. Das war schon immer Teil seiner Vereinbarung mit Magdalena. Wenn einer von ihnen nicht mehr in der Lage sein würde, über sich und sein Leben selbst, mit dem ihm geschenkten freien Willen zu entscheiden, dann würden sie beide gemeinsam einen Weg finden, um den verbotenen Tod zu treffen. Die Entwürdigungen des späten Alterns in einer Gesellschaft, der nichts Besseres einfiel, als ständig neue Dinge herzustellen und zu verkaufen, würden sie beide nicht bereit sein hinzunehmen.

Und was einst von beiden gemeinsam beschlossen wurde, soll auch jetzt für ihn gelten. Er will es nicht miterleben müssen, mit nassen Hosen in einem Sessel zu sitzen und sprachlos darauf zu hoffen, dass einer, der dafür schlecht bezahlt wird, sich berufen fühlt, ihn trocken zu legen. Eine solche Entwürdigung wird er nicht bereit sein, hinzunehmen. Da wird das Leben ihm einen Ausweg bieten, da ist er sicher.

Wenn auch die Zeiten, die hinter ihm liegen, ungünstig gewesen sein sollten, um das Vertrauen in das Leben zu erhalten, so hat er doch in den letzten Tagen ein Zipfelchen davon zwischen Daumen und Zeigefinger so fest einklemmen können, dass es sich ihm nicht wieder würde entziehen können. Und jetzt zieht er es wieder langsam zu sich heran, ganz sacht und mit viel Sorgfalt, sodass es nicht zerreißen wird, wenn die Spannung zunimmt. Und das alles verdankt er diesem Kind.

Das Leben wird ihn nicht enttäuschen, nicht heute, darauf kann er sich verlassen. Auf das Leben war immer Verlass. Zwar hat er den geeigneten Ort gefunden, um auf den Tod zu warten, einen Ort, an dem er Magdalena herbeiträumen könnte, aber ganz auf die andere Seite wechseln, das scheint heute und morgen und die nächste Zeit nicht für ihn vorgesehen.

28

Lust auf Abenteuer lässt Jakob schließlich nach dem Autoschlüssel greifen und das Haus verlassen, gegen alle Vorsätze.

Anna hat den Mustang vorwärts in die Garage geparkt und sich dabei darauf berufen, dass der Rückwärtsgang heute nicht gebraucht werden würde.

Der Rückwärtsgang.

Jakob braucht ein paar Versuche, um ihn zu finden. Er lässt die Kupplung langsam kommen, gibt ein wenig Gas und setzt den Wagen vorsichtig aus der Garage und auf die Straße. Das Blubbern des Motors gibt ihm das Gefühl, wieder zurück zu sein. Nach so langer Zeit der Abstinenz hat er immer noch das richtige Gefühl für die Kupplung, obwohl er Magdalenas Auto nie gefahren hat. Er ist von sich selbst überrascht. Als er losfährt, kommen ihm die gleichen Gedanken in den Sinn, wie sie auch Anna heimgesucht haben. Der Wagen ist weder zugelassen noch versichert. Doch das soll ihn nicht weiter stören. Regeln sind dazu da, gebrochen zu werden. Gäbe es keine Gesetze, würde es niemanden geben, der sie bricht. Ein Auto zulassen und versichern ist ein Akt der Bürokratie, eine Regel, die nur dann Sinn ergibt, wenn es um Kontrolle und Rechnungen geht. Das alles kann in einer Zeit ohne Zeit keine Geltung für sich in Anspruch nehmen.

Heute ist ein Tag, an dem alle Regeln außer Kraft gesetzt sind.

Das ist die Logik eines alten Uhrmachers, in dem irgendetwas beschlossen hat, seine Angst über Bord zu werfen und all diejenigen Regeln zu missachten, die ihn am Leben hindern. Nicht, weil er nichts mehr zu verlieren hat, sondern, weil alle alles zu gewinnen haben.

Wie kann es sein, dass ein alter Mann, der an der Schwelle zum Tod steht, Gedanken wie diese denkt? Wie kann es sein, dass nichts und niemand den alten Uhrmacher davon abhalten kann, mit dem Auto in die Stadt zu fahren und vor dem Tabakladen zu parken, der auch Pfeifen im Angebot hat?

Es kann sein. Mehr braucht es nicht.

Ein unerwarteter Duft von Nelken und Zimt umhüllt ihn, sobald Jakob den Laden betritt. Ein alter Grieche mit einem pechschwarzen Schnauzbart, der Inhaber des Ladens, nimmt alle Pfeifen aus der Vitrine und ordnet sie in einer Reihe auf dem Tresen an, nachdem Jakob ihn darum gebeten hat. Jakob begutachtet in aller Ruhe jede einzelne von ihnen so intensiv, wie er lange schon nichts mehr begutachtet hat. Er wiegt sie in der Hand, betastet ihren Bauch, riecht daran, erkundigt sich nach der Herkunft des Holzes, aus dem sie gefertigt sind, und vergleicht Farbe und Form. Schließlich wählt er zwei Pfeifen aus, die ihm als die schönsten und besten erscheinen, kauft dazu noch unterschiedliche Sorten Pfeifentabak, Filter, Streichhölzer, dazu noch eine Tageszeitung und verlässt den Laden als reicher Mann.

Gerade, als er die Beifahrertür öffnet und seinen Schatz in den Wagen legt, fährt im Schritttempo ein Polizeiwagen an ihm vorbei. Beide Polizisten lassen ihre Blicke über den Mustang wandern, wobei ihr Interesse dem Wagen als solchem gilt, seiner besonderen Erscheinung und nicht seiner Rechtmäßigkeit, was Jakob allerdings nicht wissen kann. Jakob lächelt ihnen überlegen zu, grüßt mit einem leichten Kopfnicken und geht selbstbewusst um den Wagen herum zur Fahrertür, die er gelassen öffnet, um sogleich einzusteigen. Ihm ist kein Zeichen von Gebrechlichkeit anzusehen und so fühlt es sich auch an, weder sein Rücken macht ihm Schwierigkeiten, noch sein Kreislauf. In diesem Moment ist da nichts mehr, was ihn zu einem alten Mann macht.

Als er den Zündschlüssel dreht und den Motor startet, bremst der Polizeiwagen ab und stoppt. Möglicherweise wollen ihm die beiden auf den Zahn fühlen. Ein alter Mann mit einem alten Auto, zu dem einem Klassiker, so etwas ist verdächtig, werden sich die beiden denken.

Es ist nicht nur, dass wir das Leben für die Toten leben, sondern es selbst will richtig gelebt sein.

So schießt der Gedanke, unangekündigt und befremdend, Jakob durch den Kopf, gerade, als er den Wagen in Bewegung setzt. Wenn Jakob sich jetzt vorstellt, dass ihn die beiden anhalten, wird es auch passieren. Zu seinem Glück denkt Jakob diesen Gedanken erst, als er an ihnen vorbei ist. Im Rückspiegel sieht er, wie sie nebeneinander zum Tabakladen gehen und er stellt sich vor, dass die beiden dort jeweils einen Lotterieschein ausfüllen.

Vielleicht hätte er das auch tun sollen, einen Lottoschein ausfüllen.

Jeder vernünftige Ratgeber würde ihm jetzt raten, Fahr weiter und gib ihnen keine Gelegenheit, erneut auf dich aufmerksam zu werden, indem du etwas Blödes tust, was an Dämlichkeit kaum zu übertreffen sein dürfte. Doch heute ist der Tag, der für Dummheiten wie geschaffen ist. Jakob setzt den Wagen in die einzige Parklücke, die in der Straße noch zu finden ist und offenbar nur auf ihn gewartet hat.

Während er die hundert Meter zum Tabakladen zurückschlendert und versucht an nichts zu denken, überquert eine schwarze Katze die Straße und verschwindet in einem schmalen Gang zwischen zwei Häusern. Die beiden Polizisten verlassen den Tabakladen gerade, als er die Tür aufstoßen will. Einer von beiden hält sie geöffnet, sodass Jakob eintreten kann. Er bedankt sich höflich und beide nicken ihm zu.

Jakob hat in seinem Leben nie etwas auf die Lotterie gegeben. Was hätte das viele Geld ihnen ermöglicht? In einer

Zeitschrift hatte Magdalena einmal gelesen, dass die australischen Ureinwohner keinen Wert auf materiellen Besitz legten und dass dessen Verachtung dem wahren Menschsein entspreche. Solange Magdalena lebte, war sein Leben reicher, als es jemals durch Reichtum hätte sein können.

Dabei ist es gar nicht so schwer, einen Lottoschein auszufüllen, stellt Jakob fest. 6 Zahlen aus 49 möglichen Zahlen auswählen und ankreuzen. Das ist schon alles.

»Wann ist denn die Auslosung?«, fragt Jakob, als er dem Griechen den Lottoschein über den Tresen schiebt und die geforderte Summe bezahlt.

»Wie immer am Samstag. Irgendwann nach Einbruch der Dunkelheit nehme ich an. Man weiß ja nicht so recht, was man davon halten soll.«

»Ja, man weiß nicht, was man davon halten soll. Aber vielleicht gibt uns die Zeit jetzt einen Teil unseres verlorenen Lebens zurück.«

Der Grieche starrt Jakob sprachlos an, als hätte Jakob in einer ganz fremden Sprache gesprochen. Nachdenklich streicht er mit seiner Hand über den schwarzen Schnauzbart, von dem ein einzelnes Härchen an seinem Finger haften bleibt. Jakob nickt und nimmt das Wechselgeld entgegen, während er überlegt, ob er den Griechen so allein und ohne weitere Erläuterung des Gesagten zurücklassen kann, umhüllt vom Duft nach Nelken und Zimt.

Gedankenverloren verlässt Jakob den Laden und geht zurück zu seinem Auto, das von der Polizei unbehelligt geblieben ist. Die Gedanken, die ihm in den Sinn kommen, die

Gedanken, die er auszusprechen begonnen hat, all das passt nicht mehr zu dem Jakob, den er einmal zu kennen glaubte, zu dem alten Uhrmacher, der allein in seiner Werkstatt glücklich war, ganz ohne an der Welt teilzuhaben.

»Aber das Schwierigste kommt erst noch«, murmelt Jakob vor sich hin, während er den Lotterieschein sorgfältig zusammenfaltet und in seiner Hosentasche einen sicheren Platz gibt.

29

Jakob erinnert sich an den Namen der Straße, aber eine Hausnummer will ihm bei aller Mühe nicht einfallen. Doch das soll ihn von seinem Vorhaben nicht abhalten, eine lapidare Hausnummer. Magdalenas Straßenatlas liegt auf dem Rücksitz genau dort, wo er immer gelegen hat. Wenn sie beide in die Verlegenheit kamen, eine Straße zu suchen, von der sie nicht wussten, wo genau sie lag, bestand seine Aufgabe als Beifahrer darin, die Karte zu lesen. Beides gleichzeitig zu tun, die Karte lesen und fahren, das ist für ihn eine neue Erfahrung und wie sich herausstellt nicht ohne Tücken. Er verfährt sich mindestens dreimal, muss immer wieder anhalten und sich orientieren, die Route ermitteln, sich das Ganze einprägen und dann aus dem Gedächtnis heraus den richtigen Weg suchen. Einer Ahnung folgend, parkt er den Wagen am Straßenrand.

Es sind die typischen Neubauten, die die Straße säumen, nichts Aufsehenerregendes, eher langweilige Architektur,

einförmig, steril, japanische Gärten, Kieselsteine, Pflaster-
steine, wenig Grün, hier und da eine Skulptur aus verroste-
tem Eisen, oder Steinquader mit Wasserläufen. Jakob muss
seiner Intuition vertrauen, um das richtige Haus zu finden. Er
wird von Haus zu Haus laufen müssen. Schließlich hat er
Zeit und vielleicht ja auch Glück. Komische und zugleich
verrückte Idee, sagt er sich, während er am unteren Ende
einer Treppe stehen bleibt, die zu einem Haus mit grünen
Fensterläden hinauf führt.

Jakob setzt gerade seinen Fuß auf die erste Treppenstufe,
als sich die aus Kunststoff gefertigte Haustür mit Edelstahl-
griff öffnet und Anna heraustritt. Die Hausnummer, eine
Zehn, gefertigt aus dem gleichen Edelstahl wie der Haustür-
griff, befindet sich genau in Annas Kopfhöhe. Leise zieht sie
die Tür hinter sich zu und eilt die Stufen herab und an Jakob
vorbei, ohne auch nur kurz innezuhalten.

»Machen wir, dass wir wegkommen, bevor uns jemand
sieht«, flüstert sie ihm im Vorbeihuschen zu.

Keine fünf Minuten später verlassen die beiden in Magdalenas Mustang die Siedlung. Ganz gegen ihre Gewohnheit ist
Anna schweigsam. Es kommt ihr nicht einmal in den Sinn,
zu fragen, wie Jakob auf die Idee verfallen ist, zu ihr nach
Hause zu kommen, ganz zu schweigen von der Tatsache,
sein Gelübde zu brechen und ein Auto zu lenken.

Das Ziel ihrer Fahrt scheint für sie ebenso wenig von Bedeutung wie die Geschwindigkeit, mit der Jakob den Mustang über die Landstraße jagt. Zielsicher und siegesbewusst
steuert er den Wagen schließlich auf den Parkplatz zu der

Lautsprecheranlage hin, aus der eine weit entfernte Stimme zu ihnen spricht, »Ihre Bestellung, bitte.«

Jakob hat überhaupt keine Ahnung, was es so zu bestellen gibt und zählt daher auf, was er irgendwann einmal gehört hat.

»Cheeseburger, Hamburger, zwei jeweils, zwei Cola, zwei Pommes und zwei Milchshakes, Vanille und Schoko.«

»Pommes, klein, mittel oder groß?«, schallert es aus der Sprechanlage.

»Alles groß«, antwortet Jakob gekonnt, »Pommes, Cola und Milchshakes.«

Es hört sich an wie in einem Film und Jakob kommt sich vor wie ein waschechter Amerikaner in den 50er Jahren, als er die immer noch sprachlose Anna neben sich angrinst. Ein Gefühl überkommt ihn, das ihm sagt, alles liegt offen vor dir, du brauchst dich nur darauf einzulassen und die Sonne wird für immer scheinen.

»Das macht 26,50 am nächsten Schalter.«

Jakob fährt die fünf Meter weiter, zahlt und nimmt die braune Papiertüte entgegen. Aus dem offenen Fenster strömt ihm ein Geruch nach ranziger, nasser Pappe entgegen. Er gibt die Tüte und die Getränke an Anna weiter und setzt den Wagen in Bewegung. Als er vom Parkplatz in die Seitenstraße einbiegt, die weiter vorn in die Hauptstraße mündet, ringt Anna sich zu ihrer ersten Frage durch.

»Ist das so was wie ein Test, oder willst du die Scheiße wirklich essen?«

»Ich will die Scheiße wirklich essen. Gib mal einen Cheeseburger.«

Zögerlich und vorsichtig öffnet Anna die Tüte, als befinde sich eine giftige Schlange darin. Schließlich befördert sie ein in Papier eingewickeltes, rundes Etwas hervor, das sich in ihren Augen als eine mehr oder weniger amorphe Masse entpuppt.

»Na, gib schon her«, drängelt Jakob, als könne er es kaum erwarten, das merkwürdige Ding in Annas Hand zu kosten.

»Riechen tut es gar nicht mal so gut.«

Mit großen Augen beobachtet Anna, wie Jakob gutgelaunt den Burger aufisst, dabei den Wagen lenkt, die Gangschaltung bedient und selig vor sich hin lächelt.

»Na los, greif zu, du wirst schon nicht gleich dran sterben. Bei dir zu Hause gibt`s wohl nur gesundes Gemüse und Ballaststoffe?«

In Annas Welt war es bisher normal, dass Jugendliche sich auf das schnelle Essen stürzten, während Erwachsene, insbesondere ihre Eltern, auf selbst zubereitete Lebensmittel schworen, wobei sie allen klarzumachen versuchten, wie ungesund Burger & Co waren. Niemals hätte sie erwartet, auf einen alten Mann zu treffen, der anders sein würde, als die Vorstellung von alten Männern, die sich im Laufe der Zeit bei ihr festgesetzt hatte.

Wie dem auch sei, der Duft, der aus der Tüte direkt unter ihrer Nase steigt, ist so verlockend, dass sie nicht länger widerstehen will. Also greift sie in die Tüte hinein, bringt ihren Cheeseburger hervor, packt ihn aus und beißt hinein.

Dabei bleibt ein kleiner Rest Soße an ihrem Mundwinkel zurück, was ihr jenen kindlichen Ausdruck schenkt, der zu einem Mädchen nicht so recht passen will, das es bereits gewohnt ist, mit Lippenstift und Wimperntusche herumzuhantieren. Und doch ist dieser kleine Rest roter Soße in diesem Augenblick ein deutlicher Hinweis darauf, dass die Kindheit noch nicht ganz vorbei ist, dass sie möglicherweise niemals enden wird.

Jakob lenkt den Wagen durch die Kurven der Landstraße, als sei er mit beiden eng verschmolzen, mit dem Wagen und den Kurven, eins mit der Straße und dem, was sie umgibt und leitet, so als gäbe es keine unvorhergesehen Ereignisse, plötzlich auftauchende Traktoren oder Wildtiere zum Beispiel, die zu einer Überquerung ansetzen. Es ist, als könne ihm die Straße nichts anhaben, ihre Schlaglöcher ebenso wenig wie ihre unbefestigten Seitenränder. Nichts vermag den Fahrer, nichts den Wagen und nichts die Bewegung zu beeinträchtigen, noch nicht einmal, dass der Fahrer dabei in aller Seelenruhe seinen zweiten Burger verzehrt und sich wie nebenbei hier und da eine Pommes aus der Tüte angelt, ohne hinzusehen.

Längst schon haben sie die Stadt verlassen und bewegen sich durch eine Landschaft wie im Traum. Und in diesem Traum gibt es einen Ort, von dem aus man einen weiten Blick über die Landschaft hat, wo man das Auto parken kann und wo es eine Holzbank gibt, auf der zu sitzen keine Beschwerden verursacht, weil deren Rückenlehne sich sanft an jeden Rücken anzuschmiegen weiß. Einen Ort, von wo aus man in einer sternenklaren Nacht sehen kann, wie der Mond aufgeht und seine Bahn zieht, ohne dass er durch eine künstliche Lichtquelle belästigt wird. Lange Zeit war dieser Ort in Vergessenheit geraten, um nun unverändert und eindringlicher noch als zuvor ins Leben von Jakob zurückzukehren.

Hierher war er oft gekommen, als er noch Kind war, mit dem Fahrrad und später dann zu Fuß, hatte Nächte hindurch dagesessen und in die Nacht geblickt, in einem Alter, wo man so etwas macht, weil jede Nacht eine verlorene Nacht ist, die man nicht mit einem Hang zur Verlorenheit durchwacht.

Warum dieser Ort ihm gerade jetzt eingefallen ist und er den Wagen in die altbekannte Richtung lenkte, darüber darf spekuliert werden. Möglicherweise hat der Ort sich heute in Erinnerung gerufen, weil sein Ruf nicht mehr zu überhören gewesen ist für einen, dem die Zeit davon läuft, langsam aber sicher.

Und für einen, dem die Zeit davon läuft, gibt es jetzt nichts Wichtigeres zu tun, als sorgfältig eine Pfeife zu stopfen, mit einem Tabak, der alles hält, was er verspricht. Und weil eine Pfeife für zwei Raucher nicht genügt, gilt es, eine zweite Pfeife zur Hand zu nehmen, jedoch ohne sie mit Tabak zu füllen.

Kein Lüftchen weht an diesem Ort, um ja die zarte Flamme nicht zu stören, die jetzt entfacht wird, indem das Streichholz an der Seite der Schachtel entlanggezogen wird. So dann wird die Flamme eingesogen vom Tabak, bis er glimmt. Rauch umhüllt ihn und niemand macht sich Gedanken über ein Mädchen, dem heute seine erste Pfeife geschenkt wurde, obgleich ihr das Rauchen vorerst verboten bleiben soll.

Es wird eine dieser seltenen Nächte im März werden, die sich anfühlen, als sei schon Sommer, in denen kein Lüftchen weht und die Katzen vom Umherstreifen nicht müde werden, wie auch manche Menschen, die sich von solchen Nächten angesprochen fühlen, weil sie die Angesprochenen sind, die sich von der Dunkelheit umhüllen lassen wie von einem warmen Mantel, der sie nicht nur wärmt, sondern ihnen ein Gefühl von Sicherheit und Geborgenheit schenkt, das von ganz weit herzukommen scheint und ihnen sagt, dass sie dazu gehören, eingebunden sind im Netz des Lebens, das keine Ausnahmen macht.

Und plötzlich beugt sich Anna zu Jakob herüber und drückt ihm einen fetten Kuss auf die Wange. Dabei nimmt sie einen leichten Hauch von Jakobs Rasierwasser wahr und hinterlässt eine kaum sichtbare Spur roter Soße dort, wo ihre Lippen die Wangen berührt haben. Über ihren Köpfen schenkt ihnen der Mond ein von tiefen Kratern beheimatetes Lächeln.

»Hast du gewusst, dass der Mond uns immer und immer nur das gleiche Gesicht zeigt? Dass wir also seine Rückseite, niemals zu sehen bekommen.«

Jakob probiert jetzt seinen Milchshake.

»Er weiß sich eben gut vor unseren Blicken zu verbergen.«

»Ob das jemand mit Absicht so eingerichtet hat, um uns damit etwas zu sagen?«

Zusammen mit dem Geschmack des Tabaks fügt sich der Geschmack des Milchshakes zu einer einzigartigen Gaumenfreude.

»Bestimmt. Was denkst du, was er uns sagen will?«

»Vielleicht, dass alles, was wir sehen, hören, riechen, fühlen und denken auch eine unsichtbare Rückseite hat. Dass, also, dass auch etwas, das wir nicht sehen können, existiert, dass alles eine Kugel ist, das ganze Leben, auch wenn es uns nur eine Seite zeigt.«

»Obwohl ich dich jetzt schon eine Zeit lang kenne, kommt es mir immer noch befremdlich vor, dass ein Mädchen in deinem Alter solche Gedanken denkt.«

»Vielleicht denke ja nicht ich diese Gedanken, sondern ich werde von ihnen gedacht. Und weil es bisher niemanden gab, dem ich diese Gedanken sagen konnte, hat das Leben dich vorbeigeschickt.«

»Das Leben schickt dir also einen alten Trottel wie mich, damit du deine Gedanken an den Mann bringen kannst. Schöne Idee.«

Jakob zieht an seiner Pfeife, weil er schon zu lange geredet hat und aus Erfahrung weiß, dass, wenn man nicht regelmäßig zieht, der Tabak irgendwann ausgeht und nicht mehr schmeckt, wenn man ihn erneut anzündet.

»Du musst ziehen, sonst geht sie aus«

Jakob gehorcht. Fest und mehrmals hintereinander, muss er ziehen, um das Ritual nicht ungewollt einem vorzeitigen Ende zu überlassen.

So sitzen die beiden da, schweigend, nach dem langen und übereilt geführten Wortwechsel, während der Mond weiter seiner Bahn folgt, und dabei keine Eile kennt und keine Zeit. Und erst, als Jakobs Pfeife wieder richtig brennt, nimmt sich Anna ihren Milchshake vor.

30

Die letzten Tage des März streichen dahin und quälen Jakob mit unliebsamen Gedanken. Nach ihrem Ausflug waren sie erst spät in der Nacht nach Hause zurückgekommen und Jakob konnte nicht schlafen und saß noch am Fenster, als die ersten Sonnenstrahlen bereits über den Horizont lugten und der Mond längst schon verschwunden war.

Seitdem hat er nichts mehr von Anna gehört. Das Letzte, was er von ihr gesehen hat, war, wie sie zur Haustür schlich und ihm ein letztes Mal zuwinkte, bevor sie im Haus verschwand. Es ist, als spürte er den Kuss noch, den sie ihm auf die Wange gedrückt hat, mit einem lauten Schmatzer, und er stellt sich vor, wie Annas Eltern reagiert haben, als ihre Tochter endlich, nach sorgengeschwängerter Nacht, nach Hause gekommen ist.

»Wo warst du? Wieso kommst du so spät? Mit wem warst du?«

Sie werden keine Ruhe geben, bis sie eine Antwort erhalten, mit der sie aber nicht zufrieden sein können, weil sie ihnen nicht gefällt.

»Ich war unterwegs«, wird sie gestehen.

»Über Nacht. Du bist erst dreizehn. Und du warst bestimmt nicht allein?«

Anna wird versuchen, ihre Eltern zu beschwichtigen.

»Es ist ja nichts passiert.«

Aber denen, deren Gesichter längst zu Masken erstarrt sind, geht es längst nicht mehr um Anna, oder unter Umständen um jenes Schreckliche und Unausgesprochene, was Anna widerfahren sein könnte, und das bisher nur als vage und unausgesprochene Vermutung im Raum steht, ohne dass es dafür einen konkreten Hinweis gibt, nein, ihnen geht es im Wesentlichen um sich selbst, um Sorgen, Ängste, Kummer und Tränen.

Aber das will sich niemand eingestehen, weder Anna noch ihre Eltern, noch Jakob, dessen Phantasie hier am Werk ist und kein Ende kennt.

Irgendwann wird man die Polizei einschalten, und die werden ihre Arbeit machen, und die Eltern werden ihre Arbeit machen und die Lehrer, die selbstverständlich informiert werden müssen, da es ja durchaus sein kann, dass der Unbekannte versuchen wird, sich dem Schulgelände zu nähern. Und das alles, weil anzunehmen ist, dass Unbekannte stets etwas Unbekanntes im Schilde führen, was allein schon deshalb eine Verdächtigung wert ist, weil aus dem Unbekannten jederzeit eine Gefahr erwachsen kann, auf die niemand vorbereitet ist.

Also wird man Anna bedrängen, mit allen Verhörmethoden, die zur Verfügung stehen, um mehr über den Unbekannten zu erfahren, Alter, Größe, Haarfarbe, Dialekt, Besonderheiten, Auffälligkeiten. Einzig nach dessen Namen zu fragen wird niemand auf die Idee kommen, da nicht anzunehmen ist, dass Anna den Namen eines Unbekannten wissen könnte, von einer Adresse ganz zu schweigen. Denn wäre dem so, so gäbe es keinen Unbekannten mehr, vor dem man Angst haben müsste.

So verhält es sich offenbar mit der Angst der Menschen, denen das Vertrauen in das große Ganze fehlt, Gottvertrauen, wie es richtig heißt. Sie sehen offenbar nur die kleinen Ausschnitte, die ihnen aus der Begrenztheit ihrer Perspektiven heraus erlaubt werden.

Wie konnte sie es wagen, zu diesem Fremden ins Auto zu steigen, wo das doch jedem Kind eingebläut wird, immer und immer wieder. Steig niemals in das Auto eines Fremden.

Allein, es nutzt nichts darüber zu philosophieren, wie die Menschen sind, weil Jakob den Ereignissen, die nun folgen werden, ausgeliefert sein wird. Sie werden kommen und ihn abholen. Mit Blaulicht werden sie vor seinem Haus die Straße blockieren. Sie werden ihm Handschellen anlegen. Sie werden dafür sorgen, dass er sich den Kopf nicht anschlägt, wenn sie ihn in das Polizeiauto setzen, indem ihm einer die behandschuhte Hand auf den fast schon kahlen Kopf legt und ihn sanft nach unten drückt.

Magdalena wird das alles von oben beobachten und nichts für ihn tun können, weil die Toten sich nicht in die Geschicke der Lebenden einmischen.

Sein Blick aus dem Wagenfenster wird weder ein Blick des Zorns, noch ein Blick mit der Bitte um Vergebung sein, weil es nichts gibt, was zu vergeben sein wird, weil er eine andere Schuld mit sich trägt, schon viel zu viele Jahre lang. Und so wird es sein, dass die paar wenigen Presseleute, die herangeeilt sind, einmütig schreiben werden, der Blick des Täters aus dem Wagenfenster des Polizeiwagens, der von einer Polizistin gesteuert worden sei, sei der Blick eines alten Mannes gewesen, der die schwere Last einer Schuld zu tragen habe.

Die Staatsanwaltschaft wird ihre Ermittlungen aufnehmen und bald schon herausfinden, dass der Verdächtige vor langer Zeit ein Kind getötet hat und in ihrer Pressemitteilung vergessen, dass es sich dabei um einen Autounfall handelte.

Und Jakob wird alles hinnehmen, ohne zu widersprechen und ohne sich zu verteidigen.

Den ganzen Tag über geht er in regelmäßigen Abständen zum Fenster seines Hauses, das ihm den Blick auf die Straße hinaus gestattet und hält Ausschau, nach dem, was seine Phantasie ihm aufgibt.

Was Anna betrifft, da hat er sich nichts vorzuwerfen, was den Tod von Marie Keller betrifft, diese Schuld wird bleiben.

»Ich hätte es kommen sehen müssen und wenn das nicht, dann hätte ich es spüren müssen, instinktiv bremsen.«

194

Marie Keller. Ihr Tod, der Tatsache geschuldet, dass er zur falschen Zeit am falschen Ort mit seinem Auto unterwegs war, in jener verregneten Novembernacht vor 9 Jahren, ist nicht mehr rückgängig zu machen und verfolgt ihn bis heute, bis zu diesem Tag, an dem er am Fenster seines Hauses steht und auf eine Bestrafung wartet, die ihm die Möglichkeit geben wird, zu büßen für etwas, für das es keine Wiedergutmachung gibt.

Aber hat er nicht bereits genug gelitten, dadurch, dass ihm Magdalena genommen wurde? Es genügt nicht. Es kann nicht genügen.

Er ist bereit, für diese Schuld zu zahlen.

Die letzten Tage im März streichen quälend dahin, während Jakob in der Erwartung lebt, dass sie ihn abholen werden. Und er tut nichts außer warten. Nachts kann er nicht schlafen, nicht weil Gedanken ihn heimsuchen, die er nicht imstande ist loszulassen, sondern, weil er sich bereithalten will. Er will sich bereithalten, so wie all jene vom Schicksal bereitgehalten wurden, die einst abgeholt werden sollten, so oder so, verteilt über die Weltgeschichte und die Kontinente, bereitgehalten für die Willkür einer Macht, die sich an sich selbst erproben wollte, nur um sich der eigenen Macht sicher zu sein, so oder so, auf die ein oder andere Weise, die gleiche Macht oder eine andere.

Schlaflose Nächte führen zu Tagen, die von einer Müdigkeit bestimmt werden, die auch am Tag nicht mehr schlafen lässt. Solche Zustände, die immer noch menschenmöglich sind, bereiten den Boden zum Entstehen einer Bereitschaft für das Erscheinen eines Gottes, so steht es geschrieben im Notizbuch von Jakob, aus dessen Feder jetzt, kurz vor Tagesanbruch, diese Worte fließen. Worte, die sich Jakob zu eigen gemacht haben, Worte, die Jakob zugeeignet wurden und die Jakob nun zu Papier bringt, mit einer Feder, die keine Feder ist, sondern ein Bleistift, der in regelmäßigen Abständen gespitzt werden will, wodurch er im Laufe der Zeit immer kürzer wird und infolge der Kürze auch immer umständlicher zu halten ist, eingeklemmt zwischen Daumen und Zeigefinger, die leicht zu schmerzen beginnen, weil sie aus der Übung sind.

Aber noch ist es nicht so weit, dass der Stift den geübten Fingern des Uhrmachers entsagen will, noch streicht er über das Papier und hinterlässt dort seine graue Spur, eine Spur, die nie wieder ausgetilgt werden kann.

Denn gelöscht werden, kann die Spur der Schrift hier nicht, nicht heute und nicht morgen und auch nicht irgendwann, denn sie gewährt sich selbst, dass sie in Erinnerung sich rettet.

31

April

Anfang April fällt es Jakob wie Schuppen von den Augen. Der Blick weitet sich, plötzlich und unerwartet, wie wenn man durch eine dichte Nebelsuppe fährt und dann über eine Hügelkuppe und dahinter, wie von Zauberhand, die Sicht

196

über die Landschaft so aufklart, dass man bis zum Horizont blicken kann. Jedweder Dunst, jegliche Eintrübungen sind verschwunden.

Als Jakob früh am Morgen aus dem Küchenfenster schaut, leuchtet die Häuserwand des zweigeschossigen Mietshauses auf der gegenüber liegenden Straßenseite im Licht der aufgehenden Sonne.

Fast jeder Aspekt menschlichen Handelns wurde bestimmt von Kräften, die weder zu überblicken noch zu berechnen waren, ganz gleich, ob diese Kräfte in der menschlichen Seele schlummerten wie narkotisierte Drachen, die irgendwann aus ihrem Schlaf erwachten, ob sie im Körper lauerten als Krankheit, oder ob diese Kräfte von außen einwirkten wie die unzähligen Heimsuchungen zivilisierter und weniger zivilisierter Art.

»Es ist schon eine ganz schön verzwickte Sache mit der Freiheit.«

Er würde von seiner Schuld nicht befreit werden, nur weil man ihn einsperren würde, nur weil er die Illusion von Unfreiheit gegen die Illusion von Freiheit eintauschen würde.

Das ist, was Jakob in den ersten Apriltagen klar wird. Nicht, weil er darüber nachdenkt, sondern weil es plötzlich da ist wie ein Meteor, der vom Himmel fällt, oder ein Sonnenstrahl, der zwischen den Wolken hindurchbricht.

Und als er erkennt, dass seine Schuld nicht gesühnt werden will, als der eine Sonnenstrahl ihn direkt ins Auge trifft, wird ihm auch klar, dass heute kein Polizeiwagen kommen wird, um ihn abzuholen, und auch morgen nicht, oder an einem der kommenden Tage, die ihm noch geschenkt werden, um in dieser Welt zu sein, die so beschaffen ist, dass sich das Einfache stets gut zu verbergen weiß.

»Ich bin frei, solange ich im Hier und Jetzt bin.«

Die Worte kommen laut über Jakobs Lippen und schaffen eine zuvor nie dagewesene Gewissheit.

»Ich bin frei.«

Und plötzlich kommen Hunger und Durst, und ihm wird bewusst, dass er seit zwei Tagen nichts gegessen hat. Es ist nicht einfach für sich allein zu kochen, Tag für Tag. Zum gemeinsamen Essen gehören mindestens zwei.

Doch heute lässt der Hunger ihm keine andere Wahl. Er schlägt sich vier Eier in die Pfanne. Dazu gibt es schwarzen Kaffee und Toastbrot. Beim Essen hört er Radio und lauscht den Meldungen, die von einer steigenden Zahl unerwarteter Todesfälle berichten. Die Regierung zeige sich sehr besorgt, meldet die Nachrichtensprecherin, sie habe den Notfall ausgerufen.

32

Was nun folgte, waren die Tage des Regens.

Es schien, als regne es ununterbrochen, obwohl hin und wieder die Wolkendecke für kurze Momente aufriss, um einen oder zwei Sonnenstrahlen hindurchzulassen, nur um sich anschließend noch dichter und noch fester zusammenzuziehen und sich aufzubauschen zu schwarzen Wolkengebirgen, die ihre Drohungen zur Erde hinab sandten, mit dem

Versprechen, nie wieder etwas anderes zuzulassen, als den ewigen Regen, der dann aus ihnen herabfiel, immerwährend und immer stärker.

Gott schien mit den Menschen kein Einsehen haben zu wollen. Einmal rieselte der Regen nur noch in feinen, kaum sichtbaren Fäden, die vom Himmel herabhingen wie ein Schleier aus winzig kleinen Raupen, die sich abseilten, um in gefräßiger Manier über alles herzufallen, was sich ihnen bot. Einen Tag später peitschten die Tropfen vom Wind getrieben, schräg von der Seite kommend, so hart wie kleine Kiesel gegen die Fassaden der Häuser, oder alles andere, was sich ihnen in den Weg stellte.

Dann verwandelte sich der Regen, stürzte senkrecht herab, als hinge an seinen Tropfen ein bleiernes Gewicht, Tropfen so dick und rund, dass sich in ihnen die verschreckten Gesichter spiegelten, von all jenen, die sich bei diesem Wetter vor die Tür wagten, oder nicht anders konnten, als den trockenen Ort zu verlassen, an dem sie sich gerade aufhielten, um etwas zu erledigen, was nicht aufgeschoben werden konnte.

Sturzbäche bildeten sich urplötzlich ohne Vorwarnung, kein Donner, keine Wolken, die den Weltuntergang ankündigen, nur Wasser. Es überflutete die Straßen, raste die Hänge hinab und riss mit sich, was nicht festgebunden war, oder den Boden unter den Füßen verlor, tauchte ein in die schwarze Welt der Abwasserkanäle, in denen die Enge ihm Druck verschaffte, mit dem es dann an einem weit entfernten Ort die gusseisernen Deckel aus dem Boden sprengte und sie meterweit durch die Luft schleuderte. Sie schwebten rotierend wie fliegende Untertassen, und es schien, als stünden sie für Sekunden still, dann krachten sie zu Boden, lautlos, denn das Tosen des Sturms schluckte alle Geräusche. Ein solches Unwetter währte nie lange genug, um wirklich zu einer Katastrophe zu werden, die den Namen verdient hätte, weil in deren Folge die ganze Welt im Wasser versunken wäre und mit ihr alles, was bisher mit dazu beigetragen hatte, dass sie verlässlich funktionierte.

Es schien, als wolle Gott keine zweite Sintflut.

Bis auf ein paar wenige Ausfälle blieb das Stromnetz intakt, die Fernsehen- und Radiosender hielten treu ergeben an ihrem Programm fest, oder versuchten es zumindest, jedenfalls soweit ihnen das Abspulen vorgefertigter Sendungen keine sonderlichen Schwierigkeiten bereitete.

Jakob saß zu Hause und blickte aus dem Fenster und wartete darauf, dass sich das Wetter bessern würde. Etwas anderes gab es nicht zu tun. Nachts lag er lange wach und lauschte dem Regen. Tagsüber beobachtete er die Regenpfützen auf der Straße und sah zu wie sich immer wieder unzählige neue Wellen bildeten, die einander hinterherliefen.

Anna lag unterdessen im Bett, las eine Liebesgeschichte und dachte dabei an Tom. In den Pausen hörte sie Musik. Und wenn ihre Eltern das Haus verlassen hatten, tanzte sie dazu. Sie tanzte und dachte an Tom. Waren ihre Eltern wieder Zuhause, versuchte sie krank auszusehen, klagte über Bauchschmerzen, Kopfschmerzen, Gliederschmerzen, und schleppte sich aus ihrem Bett aufs Klo und wieder zurück.

200

Dabei versuchte sie im Bad Geräusche zu machen, die ihren Eltern den Eindruck vermitteln sollten, als sei ihr kotzübel. Sie dachte unentwegt an ihren Huckleberry Finn.

Langsam und schleichend, kaum dass es jemand bemerkte, geriet in jedem einzelnen Leben aus dem Takt, was zuvor exakt getaktet war, verlor an Orientierung, was zuvor systematisch geordnet war, gewann an Frische, was einst unter dem Muff des Gewöhnlichen und Einerlei begraben zu werden drohte. Ohne Taktgeber waren die menschlichen Abläufe, die zu funktionieren hatten, ebenso sich selbst überlassen wie ein großes Orchester ohne Dirigent, daran änderte auch der Regen nichts. Jedoch gelang es ihm, die Menschen voneinander fernzuhalten, sodass jeder auf sich selbst gestellt blieb, auch wenn jene, die mit anderen zusammen wohnten, glaubten, sie seien nicht allein, was bisweilen zu erheblichen Verwerfungen führte, die ihre Spuren hinterlassen sollten.

Die Wenigsten sagten zu sich selbst, »Heute regnet es so schön gemütlich, dass man nicht vor die Tür gehen möchte. Wenn im Ofen ein Feuer knistert und eine gemütliche Wärme den Raum in einen Ort verwandelt, der mehr ist, als ein beliebiges Zimmer in einem beliebigen Gebäude, dann und nur dann ist man zu Hause, ist man Mensch, ist man wirklich frei.«

Die Meisten fluchten über das Wetter und vergaßen dabei die alte Weisheit, dass Fluchen die Sache nur noch schlimmer macht.

So, als habe das Unwetter die Flüche vernommen und beschlossen, sich an alte Weisheiten zu halten, hinterließ es seine Spuren überall dort, wo Flüche zu hören waren, ein Zusammenhang, der durch Sterbliche nicht so einfach hergestellt werden konnte. Dafür vergaßen diese für einen kurzen Moment, dass sie keine Zeit mehr hatten, nur um danach erschrockener festzustellen, dass die Sache, die sie eine funktionierende Gesellschaft nannten, mehr und mehr aus dem Ruder lief und mit ihr das Wetter, oder umgekehrt.

Hätte Jakob jetzt das Fernsehgerät eingeschaltet, hätte er Bilder von Plünderungen gesehen und wie die Menschen, beladen mit Paketen, aus den Geschäften flüchteten, deren Fensterfronten eingeschlagen waren. Und weit und breit keine Polizei, weil überall und zur gleichen Zeit offenbar die Ereignisse sich fortzupflanzen schienen wie eine Reihe von Dominosteinen, bei denen nur der erste einen leichten Anstoß brauchte, um mit seinem Umfallen auch die anderen mitzunehmen.

Hätte Jakob diese Bilder gesehen, sie hätten ihm keine Angst gemacht. Er hätte an seinen Uhrmacherladen gedacht und wäre nach einem kurz währenden Einfall von Traurigkeit zu dem Ergebnis gelangt, dass von Zeit zu Zeit geopfert werden will, was seiner Bedeutung und seinem Wert nicht mehr gerecht zu werden vermag.

Es schien, als gehorchten die Ereignisse einem fremden, noch unbekannten Gesetz. Sie ergaben sich fast zeitgleich und in allen Städten des Landes. Mag sein, der Regen leistete seinen Beitrag. Wenn auch dem Regen nicht alles angelastet werden darf, was Ergebnis ist von Kräften, die unerkannt, weil im Verborgenen, sich zu entfalten trachten und dabei weder Ort noch Zeit beachten.

Es war die Zeit der Dichter, die der Zeit des Regens ihr Geleit anbot, auch wenn jene unerkannt und unbeachtet in ihren Stuben dösten über längst vergilbten Blättern, auf denen Worte sich verloren in Zeilen und in Versen, die niemals einen Weg bereiten sollten in eine andere, vielleicht auch bessere Zeit. Es war, als seien sie, die Dichter, fest entschlossen, die Schönheit ihrer Werke den Menschen zu verwehren. Und so entfachten sie, ein jeder nur für sich und doch vereint im selben Geist, ein Feuer, dem sie ihre Blätter schenkten, nachdem sie ihre Worte den Liebsten ihres Lebens, den Musen ihrer Kunst, vorgelesen hatten, zur rechten Zeit am rechten Ort.

Als Jakob irgendwann mitten in der Nacht erwacht, hat er das ungute Gefühl, dass etwas passieren wird und der erste Gedanke, der ihm in den Sinn kommt, sagt ihm nicht denken. Draußen ist es noch dunkel und es kommt ihm so vor, als sei es noch mitten in der Nacht. Der Blick aus dem Fenster verrät ihm, dass es aufgehört hat zu regnen. Doch die Straße ist noch nass und das Licht der Straßenlaterne spiegelt sich in den Myriaden von Wassertropfen, die sich hier und da zu kleinen Pfützen zusammengeschlossen haben wie scheue Tiere, die bei Gefahr ihre Körper ganz eng zusammen drücken und dadurch wie ein einziges Großes erscheinen, auf dass der Angreifer in die Flucht geschlagen wird.

Als Jakob sich auf dem Sofa niederlässt, bequem, mit aufrechtem Oberkörper, beide Füße nebeneinander auf dem

Boden, seinen Platz findet, die Augen schließt und versucht seine Gedanken abzustellen, wird ihm unvermittelt klar, dass Nichtdenken offenbar das Schwerste von allem ist. So hat er sich das nicht vorgestellt. Unentwegt drängen Gedanken in seinen Kopf, rennen gegen ihn an, und es ist ihm kaum möglich, sie abzustellen. Nicht zu denken, bedeutet das Nichts zu denken, was nicht nur nicht zu fassen ist, sondern immer und immer wieder zur Erscheinung zu drängen scheint.

An dieser Stelle erschrickt Jakob und reißt die Augen weit auf, ist ihm doch all das fremd, ungewohnt und sonderbar und macht ihm Angst wie alles Unheimliche. Noch nie in seinem ganzen Leben ist er auf die Idee gekommen, das eigene Denken einfach anzuhalten und sich davon freizumachen, wenn auch nur für ein paar Minuten. Wie kann es sein, dass ihm da plötzlich in der Nacht dieser Gedanke kommt und wieso gerade jetzt, heute, hier?

Und es will und will nicht hell werden draußen.

Nicht denken ist das Schwerste, denkt er, schließt die Augen erneut und konzentriert sich auf das Rauschen der Welt, seinen Atem, das Ausatmen, das Einatmen, das Auto, das draußen vorbeifährt und dessen Reifen auf der regennassen Straße jenes besondere Rauschen hinterlassen, das sich in der Entfernung verliert und dem Rufen einer Krähe Raum gibt, die jetzt wieder schweigt und einen kurzen Moment der Stille hinterlässt, bis irgendwo ein Rollladen hochgezogen wird und endlich das erste Tageslicht am Horizont zwischen grauen Regenwolken hindurchbricht.

Wie kann er wissen, wie viel Zeit vergangen ist, vom ersten Augenaufschlag bis zum ersten Tageslicht?

Beim Rasieren bemerkt er erst, dass er sich geschnitten hat, als das Rasierwasser an einer Stelle seiner Wange stärker brennt als anderswo. Der Kaffee schmeckt an diesem Morgen wie drei Tage abgestanden, obwohl er ihn frisch aufgebrüht hat und er fühlt sich unausgeschlafen wie vor einem Wetterumschwung. Er überlegt, ob es vielleicht noch Schnee geben wird, das soll im April schon vorgekommen sein, und er wirft noch einmal einen Blick aus dem Fenster. Der Himmel zeigt sich immer noch grau in grau, die Wolken hängen hoch und ziehen langsam nach Westen und ein heranfahrendes Auto parkt direkt vor seinem Haus. Es ist nicht die Polizei, die er auch nicht mehr erwartet.

Aber er hat sich nicht rasiert und seinen besten Anzug aus dem Schrank genommen, nur um noch einen weiteren Tag zu Hause zu sitzen. Es bleibt zu hoffen, dass die schwarzen Schuhe, die er für gewöhnlich nur sonntags trägt, ihm ihren Dienst nicht versagen werden, einen Dienst freilich, den sie nicht gewohnt sind zu übernehmen, weil er ihnen nie aufgetragen worden ist. Die schwarzen Schuhe sind geschont worden, insofern, als ihnen weite Wege nicht zugemutet wurden, jedenfalls nicht Wege mit einer Entfernung wie die, die sie heute werden bewältigen müssen, ohne seinen Füßen Blasen zu bescheren, worin das Risiko verborgen liegt, dem sich Jakob heute aussetzen wird.

Es ist der erste Tag nach dem langen Regen, weshalb er auch beschließt, die Regenjacke zu Hause zu lassen, obwohl der April noch so manche Überraschung bereithalten kann. Aber nicht heute, heute wird er sich von seiner vornehmsten, trockenen Seite zeigen. Etwas anderes wird ihm überhaupt nicht übrig bleiben.

Und das nicht nur, weil es geschrieben steht, sondern weil es Tage im April geben muss, die nach der langen Zeit des Winters vom nahenden Sommer erzählen, wenn auch nur entfernt. Ohne zumindest einen dieser verheißungsvollen Tage im April würde die gesamte Menschheit die Hoffnung verlieren.

Das ist der Grund, weshalb Jakob das Auto in der Garage stehen lässt und den schwarzen Sonntagsschuhen und seinen Füssen zuzumuten bereit ist, was notwendig ist, um den Weg zu Annas Heim auf diese althergebrachte Weise zurückzulegen. Noch in Erinnerung ist ihm der Feldweg, den er immer zusammen mit Magdalena gegangen ist, wenn es darum ging, einen Spaziergang zu machen, zurzeit ihres Sommerurlaubs oder an den Sonntagen, die sie gemäß der Ordnung der Dinge zu verbringen pflegten. Frühstück auf der Terrasse, Kirchgang, Heimkunft, Mittagessen, Mittagesruhe und dann ein klein wenig Bewegung, nie länger und nie weiter als eine Stunde, um rechtzeitig zu Kaffee und Kuchen zurück zu sein. Dies taten sie, ungeachtet dessen, dass die frühen Morgenstunden am schönsten waren, um einen Spaziergang zu machen.

Heute erzählt ihm der Feldweg eine ganz andere Geschichte. Es ist die Geschichte von der Unsterblichkeit hinter der Vergänglichkeit des Lebens, die ihn so traurig stimmt und die doch so voller Hoffnung ist. Es ist ein Sinn der täglichen Rasur, ungeachtet dessen, ob sie notwendig ist oder nicht, dass der Duft des Rasierwassers ihn umweht. Jener Duft, den Magdalena so sehr gemocht hat und der ihn heute durch den Tag tragen wird.

Er trägt seinen Sonntagsanzug, darunter Hemd und Krawatte, obwohl kein Sonntag ist. Er lässt den Feldweg unter seinen Füßen hindurchgleiten, obwohl er an seinen Sohlen nagt, die abgelaufen sind und dünn, weil die Schuhe in einem Alter sind, das bei den Heutigen nicht mehr gilt. Darum hinterlassen sie keine Druckstellen an seinen Füßen, weil sie ein halbes Jahrhundert Zeit hatten, sich anzugleichen an die einzigartige Physiognomie derjenigen Körperteile, die ihn immer noch tragen, ohne Beschwerde, auch wenn der Rücken manchmal noch schmerzt. Doch lange nicht mehr so oft wie zuvor, mag es ihm scheinen.

Wie er so vor sich hin schreitet, kommt es ihn so vor, als habe sich sein Rücken erholt, seit er nicht mehr an der Werkbank zu sitzen genötigt wird. Er richtet sich gerade auf, versucht sich in einem aufrechten Gang, der ihm gut zu bekommen scheint. Hin und wieder tritt er auf ein Steinchen, das sich dann hart durch die dünne Sohle hindurch spüren lässt, ein kurzer Schmerz, der nicht lange anhält. Jakob fühlt sich gut, er atmet die noch kühle Aprilluft ein, spürt, wie sich seine Lungen weiten und hebt seinen Blick nach oben, um zu sehen, was sich über ihm befindet, die Wipfel der Bäume am Wegesrand, die Wolken, die sich langsam lichten, die Krähen, die vorüberfliegen und das einsame Flugzeug, ganz hoch oben, das jetzt in dem kleinen Fetzen Blau erscheint.

Manchmal scheint es, als veränderten vereinzelt Wege ihre Strecke, je nachdem, wie es um das Gemüt des Wanderers bestellt ist, ob er sich ihrem Zuspruch öffnet oder sich verschließt, sie dehnen sich, sie ziehen sich zusammen, sie schenken Dasein und fordern Respekt. Entfernungen und Strecken seien unveränderlich und daher immer gleicher Länge wird behauptet, doch nur der Spaziergänger weiß, dass Wege gemäß der seelischen Verfassung des Wanderers unergründlichen Veränderungen unterworfen sind, woraus ihre Einzigartigkeit und Besonderheit sich ergibt. Es scheint, als stünden sie in einer Übereinkunft mit der Zeit, die sich um die menschliche Seele schmiegt wie eine wärmende Decke in kalten Winternächten. Manche Wege ermüden den Wanderer schnell, andere schenken ihm offenbar unerschöpfliche Kraft. Einige Wege öffnen sich dem sicheren Schritt, wieder andere scheinen sich zu verschließen und nichts von dem preisgeben zu wollen, was sie an Geheimnissen verbergen, sie schlängeln sich durch Unterholz, enden jäh im Dickicht oder an der Kante eines Felsens.

Einen Überblick kann verschaffen, was sich lichtet, doch nur dem, der bereit ist, am Ende seines Weges auszuharren und seinen Blick zu heben, um nicht in Taumel zu geraten, weil die Tiefe ihn schreckt, die sich vor ihm auftut und ihm bedrohlich entgegenblickt, oder, noch schlimmer, ihn zu sich ruft ins Dunkel ihrer Abgründe.

33

Jakob zögert, doch sein Zeigefinger drückt einfach auf den Knopf, der von einem runden Messingschild eingefasst ist. Das Läuten der Haustürklingel ist unüberhörbar. Dann scheint sich die Zeit in die Unendlichkeit zu dehnen. Die Ungeduld drängt, ein zweites Mal den Klingelknopf zu drücken. Doch das untersagt er sich. Einmal genügt. Einmal muss genügen, wenn es gelingen soll.

Langsam öffnet sich die Haustür, sehr langsam, und es stellt sich Erleichterung ein, als das Gesicht von Anna erscheint. Allerdings kehrt schnell die Besorgnis zurück, als Jakob feststellen muss, dass aus Annas Gesicht die Farbe gewichen ist. Sie wirkt nicht nur leichenblass, sie ist es auch. Dennoch ringt sie sich zu einem Lächeln durch. Dann muss sie husten. Die Erkältung sitzt zwar nicht mehr fest, doch ihre Nachwehen sind immer noch sichtbar, und auch hörbar. Annas Augen scheinen zu kleinen Punkten geschrumpft, sie wirkt erschöpft und schwach.

»Ich habe mir Sorgen gemacht.«

»Nur eine Erkältung.«

»Es soll schon vorgekommen sein, dass Leute an einer Erkältung gestorben sind.«

»Kann mir nicht passieren. Ich bin unsterblich.«

Anna versucht sich in einem Lächeln, doch es will ihr nicht so recht gelingen. Die Krankheit, die diesmal nicht vorgetäuscht ist, hat ihrem Körper wohl mehr zugesetzt, als sie zugibt. Doch wacker hält sie dem Blick von Jakob stand.

Sie will ihn, trotz dass sie spürt, sie wird sich nicht mehr lange auf ihren Beinen halten können, nicht abweisen.

»Du siehst aus, als hättest du dich passend für meine Beerdigung angezogen.«

Jakob blickt an sich herab und überlegt, was er jetzt sagen könnte, und es fällt ihm nichts ein. Dann muss er unwillkürlich lächeln.

»Wieso für deine?«

Anna kann plötzlich nur noch an ihr Bett denken und wie es scheint, kann Jakob Gedanken lesen.

»Ich glaube, du solltest zusehen, dass du wieder in dein Bett kommst.«

Die Erleichterung ist spürbar.

»Das wäre schön.«

Jakob nickt und lächelt Anna zu, so wie jemand, der einem anderen Menschen alles Gute wünscht, in einer Weise, die von Herzen kommt. Trotz der Not einer Erschöpfung, die sie drängt, ihr Bett aufzusuchen, sind da noch Fragen, die Anna zögern lassen.

»Aber du versprichst nicht zu sterben, bis ich wieder ganz gesund bin.«

»Wie könnte ich sterben, gerade jetzt, wo es spannend wird.«

»Und wozu dann der schwarze Anzug?«

»Damit der Tod mich nicht finden kann. Jetzt mach, dass du wieder ins Bett kommst.«

Anna nickt leicht mit dem Kopf, dann schenkt sie Jakob einen letzten Blick aus ihren kleinen, müden Augen.

210

»Wir sehen uns dann auf dem Friedhof.«

Mit diesen Worten schließt Anna freundlich und sanft die Tür, wodurch sie Jakob mit seinen Gedanken allein lässt, wie auch mit der Frage, die zurückbleibt, und die jetzt, da es nur noch ihn und die geschlossene Tür gibt, zu einem Flüstern wird.

»Wieso auf dem Friedhof?«

Die Frage bleibt unbeantwortet, weil geschlossene Türen keine Fragen beantworten, sondern nur Fragen stellen, jedoch nicht solche, die mit Friedhöfen zu tun haben, oder mit kleinen Mädchen, die sich nicht mehr auf den Beinen halten können, weil sie von einer hartnäckigen Erkältung heimgesucht sind, oder sonst einem Gegner, der den Körper schwächt.

Nachdenklich wendet sich Jakob von der Tür ab und geht langsam die Stufen hinab, die zur Straße führen. Es ist ihm, als spüre er einen Blick im Rücken, doch vermeidet er bewusst, sich umzuwenden, denn ihm ist klar, es wird noch eine Zeit lang dauern, bis er Anna wiedersehen wird.

Was soll er nun anfangen mit der Zeit? Das fragt er sich, während er seinen Beinen und Füßen die Wahl der Richtung überlässt, in die sie ihn tragen wollen. Wie viel Zeit wird ihm noch bleiben, in dieser Welt? Gibt es noch eine Aufgabe für ihn? Gibt es etwas, was er noch zu erledigen hat?

Es sind nicht unbedingt Fragen, die sich so einfach beantworten lassen, die ihm auf dem Rückweg ihre Begleitung angetragen haben. Das ist vielleicht auch gut so. Denn würden sich solche Fragen eindeutig beantworten lassen, dann wäre das Leben kein Leben mehr.

Was erwartet das Leben noch von ihm?

Was erwartet der April, dessen Tage dahin ziehen wie das Wasser eines trägen, müden Stroms, dessen Gefälle sich langsam verschiebt, weil alles in Bewegung geraten ist. Der Strom wird seine Richtung beibehalten, weil er sich nicht entscheiden kann, bergauf zu fließen. Das liegt ihm nicht, und das nicht nur, weil die Schwerkraft ihn bedrängt, sondern weil das Meer ihn ruft. Für einen Fluss sollte das Meer kein Ort sein, an den er schnell gelangen will, weil er sich dort als Fluss verliert, und doch kann er der Verlockung nicht widerstehen, die ein Versprechen ist von Grenzenlosigkeit und Weite, von Uferlosigkeit und Tiefe, und auch Geheimnis. Wie anders könnte der Fluss wissen, dass er nur von dort, wohin er sich verliert, zurückkehren wird als Regen, wenn nicht das Wasser seiner Quelle ihm verraten würde, woher es kommt.

Lange schon vor dem Tag, an dem die Zeitmessgeräte ihren Dienst versagten, war Jakob dem Wesen der Zeit auf die Schliche gekommen. Obwohl alle Messungen zu belegen schienen, dass die Zeit immer und immer im gleichen Takt verstrich, sich also förmlich irgendwohin auflöste und verschwand, wie ein Fluss, der sich ins Meer ergoss, entzog sich doch sein Gespür dieser unter dem Gesichtspunkt der exakten Messungen belegbaren Tatsache. Sein Gespür sagte ihm, die Zeit sei in Beschleunigung begriffen. Die Erde könne sich schneller drehen, so spekulierte er heimlich, die Erdachse könne ihre Neigung verändert, die Pole könnten gewech-selt haben, oder ein anderes, noch unbekanntes Phänomen, würde seine Wirkung entfalten.

Jakob, der sich immer darauf verlassen konnte, dass die Zeit in fortwährender und fließender Beständigkeit begriffen war, hätte niemals auf den Gedanken kommen können, dass es sie nicht gab, diese Zeit, solange sie messbar schien.

Das Sein reagierte auf all die Veränderungen in seiner ur-eigenen Weise. Wie hätte es auch nicht reagieren können, war es doch das Besondere im Ganzen, das sich dadurch zeigte, dass es einen Überfluss an Leben preisgab, um sich wieder zu verschließen und heimzukehren in den Tod, der, wie manche wussten, nur ein Winter war und vorübergehen würde, um einer Auferstehung Willen. Und doch stand fest, dass noch vor dem Sommer verdorrte Blätter von den Bäu-men fallen sollten, und die Insekten viel zu wenige und viel zu spät sein würden, um ihren Dienst noch zu erbringen.

Und so streichen die Tage ohne Anna dahin.

Es kann passieren, dass Jakob aus dem Fenster schaut und sich im Anblick der Wolken verliert, die vorüberziehen, und sich dann ganz verliert, und nicht mehr weiß, wie er dahin zurückkehren kann, von wo er aufgebrochen ist.

Ein Mittag, der es mit den Menschen wohl meint, gewährt ihnen die Möglichkeit, einen Mittagsschlaf zu halten, indem er ein Bündnis eingeht mit der Zeit. Dabei eignen sich man-che Tage in ganz besonderer Weise zum Musikhören. Dann erlaubt der Tag nichts anderes, als sich durch die alte Platten-sammlung zu wühlen, die hinter den Geschäften des Alltags, den aufwühlenden Ereignissen des Jahres, den Begegnungen mit anderen Menschen, und letztendlich auch der Zeit selbst, zurückgeblieben ist, und deren Musik wieder neu entdeckt werden will. Auf der Abdeckung des Schallplattenspielers hat sich eine Staubschicht gesammelt, die mit einem feuchten Tuch schnell beseitigt ist. Die Geräte lassen sich alle noch einschalten, der Plattenteller beginnt sich zu drehen, die Nadel senkt sich herab auf die schwarze, gerillte Scheibe, und es ertönen die ersten Klänge der Matthäus Passion von Johann Sebastian Bach. Die Musik ruft Bilder in Jakob wach, die er einmal vor langer Zeit gesehen und nicht wieder vergessen hat. Und dann hört er Magdalena die Worte flüstern, die ihm von den Bildern zugetragen werden, ganz leise und ganz sacht, bevor er sie in sein Notizbuch schreibt.

»Es ist phantastisch am Leben zu sein, in dieser geheimnisvollen und wunderschönen Welt, einer Welt voller Wunder. Kinder staunen, wenn sie den ersten Schnee sehen oder den ersten Regenwurm. Sie essen dann beides und stellen fest, dass der Regenwurm nach Erde schmeckt und der Schnee nach eiskaltem Wasser. Es gibt nichts Schöneres auf dieser ganzen, weiten Welt, als am Leben zu sein.«

»Ich habe mein ganzes Leben in einer dunklen Werkstatt verbracht«, stellt Jakob fest, »damit die Zeit als Zeit messbar bleibt. Ich will nicht sagen, ich habe mein Leben vergeudet, denn ich habe mein ganzes Leben lang geliebt. Ich war voller Hingabe an meine Arbeit und an dich Magdalena, und die Liebe zu euch beiden hat mein Leben ausgemacht. Als du gestorben warst, habe ich gedacht, meine Liebe stirbt mit dir, und eine ganze Zeit lang war es auch so. In mir war etwas gestorben und ich habe mich gefühlt wie ein lebender Toter.«

Die Stimme, die sich einmischt, könnte einem Mädchen gehören, dessen Gesicht nicht zu sehen ist.

»Wenn du es sagst.«

Irgendwie kommt ihm die Stimme bekannt vor. Und doch will ihm der Name nicht einfallen.

»Ich wollte dich nicht unterbrechen.«

Jakob hält inne und versucht wieder einen Anfang zu finden, um sich selbst zu sagen, was das Wesentliche ist.

Der Tod ist hinter ihm her, das hat er im Gefühl, und wenn er sich nicht beeilt, wird er ihn berühren. Was hat das Alter schon für eine Bedeutung? Lebenserfahrung? Weisheit? Schmerzen? Angst vor dem Tod? Wenn er noch lange wartet, wird es zu spät sein.

Und dann sind da plötzlich zwei Löwen. Einer von ihnen hat ihn bereits entdeckt. Zum Wegrennen und sich verstecken, bleibt keine Zeit. Der Löwe versucht ihn zu beißen, und es gelingt Jakob ihm ins Maul zu fassen und ihn bei den Zähnen zu packen. Mit einem kleinen Holzbrett versucht er, den Löwen unschädlich zu machen, indem er es ihm immer und immer wieder an den Kopf schlägt. Dann kommt der andere Löwe heran und beißt zu, und Jakob erwacht aus seinem Traum.

Jakob öffnet die Augen und sieht die Welt, wie sie ist, und dass die Wolken sich verzogen haben.

34

Mai

Am Tag der Arbeit würde Anna am liebsten die Bettdecke über ihren Kopf ziehen, darunter verschwinden und die Welt um sich her ausblenden, so wie sie es aus den Filmen kennt, wenn sich ein kleiner schwarzer Punkt immer weiter ausdehnt, nach allen Seiten gleichzeitig, bis nur noch schwarz zu sehen ist. Schwarzsehen, das ist etwas anderes, wie keine Hoffnung mehr haben.

Obwohl ihre Zimmertür geschlossen ist, dringen die im Streit gebrüllten Worte ihrer Eltern bis zu ihr durch, als befände sie sich direkt zwischen ihnen, sie dringen in sie ein und zerfetzen ihre Eingeweide. Bauchkrämpfe zwingen sie, sich zusammenzukrümmen und die Arme fest um ihre Schienbeine zu schlingen. So sind die Schmerzen halbwegs erträglich.

Es ist nicht der erste Streit der beiden, der an Heftigkeit nicht mehr zu überbieten sein dürfte, nach Annas Empfinden, und der ihr dann jedes Mal aufs Neue verdeutlicht, dass sich offenbar jeder Streit noch steigern lässt. In Annas Augen handelt es sich um Belanglosigkeiten, doch die beiden können sich so sehr hineinsteigern, dass schnell klar wird, dass es sich um mehr handeln muss, als um eine Spülmaschine, die nicht ausgeräumt ist, einen zerfetzten Müllsack, eine Schramme am Kotflügel des Autos, Überstunden, versäumte Verabredungen, einen vergessenen Hochzeitstag, eine unbezahlte Rechnung, Mäuse im Keller, versalzenes Essen, Ärger mit dem Chef und was sonst noch alles im Leben von Erwachsenen Anlass sein kann für einen Streit, der nichts mit all dem zu tun hat, was als alltägliche Probleme bezeichnet werden kann.

Das alles muss viel tiefer liegen, sagt sie sich. Tief verborgen in der Seele, die so sehr gequält zu sein scheint, dass sie verzweifelt einen Ausweg sucht aus einer unabsichtlich selbstgeschaffenen Hölle, indem sie an den Gittern rüttelt, die nur in den Augen des anderen gesehen werden.

Am liebsten würde Anna den beiden mal so richtig ihre Meinung sagen. Doch das würde die Sache nur noch verschlimmern. Und sollten sie sich wirklich trennen, was derzeit allerdings nicht zu erwarten war, dann würden sie am Ende ihr die Schuld daran geben. Das war den beiden in ihrer derzeitigen seelischen Verfassung durchaus zuzutrauen.

Jeder Mensch hat eine Seele. Davon ist Anna überzeugt. Doch leider schenken die wenigsten Leute ihrer Seele genügend Beachtung. Seelenfrieden. Ein schönes Wort, wie Anna findet. Bedauerlicherweise herrscht ein Stockwerk tiefer ein erbitterter Krieg. Es hört sich an, als ginge gerade eine Menge Geschirr zu Bruch.

Die Bauchkrämpfe lassen langsam nach und Anna wagt es, ihre Muskeln zu entspannen. Dann ist der laute Knall einer Tür zu hören. Kurz darauf wird ein Motor gestartet, das Quietschen von Reifen auf der Straße, das Klirren von Glas im Flur, dann ist es still. Wie im Film, denkt Anna, also offensichtlich alles ganz normal.

Anna hat nie darauf geachtet, ob das Motorgeräusch des Autos ihres Vaters ein anderes ist als das ihrer Mutter, weshalb sie nicht sagen kann, wer von beiden gerade eben das Weite gesucht hat. Sie sind auf keinen Fall beide weg. Einer von ihnen befindet sich noch im Haus. Anna tut fast so, als handele es sich um einen Einbrecher, der ihr ans Leben will und nicht um ihre Mutter oder ihren Vater, die es beide mit ziemlicher Sicherheit nicht auf sie abgesehen haben dürften, noch nicht.

Anna kann sich nicht daran erinnern, dass ihre Eltern jemals so erbittert gestritten hätten, als es noch eine Zeit gab, die imstande war, die Menschen zu kontrollieren. Davon ist Anna inzwischen überzeugt.

Die Menschen lebten unter dem Diktat der Zeit, sie sagte ihnen, wann und was sie zu tun hatten und wie lange, alles sagte sie ihnen, wann sie etwas essen sollten, wann sie ins Bett gehen sollten, wann sie zur Arbeit mussten, wie lange sie sich an der frischen Luft aufhalten sollten, wie lange sie sich bewegen mussten, wie lange sie warten mussten, um an die Reihe zu kommen, und noch viel mehr, was an so einem Tag, in einer Woche, oder in einem Jahr zu tun war. Die Zeit nötigte ihnen ihre Befehle auf, solange es sie noch gab. Und so wie ihre Eltern die Befehle der Zeit befolgten, so taten es auch fast alle anderen, wie sie vermutete. Kaum jemand traf noch eine eigene Entscheidung, kaum jemand machte sich noch die Mühe, seinen eigenen, freien Willen zu durchforsten, oder ihn infrage zu stellen, was beides, und zwar gleichzeitig erforderlich war, um eine gesunde Ausgewogenheit zu finden.

Und jetzt, wo der große General Zeit unter Amnesie litt, gerieten seine Untertanen mehr und mehr in Panik, waren sie es doch einfach nicht gewohnt, sich selbst und ihrem eigenen Willen zu folgen, oder einfach nur ihren Bedürfnissen, oder ihrer Lust. Die Freiheit schmeckte für sie so bitter wie ein Teelöffel Zitronensaft.

Anna kann sich noch gut an den ersten Streit der beiden erinnern, an den Tag im Februar, als alles begann. Was dann folgte, war eine Fortsetzung des immer Gleichen, nur mit anderen Mitteln. Vielleicht könnte sie den beiden klarmachen, dass sie nur stritten, weil sie Angst hatten vor dem, was noch kommen würde und nicht einzuschätzen war. Anna glaubt fest daran, dass es hilfreich ist, zu wissen, was die eigenen Gefühle sagen und die geheimen Kräfte wollen, die in jedem eine große Wirkungsmacht entfalten, die niemand kontrollieren kann.

Die einzige Möglichkeit besteht darin, sich selbst zu erkennen und bereit zu sein, mit sich selbst zu ringen, bevor man den Knüppel auspackt und den eigenen Mist seinem Gegenüber aufhalst, indem man ihm eins über den Schädel gibt. Das alles und noch viel mehr würde Anna gerne ihren Eltern sagen und allen anderen, denen es ähnlich ergeht. Aber das kann sie nicht. Sie kann es denken und sie kann es für sich formulieren, sie könnte es auch aufschreiben, aber ihnen direkt ins Gesicht sagen, das kann sie nicht. Da gibt es eine Barriere, eine Schranke, ein unüberwindbares Hindernis, eine verschlossene Tür, zu der ihr der Schlüssel fehlt.

Als Anna die Treppe hinunterschleicht, entdeckt sie als Erstes die Scherben im Flur, die einmal ein Spiegel waren, dem durch den offenbar gezielten Wurf eines schweren Aschenbechers ein Ende bereitet wurde. Die Scherben erfüllen noch ihren Zweck. Anna kann ihr Spiegelbild erkennen, als sie vorsichtig ihre nackten Füße in die Zwischenräume setzt, die sich zwischen den Scherben auftun.

Dann fährt Anna der Schrecken in die Glieder und sie spürt, wie das Adrenalin durch ihren Körper rast. Ihr Herz schlägt ihr bis zum Hals. So plötzlich hat sie noch nie das Einsetzen von Musik erlebt, mit einem lauten Donnerschlag und dem gemeinsamen Einsatz aller Instrumente, die einem 100 Mann starken Orchester zur Verfügung stehen. Es kommt so unerwartet wie ein Gewittersturm bei strahlend blauem Himmel. Anna kennt sich in klassischer Musik nicht gut genug aus, aber sie vermutet Wagner. Das Bisschen, was sie im Musikunterricht gehört hat, erinnert sie stark an das, was da aus dem Wohnzimmer heraus über sie hereinbricht.

Sie braucht nicht übermäßig leise zu sein, um sich anzuschleichen, denn bei dem Lärm würde das jeder schaffen. Ihre Mutter sitzt auf dem Sofa und starrt die Wand an. In der Hand hält sie ein Glas mit einer braunen Flüssigkeit, die aus der Flasche zu stammen scheint, die neben ihr auf dem Tisch steht. Brandy.

»Das also ist die Ehe«, sagt sich Anna. »Oder das, was von einer Ehe übrig bleibt, wenn man sich nicht gut genug um sie kümmert.«

Aber das sind nur die Gedanken eines dreizehnjährigen Mädchens, das noch keine Erfahrung hat mit den Problemen, die sich zwei Menschen gegenseitig machen können, um sich ihr Leben zu vermiesen, das sie einmal zusammen genießen wollten. Viele Menschen haben das Problem, nicht allein sein zu können, ohne es zu wissen. Ob das bei ihren Eltern auch der Fall ist, kann Anna nicht sagen. Von sich selbst weiß sie, dass sie tagelang allein sein kann, ohne das Gefühl zu haben, in ein Loch zu fallen.

Das Glas ist leer und ihre Mutter schenkt sich nach. Lange wird sie das nicht schaffen, denkt Anna, dazu ist sie eine zu ungeübte Säuferin und auch zu unbegabt. Sie trinkt zu schnell und wenn es um die scharfen Sachen geht, vergisst sie das Glas Wasser nach jedem Schnaps, wie es empfohlen wird von denen, die es wissen müssen.

Die Kellertür hat einen Riegel, den man aufschieben muss und der dabei immer ein metallisches Geräusch verursacht, ganz egal wie sehr man sich bemüht, leise zu sein. Anna wartet noch einen Augenblick, nachdem sie den Riegel nach rechts gezogen hat, wobei sie ihre Augen auf die Tür zum Flur gerichtet hält. Ihre Mutter lässt sich nicht blicken und das ist gut so.

Auf der Werkbank im Keller herrscht ein ziemliches Durcheinander. Was ein weiterer Grund dafür ist, dass sich ihr Vater in regelmäßigen Abständen die berechtigte Kritik seiner Ehefrau hat gefallen lassen müssen, es sehe in seiner Werkstatt aus wie bei den Nachbarn im Vorgarten. Wer ihre Nachbarn kannte, der wusste, was gemeint war. Dort sammelte sich vor dem Haus allerlei Schrott, der einfach dort abgelegt und offenbar vergessen wurde. Ihre Mutter regte sich regelmäßig über »die Asis« auf und schmiedete genauso regelmäßig Pläne, wie sie für deren Verschwinden sorgen würde und wenn das nicht, dann für deren Ableben. Manchmal nahmen ihre Gedanken schon die Form einer Verschwörung an und Anna war geneigt davon auszugehen, ihre Mutter werde wirklich Ernst machen. Einmal dachte sie sogar daran, ihnen Geld anzubieten, wenn sie verschwinden würden, aber das war nur die harmlose Variante.

Die Werkbank sieht aus wie der Vorgarten der Nachbarn, denkt Anna, und betrachtet die Mausefallen, die ölverschmierten Lappen, den Draht, die verrosteten Nägel, die Farbdosen, die eingetrockneten Pinsel, den verbogenen Löffel, das alte Küchenmesser, die Schrauben, das undefinierbare Metallstück, das offenbar irgendwo herausgebrochen ist, das Stück graues Kunststoffrohr und den vergammelten Joghurtbecher. Sie kann ihre Mutter ganz gut verstehen, zumal ihr das Chaos die Suche nach dem passenden Schraubenzieher nicht gerade erleichtert. Doch wo ein Wille ist, da ist auch ein Weg, sollte dieser auch durch den Kram, der sich bisweilen auf der Werkbank eines Chaoten ansammelt, verstellt sein.

Der Weg zurück in ihr Zimmer ist frei und ungefährlich, bis auf das kleine Stück durch den Flur, das übersät ist mit den Scherben des Spiegels.

Anna schließt vorsichtshalber ihre Zimmertür ab, es könnte ja sein, dass ihre Mutter auf die Idee kommt, sich bei ihr auszuweinen. Anna kann sich nicht erinnern, dass ihre Mutter ihr jemals ihr Herz ausgeschüttet hätte. Aber mit genug Alkohol im Blut könnte sie auf die verrücktesten Ideen kommen. Also geht sie besser auf Nummer sicher. Sie probiert sogar, ob die Tür wirklich abgeschlossen ist, indem sie die Türklinke nach unten drückt und die Tür zu öffnen versucht. Das Schloss hält die Tür verschlossen, wie es seine Aufgabe ist, und das ist gut so. Sie lässt die Türklinke los, wartet einen Augenblick und drückt sie dann noch einmal nach unten, um ganz sicherzugehen.

So schnell es ihre noch zittrigen Finger erlauben, entfernt Anna die Schrauben der Fußleiste, die ihr Geheimversteck vor den Augen neugieriger Eltern und anderer ungebetener und gleichzeitig neugieriger Besucher gut zu verbergen weiß. Das Holzkästchen befindet sich noch dort, wo sie es gelassen hat, und Anna bemerkt erst jetzt, wo die Erleichterung einsetzt, dass sie die ganze Zeit Angst hatte, es könnte verschwunden sein. Aber das Holzkästchen allein sagt noch nichts aus über seinen Inhalt.

Doch sie ist noch da, die Taschenuhr ihres Großvaters, die sie jetzt vorsichtig aus dem Kästchen nimmt und in einem kleinen Lederbeutel verstaut, den sie früher einmal als Geldbeutel benutzt hat.

Die Fußleiste wieder anschrauben, dazu hat sie keine Lust. Und falls ihre Mutter ihr Versteck entdecken sollte, was sie unweigerlich irgendwann in der nächsten Zeit tun wird, sobald sie auf die Idee kommt, in Annas Zimmer zu gehen, wird das keine Rolle mehr spielen. Sie wird dort nichts finden können, außer ein paar Krümel Mörtel, die sich aus dem Mauerwerk gelöst haben.

Als Anna das Haus verlässt, ist ihre Mutter eingeschlafen. Sie liegt zusammengekauert auf dem Sofa und schnarcht. Die Flasche Brandy liegt umgefallen auf dem Boden und wenn Anna richtig sieht, hat sich der Rest ihres Inhalts auf den Teppich ergossen. Für einen Augenblick empfindet Anna Mitleid mit ihrer Mutter und sie wünscht sich, sie könne irgendwie helfen, doch dazu fehlen ihr die Mittel und auch die Geduld.

35

Der Mai entfaltet seine Blütenpracht, wofür er bekannt ist und geliebt wird. Die ersten richtig warmen Tage kommen gewöhnlich mit dem Mai und auch die Vorfreude auf den Sommer. Es soll dem April nicht vorgehalten werden, er könne die warmen Tage nicht, doch bleibt einzuwenden, der April macht bisweilen Versprechungen, die er nicht zu halten imstande ist, auch wenn er es gerne möchte. So bleibt er doch unstet wie ein Vagabund, der nur vorüberzieht.

Als Jakob am Morgen des 2. Mai die Augen aufschlägt, fällt ihm ein, was er vergessen hat. Es kommt ihm vor wie ein endgültiges Versagen und er spürt die Last der Schuld, die ihn fast zur Verzweiflung treibt. An diesem Morgen gönnt er sich nur eine Tasse Kaffee, die er hastig hinunterstürzt. Ausgerüstet mit dem nötigen Werkzeug, das in einer Tragetasche aus Stoff seinen angestammten Platz hat, macht er sich mit schnellen Schritten auf den Weg zum Friedhof, wo er, bei Magdalena angelangt, erst einmal zu Atem kommen muss. Das Grab sieht nicht ganz so schlimm aus, wie es ihm seine schlimmsten Vorahnungen eingegeben haben, doch das lässt er als Entschuldigung nicht gelten.

Spätestens April, auf alle Fälle noch vor Ostern, ist die Zeit gekommen, die alte Bepflanzung zu entfernen, frische, tiefschwarze Graberde aufzubringen und Magdalena mit den schönsten, jungen Pflanzen zu beschenken. Es bleibt dann zu hoffen, dass sie die noch kommenden kalten Tage und Nächte überstehen werden. Und wenn nicht, wenn sie dennoch erfrieren sollten, dann werden sie später gegen andere, vielleicht noch schönere, ausgetauscht.

So hat er es gehalten, seit Magdalenas Tod. Dies zu vergessen, bleibt unentschuldbar, auch wenn zu Jakobs Entschuldigung vorzubringen wäre, dass die Zeit durcheinandergeraten ist und er völlig in Anspruch genommen wurde durch die Folgeerscheinungen der Werkstattschließung, und nicht zuletzt durch die merkwürdige Begegnung mit einem dreizehnjährigen Mädchen, wohl auch eine Folge der Geschichte, die nicht wirkungslos an ihm vorübergehen kann, weil er ja mittendrin steckt, und daher von ihr eingenommen ist, ob er will oder nicht.

Wie dem auch sei, sein Versäumnis ist unentschuldbar, und will auch nicht entschuldigt sein.

Jakob entfernt Unkraut und verdorrtes Laub, lockert die Erde auf und richtet das Grab so weit her, dass es in die Lage kommt, noch einen Tag zu warten, bis er frische Pflanzen besorgt hat. Jeder seiner Handgriffe heißt eine Bitte um Vergebung für sein Versagen, weil das Vergessen nicht taugt für das Gewähren von Verzeihung. Schweißtropfen bilden sich auf seiner Stirn und vereinzelt rinnen Perlen voll von Salz über seine Schläfen an den Wangen hinab, hin und wieder fallen Tropfen zur Erde, womit sich Magdalena dann auch zufriedengibt, jedenfalls für heute und nur vorübergehend.

Den Nachmittag verbringt Jakob in der Gärtnerei, die am Stadtrand liegt, unmittelbar neben der Bundesstraße, welche die eine Kleinstadt mit der anderen verbindet, und dadurch die kleinen Orte schont, die sich im Umland verteilen. Parallel zur Bundesstraße verläuft die Bahnstrecke, die ihre Bahnhöfe vergessen hat, weil sie zu teuer wurden und zum Ballast, was traurig ist, weil Jakob die Atmosphäre in den Bahnhöfen geliebt hat, die Holzbänke, die Fahrkartenschalter, die großen Uhren an den Wänden, das Kommen und Gehen, im Überschaubaren und mit viel Gelassenheit, wie es für einen Provinzbahnhof üblich war.

Die Zeit der Bahnhöfe war ein für alle Mal vorbei, wenn nicht gegen alle Erwartung die alten Zeiten noch einmal zurückkommen sollten. Doch bis dahin, da gab es keinen Zweifel, war verloren, was einmal vor scheinbar langer Zeit das Dasein der Menschen in gewisser Weise lenkte.

Es kam Jakob mehr als gelegen, dass er im Grunde seines Wesens ein Einzelgänger war, da ihm mit Sicherheit beim Gespräch im größeren Kreis von dem ein oder anderen der Vorwurf entgegengebracht worden wäre, er sei ein hoffnungsloser Romantiker, der die Vergangenheit verkläre, ein Vorwurf, den er nicht nur nicht hätte entkräften können, sondern der auch seinen Hang zur Schönheit infrage gestellt hätte, was ihm in diesem Fall erspart geblieben ist.

Seine Erinnerungen sind aus Schönheit gemacht, und auch aus Traurigkeit.

Wie es den Lebenden und auch den Toten gebührt, wählt er die dazu passenden Blumen aus, rote Nelken, weiße Nelken, Vergissmeinnicht und andere, deren Namen fremd klingen, die jedoch geeignet scheinen, an ihnen Gefallen zu finden, weil die Farbe ihrer Blüten dem Auge eine Wohltat ist.

Heute allerdings wird er das Grab nicht mehr bepflanzen können, der Tag neigt sich bereits seinem Ende zu und er will nicht in Eile geraten beim Verrichten einer Tätigkeit, die einen wachen Geist erfordert. Magdalena wird bis morgen warten müssen, doch dann, das ist gewiss, wird sie beglückt sein, von all der Pracht, die sich ihr darbieten soll. Die Gärtnerei wird ihm die Pflanzen heute noch nach Hause liefern, vor Geschäftsschluss. Das verschafft Jakob genügend Zeit für den Rückweg, den er mit Gelassenheit antreten kann. Dem Drang des Grabes, seinem Verlangen nach neuer Bepflanzung, ist entsprochen.

Entspannung bringt wieder einmal die Musik, die eine Schallplatte über all die Jahre, die inzwischen vergangen sind, wohlbehütet hat und keiner weiß warum.

»Vielleicht erhalten wir Menschen jetzt die Chance herauszufinden, was es mit der Zeit wirklich auf sich hat, sieht es doch so aus, als seien alle Vorstellungen, die wir uns von ihr gemacht haben, unzureichend.«

So flüstert beiläufig eine leise Stimme, als Jakob sich mit einem Glas Wein in der Hand in jenem Ohrensessel zurücklehnt, der einst Magdalena Obhut gewährte, und die Augen schließt.

»Ein anderes Verhältnis zur Zeit würde das Verhältnis der Menschen zu sich selbst verändern«, verrät ihm die Stimme.

Die Nacht dämmert herein und Jakob ist immer noch hellwach. Wieder und wieder spielt er die Matthäus Passion, wieder und wieder blickt er aus dem Fenster, wieder und wieder trinkt er jenen roten Wein, der über Jahre im Keller gelagert wurde, wieder und wieder lässt er sich in seinem Ohrensessel nieder, lehnt den Kopf zurück und wartet, bis er endlich aufsteht und das Haus verlässt.

Sternenklar wacht die Nacht. Und es ist der Blick nach oben, der erfolgen muss, wenn ein Mensch des Nachts nach draußen eilt, weil die Zimmerdecke nicht mehr ausreicht, um Sterne zu malen, die nur dann zu leuchten beginnen, wenn zwei zusammen sind.

Und was bleibt uns, wenn einer fort ist, als ins Universum zu schauen und vor Ehrfurcht zu erstarren. Ehrfurcht ist das

228

Gebot der Stunde, sonst nichts, Ehrfurcht vor der Schöpfung, der Erde und dem Unerklärlichen.

»Im Grunde sind wir immer da, auch wenn wir weg sind.«

Magdalena scheint zufrieden und Jakob in der richtigen Stimmung, denn nur in dieser Resonanz ist zu vernehmen, was der eine dem anderen zu sagen wünscht.

»Nie werdet ihr die Geheimnisse entschlüsseln können, die das Universum verborgen hält. Ehrfurcht werdet ihr wieder lernen müssen vor den unendlichen Weiten und den Geheimnissen der Welt. Ihr, die ihr am Leben seid, müsst endlich damit aufhören zu versuchen, allem und jedem mit Gewalt zu entreißen, was doch nur ein großer Irrtum ist. Weil die Wahrheit nichts ist, was Menschen finden können, wenn sie forschen und untersuchen, wenn sie messen und rechnen, wenn sie experimentieren und graben, das und nur das will euch die Zeit lehren, indem sie sich in die Abwesenheit begibt.«

Es gibt Nächte, in denen reden die Toten ohne Unterlass.

36

Der dritte Tag im Mai ist wie dafür geschaffen, um mit bloßen Händen die Erde zur Seite zu schieben, um den Blumen ihren Platz zu geben, und zwar auf eine Weise, die Jakob geeignet scheint, eine Verbindung aufzunehmen zu jenen Kräften, die sein Schicksal leiten.

»Es tut mir leid.«

Jeder, der tief versunken ist in eine Tätigkeit, die seine ganze Aufmerksamkeit verlangt, wird erschrecken bis tief ins Mark hinein, wenn plötzlich eine wohlvertraute Stimme zu ihm spricht, die nicht erwartet wird und unerhört sich einmischt.

Diese hier gehört einem dreizehnjährigen Mädchen und keiner toten Frau, auch wenn es im ersten Moment so scheinen mag. Der Schrecken bringt Jakob auf die Beine, schneller als ein realistischer Beobachter es ihm zugetraut hätte, und er selbst sich am allerwenigsten, was ihn veranlasst, erst einmal zu schweigen, nachdem er sich umgewandt und registriert hat, dass jemand da steht, der noch am Leben ist.

»Das tut mir leid. Ich wollte dich nicht erschrecken.«

Die Farbe ist wieder in Annas Gesicht zurückgekehrt und es will Jakob scheinen, als sei sie sogar ein Stück gewachsen.

»Ich habe nicht erwartet, dass du tatsächlich da bist. Und als ich dich da knien sah, habe ich mich so sehr gefreut, dass ich gerannt bin, aber du warst so tief versunken in deine Arbeit, dass du mich nicht gehört hast, da wusste ich nicht, was ich tun soll. Ich wollte dich nicht erschrecken, aber ich wollte dich auch nicht heimlich beobachten und einfach wieder weggehen, das wollte ich auch nicht und dann...«

»Halt warte.«

Obwohl es nicht seine Art ist, andere inmitten ihrer Rede zu unterbrechen, setzt Jakob hier einen Punkt und weil gewöhnlich ein Punkt nicht ausreicht, setzt er ihn mit Nachdruck, was auch zur beabsichtigten Wirkung führt. Anna verstummt augenblicklich und senkt den Blick zu Boden wie jemand, der den Augenkontakt zu seinem Gegenüber vermeidet, weil er sich schämt.

»Weshalb schämst du dich?«

»Es tut mir leid.«

»Wovon redest du?«

Fast wäre Jakob an dieser Stelle ein Schimpfwort herausgerutscht; verdammt, zum Teufel, oder Herr Gott noch mal. Es gelingt ihm gerade noch, den Fluch, der ihm auf den Lippen liegt, zu unterdrücken.

»Ich weiß nicht, wie ich es sagen soll.«

»Sag doch einfach, ich schäme mich, weil ich weiß, dass man sich nicht heimlich von hinten an einen alten Mann heranschleichen sollte wie ein Wegelagerer.«

Jakob kann sich nicht erklären, woher der plötzliche Ärger kommt.

»Das ist es nicht.«

»Dann schau mir jetzt in die Augen und sag mir, was los ist.«

Langsam hebt Anna den Blick und gehorcht, was ungewöhnlich ist, weil Anna sich vorgenommen hat, nie mehr gehorsam zu sein, und es ihr jetzt so verdammt schwerfällt. Mag sein, es hat damit zu tun, dass es ihr vorkommt, als stehe da ein Fremder vor ihr, dem sie noch nie zuvor begegnet ist. So wie Jakob redet, so kennt sie ihn nicht, mit der Bestimmtheit eines Großvaters, dem die Ordnung der Welt so vertraut ist, dass er nichts anderes gelten lässt, weil er genau weiß, dass nichts anderes eine Geltung verdient.

Und Jakob, er hört sich reden und kann sich nicht erklären, woher die Worte kommen und diese Stimme, die tiefer
klingt und aus seinem Bauch heraus, der bisher gewohnt war,
lediglich zu verdauen und nicht zu reden. Und so braucht es
ein paar Minuten des Schweigens, bis beide wieder zu sich
selbst gefunden haben und dort anknüpfen können, wo sie
aufgehört haben, zueinander zu finden.

»Jetzt rück endlich raus mit der Sprache. Was hast du angestellt?«

»Ich hätte es dir viel früher sagen müssen.«

Am liebsten würde Anna jetzt wieder ihren Blick senken,
aber sie tut es nicht, schließlich hat sie es einmal geschafft,
all ihren Mut zusammenzubringen, also wird sie es auch ein
zweites Mal schaffen.

Vielleicht ist Jakob der Schrecken anzusehen, den die
Worte von Anna auslösen. Obwohl er sich bemüht, sich
nichts anmerken zu lassen. Sie hat ihm etwas verschwiegen,
was jetzt dazu geführt hat, dass er Probleme bekommen wird.
Nur so ist zu erklären, dass er sich plötzlich unsicher fühlt in
seiner Haut und am liebsten alles ungeschehen machen würde, was sich bisher ereignet hat. Aber das ist nicht möglich,
weil die Ereignisse der Vergangenheit und alle Erinnerungen
daran durch das Gesetz der Zeit vor dem Zugriff der Menschen geschützt sind. Wäre dem nicht so, dann würde sich
diese Erzählung vor dem Auge des Lesers einfach auflösen,
so als habe sie nie existiert.

Was bleibt ist, dass Jakob sich vorwerfen muss, dass er
immer noch bemüht ist, Probleme zu vermeiden. Du bist

immer noch viel zu oft ein Feigling, sagt er sich, und nimmt sich vor, zukünftig mutiger zu sein.

»Egal, was es ist, ich werde dir nicht den Kopf abreißen. Und jetzt will ich wissen, was los ist.«

Trotz dieser Ermutigung ist noch ein klein wenig Überwindung nötig, bis Anna endlich mit der linken Hand in ihre Hosentasche fasst und sie langsam wieder herauszieht. Der Gegenstand in ihrer Hand ist Jakob wohl vertraut. Als sie sich das erste Mal begegnet sind, damals auf dem Friedhof, hatte sie die Taschenuhr dabei. Ihm bleibt jedoch keine Zeit, länger darüber nachzudenken, wie es sein kann, dass alles mit einem Mal wie ein Déjà-vu vor seinem inneren Auge auftaucht.

Jetzt lässt Anna mit einem leichten Druck auf die Krone den silbernen Deckel aufspringen.

Anna braucht die Taschenuhr ihres Großvaters nicht aufzuziehen, indem sie langsam das Rädchen mal nach rechts, mal nach links dreht, weil sie es längst schon getan hat, lange bevor sie krank wurde. Sie braucht auch die Uhr nicht an ihr Ohr zu halten, um ihr regelmäßiges Ticken zu hören und auch nicht den Sekundenzeiger zu beobachten, der in gleichbleibendem Takt nach links springt, gegen den Uhrzeigersinn, wieder und wieder und wieder.

»Was sollen wir jetzt machen?«

Jakob starrt die Uhr an. Die Gedanken, die ihm dabei durch den Kopf schießen, sind hier nicht wiederzugeben. Sie rasen nur so vorbei wie Rennwagen, die sich nicht stoppen lassen, weil sie sich in einem höllischen Tempo befinden, annähernd Lichtgeschwindigkeit, was die Gedanken betrifft, nicht die Rennwagen.

»Du hast es damals schon gewusst. Auf dem Friedhof. Stimmt`s? Du hast gesagt, ich will zusammen mit Großvater herausfinden, wie es um seine Uhr bestellt ist.«

Anna schüttelt den Kopf.

»Ich habe es geahnt. Hab mich aber nicht getraut, nachzusehen.«

»Was ist mit den anderen Uhren? Bei dir zu Hause? In der Stadt?«

Anna schüttelt erneut den Kopf und schweigt.

»Bist du sicher?«

»Ich habe es so gut es ging überprüft. Außerdem wäre es längst in den Nachrichten.«

Immer noch starrt Jakob die Uhr an. Der Gedanke, der sich ihm aufdrängt, scheint ihm zu abwegig, um ihn laut auszusprechen. Aber wie es so ist bei Seelenverwandten, denken oftmals zwei das Gleiche. Und einer spricht es schließlich aus.

»Das könnte bedeuten, wir sind im Besitz der einzigen, funktionierenden Uhr.«

Sobald der Gedanke ausgesprochen ist, herrscht Schweigen. Er klingt so unglaubwürdig, dass er sogar Anna, die gerne alles für möglich halten würde, mehr als merkwürdig erscheint.

»Einer Uhr, die gegen den Uhrzeigersinn läuft.«

Anna wäre es lieber, Jakob würde die Idee, dass sie womöglich im Besitz der einzigen noch funktionierenden Uhr sein könnten, völlig verwerfen und als Unsinn abtun. Doch Jakob schweigt. Insofern fällt Anna nichts weiter ein, als ihre Frage zu wiederholen.

»Was sollen wir jetzt machen?«

Jakob hebt die Schultern.

»Ich weiß es nicht.«

Die Antwort ist ehrlich und macht klar, dass Jakob nicht allwissend ist, wofür er sich auch nicht zu schämen braucht.

»Das macht mir Angst.«

Jakob schafft es schließlich, den Blick von der Uhr abzuwenden. Er betrachtet das Grab von Magdalena und versucht an nichts zu denken. Dann kommt ihm eine Idee, die er vorerst lieber für sich behält.

So als fordere die Situation einen Ausweg, lässt sich Anna zu einem unüberlegten Vorschlag hinreißen.

»Wir könnten die Ziffern umbauen, sie gegen ihren eigentlichen Sinn neu ordnen, dann wäre die Uhr in der Lage, die Zeit anzuzeigen, so wie wir es gewohnt sind. Schließlich bist du Uhrmacher«

Jakob wendet den Blick nicht vom Grab ab.

»Ein intelligentes Mädchen hat einmal gesagt, Wir leben das Leben gegen die Gemeinheit und Grausamkeit des Todes. Wir bewegen uns für die Toten, wir arbeiten, wir essen, wir riechen, wir schmecken, wir genießen für sie mit, wir saugen den Geruch des Sommers ein und den Duft von Rosen, wir gehen durch den Garten und beobachten, wie es wächst, wir blicken nach oben in einen strahlend blauen Himmel, wir freuen uns an den Blüten des Kirschbaums dort draußen im Garten, wir leben. Das zu wissen und es zu tun, ist tröstlich. Vielleicht ist das der einzige Trost, der uns Lebenden bleibt.«

Anna überlegt kurz, dann klappt sie den Deckel der Uhr wieder zu.

Zaghaft schiebt sich eine Wolke vor die Sonne und lässt einen Schatten wandern, der die beiden nachdenklichen Gesichter verdunkelt, während ihre Inhaber schweigend vor sich hinstarren. Die Wolke zieht vorüber und mit der Helligkeit, die sich breit macht, als die Wolke die Sonne wieder freigibt, kehren auch die Worte zurück.

»Am besten wird sein, wir behalten das erstmal für uns. Also kein Wort zu irgendwem.«

»Dann nimm du sie.«

Als habe sie es plötzlich mit der Angst bekommen, streckt Anna Jakob ihren Arm entgegen, in dessen geöffneter Hand die Taschenuhr liegt, deren Minutenzeiger inzwischen um 7 Minuten in die seiner gewohnten Drehbewegung entgegengesetzte Richtung gewandert ist, eine Tatsache, die Jakob nicht entgangen ist, dafür ist der Uhrmacher in ihm mit seinem Selbst so untrennbar verbunden wie zwei Sorten eines feinen Sandes, die zusammen auf ein grobes Sieb geschüttet werden.

Jakob wendet den Blick von der Uhr und schüttelt energisch den Kopf.

»Das ist die Uhr deines Großvaters. Sie muss bei dir bleiben.«

Enttäuscht zieht Anna den ausgestreckten Arm langsam wieder zurück, schließt dann die Faust und weiß nicht mehr, was sie tun soll.

»Steck die Uhr jetzt ein und hilf mir mit den Blumen. Es wird Zeit, dass wir hier fertig werden, bevor es zu regnen beginnt.«

Anna hebt ihren Blick zum Himmel und wundert sich nicht, dass am Horizont immer mehr graue Wolken auftauchen. Ein Gefühl der Beklemmung umschließt ihre Brust und es fällt ihr schwer, ganz tief durchzuatmen.

»Wir können es uns nicht leisten, dass du mit der nächsten Erkältung wieder Wochen im Bett liegst, denn dann ist der Sommer vorbei und du hast nicht einen einzigen Sonnenbrand gehabt. Das würden uns die Toten nie verzeihen.«

Anna muss unwillkürlich lachen, weil die Vorstellung, ohne Sonnenbrand durch den Sommer zu kommen, ihr bisher immer als erstrebenswert erschien.

»Na los, worauf wartest du?«

Jakob kniet längst schon wieder auf dem Boden und wühlt mit den Händen in der Erde, die Magdalenas Grab bedeckt. Er betet, ohne die Hände zu falten, weil beides gemeinsam nicht möglich ist, wenn es nicht merkwürdig aussehen soll, was er da tut.

Es fällt Anna sichtlich schwer, eine Angelegenheit mit so großer Tragweite auf sich bewenden zu lassen.

»Wir spielen womöglich die Hauptrolle in dieser Geschichte, weil wir die einzigen sind, die eine Uhr besitzen, deren Zeiger sich bewegen, wenn auch in die falsche Richtung.«

Jakob verkneift sich einen Kommentar, und als Anna glaubt, lange genug gewartet zu haben, lässt sie die Taschenuhr ihres Großvaters widerwillig in ihrer Hosentasche verschwinden. Dann kniet sie sich auf der anderen Seite des Grabes nieder, sodass sie beide einander zugewandt sind und sich ansehen könnten, hätten sie nicht etwas anderes zu tun. Auf diese Weise ist es den beiden vergönnt, sich völlig dem zu überlassen, was Magdalena erwartet, und dabei die Zeit zu vergessen und mit ihr alle Uhren, bis der große Regen kommt.

37

Windschief steht der alte Apfelbaum im Garten und wartete gelassen auf den nächsten Herbststurm, der ihn zu Fall bringen wird. Doch dieser Tag ist noch fern und die beiden können ihn nur erahnen, als sie nach getaner Arbeit gerade rechtzeitig nach Hause kommen, bevor der Himmel sich öffnet und die Welt hinter dem Schleier seiner Tränen verschwimmen lässt. Als Jakob nach dem Haustürschlüssel greift, der sich in seiner rechten Hosentasche befindet, wo er seinen Platz hat, wenn er nicht im Schloss steckt, spüren seine Fingerspitzen jenes zusammengefaltete Stück Papier, das dort vergessen wurde. Beides bringt die Hand aus der Hosentasche hervor, den Haustürschlüssel wie auch das

Papier, welches sich beim Auseinanderfalten als Lottoschein erweist.

»Der ist für dich.«

Mit diesen Worten reicht Jakob den Lottoschein an Anna weiter, die ihn länger als notwendig betrachtet.

»Die Ziehung ist aber schon längst vorbei.«

Während Jakob die Haustür aufschließt und die Türschwelle überschreitet, versucht sich Anna die 6 Zahlen einzuprägen, bevor sie den Schein zusammenfaltet, einsteckt und sich anschickt, Jakob zu folgen.

Sanft fällt die Tür hinter ihr ins Schloss.

»Kann sein, ich werde bald bei dir einziehen müssen.«

Jakob wird, sobald Anna diese Worte ausgesprochen hat, von einem Hustenreiz heimgesucht, der eher von einem Kekskrümel ausgelöst wird, als von dem, was Anna hier vorbereitet, wenn auch die Andeutung für Jakob überraschend kommt. Wie viel Zeit vergeht, bis Jakob sich wieder beruhigt hat, soll hier nicht weiter von Interesse sein. Alles braucht eben seine Zeit. Und nicht jede Zeit will gemessen sein. Vielleicht liegt die Freiheit der Zeit in der Tatsache begründet, dass sie sich ihrer Messbarkeit entzieht, wer weiß das schon. Alles kann sein.

Die beiden haben es sich mit einem Glas Milch und einer Packung Kekse bequem gemacht und weil Anna keine Lust hat über unlösbaren Rätseln zu schwelgen, hält sie es für angebracht zu berichten, was das Leben an sie herangetragen hat. Jakob hört zu, ohne Anna durch Zwischenfragen zu unterbrechen und stellt fest, Es braucht viel Geduld, um jemanden ausreden zu lassen, dem etwas auf dem Herzen liegt, was offenbar noch wichtiger ist als eine eigensinnige Taschenuhr.

»Heißt er wirklich Huck?«

»Sein richtiger Name lautet Tom Feuerbach.«

Jakob nickt und schweigt, wobei er versucht, so zu tun, als würde er nachdenken, indem er die Stirn in Falten legt.

»War das bei euch auch so, ich meine bei dir und Magdalena?«

»Was genau meinst du?«

»Das Streiten. So wie meine Eltern. Mit Brüllen und Scherben.«

»Nein.«

»Und wie habt ihr das gemacht?«

Eine einfache Frage, auf die es keine einfache Antwort gibt. Jedenfalls, wenn die Antwort brauchbar sein soll und nicht einfach nur so daher gesagt.

»Ich glaube, die meisten Leute, die in Streit geraten, sind mit sich selbst nicht im Reinen.«

Jakob nickt, eher um sich selbst seine Theorie zu bestätigen, als dass er Annas Frage beantwortet.

»Und was ist mit der Liebe?«

Auf Jakobs Gesicht breitet sich ein Schmunzeln aus, als ihm klar wird, worauf das Gespräch hinausläuft.

»Und jetzt redest du von dir und deinem Huck.«

Als sei sie bei einem Diebstahl ertappt worden, senkt Anna beschämt den Blick zu Boden.

240

»Ich weiß ja nicht, wie weit ihr beide schon seid. Aber was glaubst du, was das Leben in dieser Situation von dir erwartet?«

Anna schweigt und starrt weiter vor sich hin, während in ihrem Inneren ein Kampf der Titanen tobt. Es ist noch nicht entschieden, ob sie gleich wütend werden oder davonrennen wird.

»Gut. Wenn du mir nicht weiterhelfen willst, werde ich es eben selbst herausfinden.«

Mit diesen in kindlichem Trotz gesprochenen Worten erhebt sich Anna und geht zum Fenster, wo ihr Blick ungestört nach draußen wandern kann, um sich in der Entfernung zu verlieren, wo es einfacher ist, sich jemanden vorzustellen, zu dem einen die Sehnsucht treibt. Nichts ist mehr im Fokus, alles verliert sich in der Unschärfe einer Welt, die nicht so zu fassen ist, wie die meisten Menschen es sich wohl wünschen. Jakob wäre Anna gerne behilflich bei ihrer Suche nach brauchbaren Antworten, doch alles, was er sagen könnte, wäre falsch, weil es Erfahrungen gibt, die sich nicht übertragen lassen, weil es so etwas gibt wie Einzigartigkeit, Individualität, Aspekte eines Lebens, die nicht teilbar sind, Geheimnisse, die so offenbar sind, dass sie sich jedweder Erzählbarkeit entziehen und sich in einer eigenen Welt verschließen, die jeder nur für sich allein besitzen kann.

»Das Leben ist manchmal eine Ansammlung von Widersprüchen.«

Anna blickt immer noch aus dem Fenster. Aber mit den Worten von Jakob kehrt ihr Fokus wieder in die Realität zurück und das Wesen im Garten wird zu einem Apfelbaum, der aus einem Stamm, aus Ästen und aus Blättern besteht, von denen schwere Wassertropfen fallen.

»Kein Blatt eines Baumes ist wie das andere.«

Ruckartig wendet sich Anna vom Fenster ab und blickt Jakob in die Augen, ohne den Blick gleich wieder abzuwenden, als gelte es, den anderen mit allem, was er ist und wer er ist, auszuhalten und, wenn es sein muss, auch zu tragen.

»Ich halte es bei denen nicht mehr lange aus. Ich werde dir auch nicht zur Last fallen. Und du wirst auch nicht mehr einsam sein.«

Jakob nickt nur und es bleibt offen, ob es sich um eine Zustimmung handelt, oder um die einfache Bestätigung, dass er das Wesentliche der Rede zur Kenntnis genommen hat. Annas Schweigen und ihr Blick machen ihm jedoch unmissverständlich klar, dass nun er an der Reihe ist. Insgeheim hofft Jakob, dass es nicht so weit kommen wird, weil es sich für ihn nicht richtig anfühlt, wenn ein alter Mann und ein junges Mädchen in einem Haus zusammenleben. Also beschließt er seine Gedanken in eine Reihenfolge zu bringen.

»Unsere Situation lässt sich wie folgt zusammenzufassen. Im Februar bleiben die Uhren stehen, just an dem Tag, an dem ich die Werkstatt schließe. Kurz darauf lerne ich dich kennen. Das erste Mal begegne ich dir auf dem Friedhof. Die Ordnung der Welt um mich her gerät aus den Fugen, aber das interessiert mich relativ wenig. Man könnte auch sagen, ich kümmere mich einen Scheißdreck darum.«

An dieser Stelle unterbricht Jakob seine Rede, um Raum zu schaffen für eine entsprechende Reaktion seiner Gesprächspartnerin, was dazu führt, dass beide plötzlich laut loslachen.

»Ja. Wir haben gemacht, was wir wollten, wir hatten Spaß, wir fuhren Auto, wir aßen Burger und wir redeten.«

»Du schwänzt die Schule und triffst dich stattdessen mit einem alten Mann, der nicht sicher ist, ob er einem versäumten Leben hinterhertrauern und sterben, oder ob er noch einmal von vorn beginnen soll.«

»Ja. Und ich schere mich einen Scheißdreck darum, dass meine Eltern streiten, denn es gibt ein Leben, das nur mir gehört. Und das will gelebt sein.«

Jakob ist erleichtert, dass es ihm gelungen ist, das Gespräch in eine andere Richtung zu lenken.

»Und wir dürfen Huckleberry Finn nicht vergessen.«

Anna wirft die Stirn in Falten, wendet ihren Blick ab und starrt den Fußboden an.

»Aber wie mache ich das?«

»Nicht, indem du deine Zeit mit mir verbringst.«

Mit diesen Worten klatscht Jakob in die Hände als Zeichen, dass das Gespräch beendet ist und wendet sich zur Küche, woraus deutlich wird, dass es manchmal Wichtigeres zu tun gibt, als zu denken, zu grübeln, zu philosophieren und zu reden.

Anna staunt, wie zielsicher und gekonnt Jakob die Eier aufschlägt und in die Pfanne gibt, in der er zuvor den Schinkenspeck gebraten hat, der jetzt neben der Pfanne auf dem

Teller liegt. Anna hat schon dreimal ihre Hilfe angeboten und Jakob hat sie schon dreimal ausgeschlagen. Selbst den Tisch deckt er selbst, das Glas Rote Beete öffnet er eigenhändig, er bringt Bier und Wein und Wasser und Brot, sodass für Anna nur noch übrigbleibt, sich die Hände zu waschen und am Tisch Platz zu nehmen.

Sie essen schweigend. Denn beide wissen, dass irgendwann die Zeit kommen wird, wieder getrennte Wege zu gehen. Eine Tatsache, die ihre unbedingte Berechtigung hat und akzeptiert werden muss.

Als der Tisch abgeräumt ist, zaubert Jakob aus einer der Schrankschubladen ein Kartenspiel hervor. Es ist lange her, doch manches vergisst man nie. Einer erhält 13 Karten, der andere 14, der mit einer Karte mehr auf der Hand spielt aus. Der Wein schmeckt und dazu das Brot. Anna spielt das Spiel, als hätte sie im Leben nie etwas anderes getan, und Jakob muss sich anstrengen, nicht jede Partie zu verlieren, weil Konzentration und Strategie nicht ausreichen, um den Zufall auf seine Seite zu bringen.

So plätschert der Abend dahin, ohne anstrengende Überlegungen, oder quälende Fragen, und nur einer von beiden kommt auf den Gedanken, dass es schon spät ist und Anna womöglich vermisst wird.

38

Es braucht nur einen Griff, um die Schublade zu öffnen, in der Magdalenas Armbanduhr verwahrt ist. Jakob hat damit gewartet, bis Anna nach Hause gegangen ist. Sie könne nicht bleiben, weil sie ihre Eltern nicht allein lassen wolle, so ihre Begründung. Nicht, dass er etwas vor ihr verbergen möchte, aber es scheint ihm angemessen, den nächsten Schritt allein zu gehen, wie sonst sollte es ihm möglich sein, vor Magdalena und der Zeit zu bestehen, und auch vor sich selbst. Jakob muss nicht lange suchen, wie es oft passiert, wenn jemand eine Schublade öffnet, voll von Allerlei, um darin einen bestimmten Gegenstand zu finden, der auch ganz anderswo sein könnte, er muss nicht herumkramen, alles durchwühlen und sich wundern über das, was er findet und längst vergessen hat. Taschentücher, fein säuberlich zusammengefaltet, Ketten und Ohrringe, die paar wenigen, die Magdalena besaß, den Ersatzschlüssel vom Mustang, ein paar alte Münzen und das Kästchen, in dem sich ihre Armbanduhr befindet, ihre einzige. Jakob wiegt das geschlossene Kästchen in der Hand. Noch zögert er. Was würde es bedeuten, wenn sich bewahrheiten sollte, was er vermutet? Allein, das viele Denken bringt ihn nicht weiter. Also beschließt er, der Sache auf den Grund zu gehen. Vermutlich hat noch nie jemand so lange ein leeres Kästchen angestarrt wie Jakob in diesem Moment.

Eine lange Zeit verbringt er mit verzweifeltem Suchen an allen Plätzen, die ihm einfallen, in einem Haus, das zu viele Räume besitzt, in dem zu viele Schränke, Schubladen und Aufbewahrungsboxen beheimatet sind. Das Ergebnis seiner Suche kann ihn nicht wirklich überraschen und statt das leere Kästchen wieder zurückzulegen an seinen angestammten

Platz, nimmt er es erneut in die Hand und zwingt seine Gedanken zurück in die Vergangenheit, dorthin wo eine Erinnerung vergraben sein könnte, die ihm vielleicht weiterhelfen würde.

Dann weiß er es wieder. Er wollte ein paar Glieder des Armbandes ersetzen, weil sie verschrammt waren und es ihm missfiel Magdalenas Uhr mit einem verschrammten Armband aufzubewahren.

Eigenartig ist es um die Einfälle der Menschen bestellt. Hier stellt Jakob keine Ausnahme dar. Sind sie einmal da, bleiben sie hartnäckig bei all jenen, von denen sie wissen, dass sie auf fruchtbaren Boden gefallen sind. Ungleich verteilt scheinen nicht nur die materiellen Güter in der Welt, sondern auch all jene unsichtbaren Ereignisse, die dem Reich der Ideen, Eingebungen und Phantasien angehören.

Ihm wird keine andere Wahl bleiben, als an den Ort zurückkehren, den er für immer verlassen zu haben glaubte. Mit viel weniger Anstrengung wäre es für ihn verbunden, würde er seinen Plan nicht weiterverfolgen, doch dann wäre er nicht der Jakob Gottlieb Tennriegel, der er ein Leben lang gewesen ist. Und so einfach kann ein Mensch nicht aus seiner Haut, zu tief sind die Spuren seines Daseins wie Narben mit dem tieferliegenden Gewebe verwachsen, dass es kaum ein Entkommen gibt. Doch voreilige Schritte sind zu vermeiden, alles will wohlüberlegt sein, selbst dann, wenn es nicht viel zu überdenken gibt.

Es kann nicht mehr lange dauern, bis es draußen hell wird, davon künden bereits die Vögel.

Der Werkstattschlüssel befindet sich noch in der rechten Westentasche, genau dort, wo er ihn gelassen hat, nachdem die Weste von ihm nicht mehr getragen wurde, seit jenem Tag im Februar. Dort war er gut aufgehoben, wie er damals schon erkannt hatte, und ging auch nicht verloren, weil das Schicksal andere Pläne verfolgte.

Der frühe Morgen begrüßt ihn mit einer strahlenden Sonne und es braucht nicht viel, um herauszufinden, dass alles noch beim Alten ist, wenn es um die Frage geht, die eine rückwärts laufende Taschenuhr an die Welt stellt. Die Nachrichten melden nichts Wesentliches und auch die Kirchturmuhr nicht, deren Zeiger immer noch an gleicher Stelle verharren.

39

Als Jakob Gottlieb Tennriegel kurz nach Anbruch jenes Tages im späten Mai, der in dieser Geschichte als unabwendbar erscheinen mag, seine Werkstatt betritt, ist nichts mehr wie es war, nur die Uhren an den Wänden des Ladens starren ihn zeitlos und unverändert an, als wollten sie ihn strafen für sein unerhörtes Fortbleiben. Aufrecht tritt er ihnen entgegen und mit erhobenem Blick. Sicheren Schrittes schreitet er an ihnen vorbei, bis zur Tür, die in die angrenzende Werkstatt führt. Es scheint ihm außergewöhnlich hell in dem Raum, fast so als habe jemand ein zusätzliches Fenster gebrochen, und zugleich außergewöhnlich still. Diesmal bleibt der Schwindelanfall aus und nichts vermag seine innere Welt aus dem Gleichgewicht zu bringen. So steht er da, auf der Türschwelle zwischen Werkstatt und Laden, und weiß genau, was es zu tun gibt.

Zielsicher schreitet er zu dem großen dreiflügeligen Fenster an der Stirnseite des Raumes, dreht den Griff aus Messing, öffnet die beiden Flügel und beugt sich so weit hinaus, dass er dem Stamm des Walnussbaums mit seinem Blick nach oben bis zu seinem Wipfel folgen kann. Dann lässt er sich an seiner Werkbank nieder und wartet, dass genügend Zeit verstreichen kann, bis er seinen Blick abwendet und die drei nebeneinander liegenden, mit schwarzem Samt ausgeschlagenen Schubladen öffnet, woraus ihn seine Werkzeuge anblicken, ohne ihn zur Eile zu drängen. Sein ganzes Leben, das in ihnen verschlossen ist, mit all der Liebe, Verletzbarkeit und Sehnsucht nach Schönheit und Vollkommenheit, ist nicht verloren, nur weil er sie nicht mehr benutzt. Das weiß er jetzt. Der Geruch ist noch da, Metall, Holz, Öl und Staub, und was noch hinzukommt, ein Duft nach Rosen, der durch das Fenster hereinströmt.

Zur Linken an der Wand wartet der Apothekerschrank aus Eichenholz mit seinen unzähligen Schubladen und Schubfächern unterschiedlichster Größe und Form, deren Anzahl ihm nicht bekannt ist, weil er nie auf den Gedanken gekommen ist, sie zu zählen. Alles ist noch da. Uhrwerke, Zahnrädchen, Zeiger und Zifferblätter, Gehäuse, geordnet nach Typen und Baujahr, Schrauben, Metallstifte, Spiralfedern, Lederarmbänder, Uhrenketten, die Kuckuck-Sammlung, Türen und Fenster von Standuhren, Pendel und Gewichte, Schraubenmuttern und Nieten, und nicht zuletzt, die Glieder von Metallarmbändern in Silber und Gold in unterschiedlichster Größe.

So sicher ist sein Griff zu der richtigen Schublade, dass er nicht lange zu suchen braucht. Es scheint, als liege sie für ihn bereit, gut sichtbar für jeden, der sie sucht, als habe sie nur auf ihn gewartet. Ein Geruch nach frischen Aprikosen und Vanille umhüllt ihn, als er die Uhr aus der Schublade nimmt. Noch wagt er nicht zu tun, weshalb er hergekommen ist, schließlich will er vor sich selbst nicht noch fragwürdiger erscheinen, als er es bereits geworden ist.

Also hält er Magdalenas Uhr unentschlossen in der Hand und starrt sie so lange an, bis er weiß, was als Nächstes zu tun ist. Für einen erfahrenen Uhrmacher ist es eine Kleinigkeit, die Glieder eines Metallarmbandes zu ergänzen und so dafür zu sorgen, dass es sich über den Handrücken streifen lässt und dennoch so fest um das Handgelenk schmiegt, dass die Uhr nicht verloren gehen kann, wenn man seinen Arm rotieren lässt, was, zugegeben, selten ist.

Erst das Geräusch der herabfallenden Gittertür, als er den Laden schließt, ruft ihn ins Hier und Jetzt zurück, und er kann sich nicht erinnern, wohin seine Gedanken gewandert waren, und wie weit. Wie schön wäre es, wenn jetzt schon ein Hauch des kommenden Frühlings durch die Straßen wehen würde, das war sein Gedanke, als er die Werkstatt im Februar geschlossen hat. Jetzt ist er da. Der Frühling beschenkt ihn mit der ganzen Fülle, die er zu bieten hat.

Diesmal hat er seine abgewetzte Ledertasche, die ihm so viele Jahre lang treuen Dienst geleistet hat, nicht vergessen. Er trägt sie in der Linken und ihr Gewicht erinnert ihn daran, wie es ist, nach getaner Arbeit nach Hause zu gehen.

Wenn ihn jetzt jemand fragen sollte, wie einst der junge Mann in dem gelben Kaschmirpullover, »Entschuldigen Sie, können Sie mir sagen, wie viel Uhr es ist?«, dann wird er diesmal nicht mehr antworten können, »Wissen Sie, ich trage heute keine Uhr bei mir. Ganz gegen meine Gewohnheit.«

Der Moment des Stillstandes könnte der Augenblick der größten Fortbewegung sein, denkt Jakob, als er seine Schritte schnell in Richtung Marktplatz lenkt. Wenn es auch nicht einleuchten mag und sich dem logischen Verstand widersetzt, was offensichtlich ist, dass nämlich nicht beides zugleich sein kann, Stillstand und Bewegung.

Er spürt das Gewicht der Uhr, deren Metallband sich um sein Handgelenk schmiegt, und er glaubt, es müsse sich um eine Einbildung handeln, wobei er sich nicht ganz sicher sein kann, ob dem auch so ist. Dem Impuls, den Arm zu heben und auf das Zifferblatt zu blicken, widersteht er, da davon auszugehen ist, dass diese Bewegung nicht unbeachtet bleiben würde, in Anbetracht der Notlage, in der sich alle befinden. Ich habe mich in den Zustand gebracht, nicht mehr Uhrmacher zu sein, sagt er sich, sondern mich aufgemacht, in mir die Bereitschaft zu schaffen, mich bereitzuhalten für das Erscheinen der Zeit selbst und ich kann und darf meine Mission nicht gefährden. Denn es ist ein Ereignis, das nur möglich ist durch die Abkehr von der Vorstellung, die Zeit würde sich dem menschlichen Maß unterwerfen.

Manchmal nehmen Gedanken seltsame Formen an und es lässt sich nur schwer der Eindruck verwehren, als führten die Gedanken eine Art Eigenleben, das mit dem menschlichen Gehirn, von dem angenommen wird, dass die Gedanken hier ihren Ursprung haben, nicht viel zu tun zu haben scheint. Möglich, dass Gedanken nur einen Ort brauchen, an dem sie erscheinen können, ähnlich dem Bild im Spiegel, von dem sich der Spiegel einbildet, er habe es erschaffen, weil er nun einmal den Mittelpunkt seiner eigenen Welt darstellt. Dass der Spiegel bloß Spiegel ist, kann ihm nicht gefallen, wenn er dem Erschaffen einen größeren Wert beimisst als dem Erscheinenlassen. Und ebenso scheint es dem Menschen zu ergehen, der sich als Ursprung dessen wähnt, was ihm an Gedanken und Ideen begegnet.

Es ist das Spiel der Kräfte, zu dem wir unseren Teil beitragen können, welches jedoch nicht von uns entschieden werden kann. Das ist das Ergebnis der Überlegungen, die Jakob auf seinem Nachhauseweg anstellt. Es verschafft ihm Erleichterung, wenn auch das Gewicht von Magdalenas Uhr dadurch nicht leichter wird.

40

Die Ordnung der Welt, wie die Menschen sie kannten, und von der sie hofften, sie werde in ihren Grundfesten noch lange Bestand haben, fällt einfach so auseinander.

Die einen glauben, es habe mit der Zeit zu tun, die sich ihnen entzogen hat, andere gehen davon aus, es müsse mehr dahinter stecken. Dennoch bleibt das Unausweichliche nicht aus. Wie könnte es auch sein, dass kein Zusammenprall erfolgt, mit dem, dem man nicht vermag auszuweichen. Es käme einem Wunder gleich. Und so verwundert es nicht, dass die Plünderungen und Unruhen kein Ende finden. Die einen scheinen zu glauben, mit dem Verschwinden der Zeit seien auch die Regeln des Zusammenlebens auf der Strecke geblieben, andere lassen sich von ihren Ängsten mitreißen, und wieder andere wissen ganz strategisch ihre Vorteile zu nutzen.

Soldaten patrouillieren durch die Straßen, ihre Gewehre vor die Brust gepresst, mit erstarrten Gesichtern und toten Augen, in denen sich nichts spiegelt, was eine andere Bedeutung haben könnte, als das, was man ihnen eingebläut hat. Jederzeit kampfbereit sollen sie sein und ihrer Order folgen. Die verloren gegangene Ordnung wiederherstellen, mit Gewalt, wenn es sein muss. Manchmal sind Schüsse zu hören, oft weit entfernt und meistens in der Nacht. Was da schon wieder passiert ist? Es scheint niemand zu wissen, und allzu große Neugier kann verhängnisvoll sein in solchen Zeiten, die ihresgleichen suchen. Doch wie durch die Armee eine Ordnung wiederhergestellt werden soll, für die eine Orientierung an der Uhrzeit maßgeblich wäre, bleibt fraglich. Auch an Gewehrschüsse kann man sich gewöhnen. Manchmal werden Leute verhaftet und keiner weiß warum.

LKW mit Lebensmittellieferungen treffen ein und werden unter Bewachung durch Sicherheitsdienste entladen. Der Zugang zu den Supermärkten wird begrenzt. Nur eine bestimmte Anzahl von Personen darf gleichzeitig einen Laden betreten und seine Einkäufe erledigen. Private Sicherheitsdienste haben Hochkonjunktur. Es wird zur Eile gedrängt. Nicht zu lange darf es dauern, die draußen Wartenden haben auch ein Recht auf Nahrung, die Wahl muss schnell gehen, für das Lesen der Aufdrucke, auf denen die Inhaltsstoffe verzeichnet sind, steht keine Zeit zur Verfügung.

Überall fehlt es plötzlich an Zeit. Alles muss schnell gehen. Selbst beim Kauf einer Tageszeitung am Kiosk blickt der Verkäufer ständig auf seine Uhr. Eine Geste, die immer schon eine deutliche Signalwirkung hatte, und diese auch jetzt nicht verfehlt, obwohl jedem klar sein müsste, dass die Uhr stehen geblieben ist, dass also einem Verstreichen der Zeit, welchem unterstellt wird, es dauere zu lange, nicht gemessen werden kann.

»Wie viel Uhr ist es, wenn ich fragen darf?«

Es ist Jakob durchaus bewusst, dass seine Worte in den Ohren des Kioskbetreibers eine Provokation darstellen müssen. Dennoch wartet er herausfordernd auf eine Antwort.

»Woher soll ich das wissen? Machen sie, dass sie wegkommen.«

Es scheint, als sei mit dem Verschwinden der Uhrzeit auch der Anstand abhandengekommen. Wo Jakob noch vor ein paar Monaten den schroffen Worten eines Zeitungshändlers unverzüglich gehorcht hätte, um Ärger aus dem Weg zu gehen, regt sich plötzlich ein erheblicher Widerstandsgeist. Gelassen wirft er einen Blick in die Zeitung, ohne sich von der Stelle zu rühren. Zum Lesen fehlt ihm die Konzentration, weil er sich sammeln muss, um ganz bei sich zu sein. Der Kioskbetreiber schweigt und starrt ihn mürrisch an, ohne ihn aus den Augen zu lassen.

»Gehört der Laden Ihnen oder sind Sie hier bloß angestellt?«

Würde Jakob jetzt den Blick aus seiner Zeitung heben, würde er sehen, wie der pausbäckige Mann vor ihm rot anläuft. Stattdessen wiederholt er seine Ausgangsfrage, während er vorgibt, sich völlig auf den Inhalt der Zeitung zu konzentrieren.

»Also, was ist jetzt mit der Uhrzeit?«

Nach langem Zögern sagt dem Zeitungsmann eine innere Stimme, es sei jetzt an der Zeit, dem Störenfried ein paar Hiebe anzudrohen, woraufhin er versucht, die dazu passenden Worte zu finden.

»Wenn Sie nicht augenblicklich verschwinden, dann…«

»Was dann?«

Jakob kann sich nicht erinnern, dass er jemals jemanden so derart rabiat mitten im Satz unterbrochen hätte.

»Dann…dann…«, stammelt der Kioskbetreiber.

»Ich werde Ihnen sagen, wie viel Uhr es ist, da Sie ja offensichtlich nicht dazu in der Lage sind, werter Herr.«, wirft Jakob ein, bevor sein Gegenüber weiterreden kann.

Die Lippen des Pausbäckigen öffnen sich gerade, um eine Salve an Beschimpfungen abzufeuern, als Jakob den Arm hebt und einen Blick auf Magdalenas Uhr wirft.

»Es ist jetzt genau 25 Minuten nach zwei. Und das bedeutet, es ist 25 Minuten vor zehn. Na, was sagen Sie dazu?«

Mit diesen Worten auf den Lippen dreht Jakob dem Mann den Rücken zu und geht davon. Dabei klemmt er sich die Zeitung unter den linken Arm, während er den rechten hebt und dem Mann zum Abschied zuwinkt.

Der Pausbäckige weiß nicht, was er davon halten soll, und ihm wird zu spät erst klar, dass es sich um einen Trick gehandelt hat, um eine gekonnte Ablenkung, deren einziges Ziel darin bestand, kostenlos an eine Zeitung zu kommen. Der Dieb ist da schon aus seinem Gesichtsfeld verschwunden, und ihm zu folgen und dabei den Kiosk unbeobachtet zurückzulassen, dazu ist er nicht dämlich genug.

Und Jakob, ihm wird erst klar, was er getan hat, als er seine Schritte verlangsamt und schließlich innehält und zurückblickt, um sicherzugehen, dass ihm niemand gefolgt ist.

»Es ist jetzt genau 25 Minuten nach zwei. Und das bedeutet, es ist 25 Minuten vor zehn.« Genau das hat er zu dem Pausbäckigen gesagt. Und wenn der Mann richtig zugehört und auch verstanden hat, dann wird er ihn zwangsläufig für verrückt halten müssen, falls er nicht auf den Gedanken kommt, dass eine Uhr auch rückwärts laufen kann, was allerdings nicht zu erwarten sein dürfte.

Und die Zeitung? Es lag nicht in seiner Absicht, sie zu stehlen. Sie zurückbringen? Nein, das wird er nicht, denn er kann sich nicht daran erinnern, jemals etwas gestohlen zu haben, nicht einmal eine Kleinigkeit, nichts und auch nicht als Kind. Soweit er sich erinnern kann, hat er noch nie in seinem Leben einen Menschen so provoziert wie gerade eben diesen ahnungslosen Mann, und er hat keine Ahnung, was in ihn gefahren sein könnte. Das Unbewusste scheint ein merkwürdiges Etwas zu sein, wenn es einen Menschen dazu bringen kann, Dinge zu tun, die ihm sein Gewissen nie erlauben würde.

Er wird etwas zu erzählen haben, wenn Anna ihn besucht, denkt er sich, und das ist den Diebstahl einer Zeitung wert. Vielleicht hat er einfach keine Lust, den ganzen Weg zurückzugehen. Vielleicht hat der Pausbäckige auch schon die Polizei verständigt, die ihn dann womöglich auch fragen würde, woher er die Uhrzeit wisse, und wie das möglich sei. Und vielleicht würden sie verlangen, die Uhr zu sehen, die er um sein Handgelenk trägt. Er würde ihnen keinen Widerstand entgegensetzen können und am Ende würden sie Magdalenas Uhr konfiszieren. Er würde sie nie wieder zurückbekommen, da es von nationaler Tragweite sei, der nationalen Sicherheit diene und im Interesse der Gesellschaft sei, dass die Uhr unter Verwahrung der Behörden verbleibe.

Der Rückweg nach Hause verläuft ohne Zwischenfälle, auch wenn Jakobs Phantasie bisweilen Purzelbäume schlägt, wenn es darum geht, die Folgen seines unüberlegten Handelns in schillernden Farben auszumalen.

Und so kann es ihn auch nicht wirklich überraschen, dass Anna ihn bereits erwartet. Sie sitzt auf der Treppenstufe vor seiner Haustür. Neben ihr steht ein brauner Koffer aus festem Leder, der aussieht, als habe er ihren Großvater auf einer Reise um die Welt begleitet.

»Ich hab`s dir gesagt, also brauchst du mich gar nicht so überrascht anzusehen.«

Kommentarlos schiebt sich Jakob an Anna und ihrem Koffer vorbei und schließt die Haustür auf. Anna erhebt sich und folgt ihm. Jakob zögert die Türschwelle zu überschreiten und wendet Anna weiterhin den Rücken zu. Anna ist klar, was das bedeutet, ohne dass Jakob ihr sagen muss, was ihn bewegt.

»Das geht nicht. Geh wieder nach Hause.«

Unmittelbar, nachdem die Worte herausgepresst sind, überschreitet Jakob die Türschwelle, ohne sich noch einmal zu Anna umzuwenden, und drückt hinter sich die Haustür zu. Anna bleibt allein zurück und starrt die verschlossene Tür an, und versteht nicht, und weiß nicht, was sie tun soll. Tränen schießen ihr in die Augen und ihre Welt versinkt im Chaos der Gefühle.

41

Jakob starrt das Foto von Magdalena an, das an der Wand hinter dem Küchentisch hängt, und er fühlt sich schlecht. Niemand kann aus seiner Haut und aus seinem Leben, niemand kann aus seiner eigenen Geschichte, und niemand darf Grenzen überschreiten, die gezogen sind, weil sie gezogen werden müssen.

»Sie wird es verstehen.«

Magdalena blickt ihn lächelnd an und schweigt.

»Sie soll einfach nach Hause gehen und uns beide allein lassen.«

Magdalena scheint ihm zustimmen zu wollen, wie auch der Himmel, aus dem jetzt ein Regenschauer niedergeht, dessen Prasseln so laut zu Jakob durchdringt, als stehe irgendwo ein Fenster offen. Die Sicht in die Ferne verschwimmt beim Blick aus dem Fenster. Anna kann unmöglich schon zu Hause sein. Sicher hat sie unterwegs irgendwo einen Unterschlupf finden können. Hoffentlich.

Was auch immer Jakob dazu veranlasst, die Haustür zu öffnen, ein unbestimmtes Gefühl, sein schlechtes Gewissen, er weiß es nicht zu sagen. Anna sitzt auf der untersten Treppenstufe und kehrt ihm den Rücken zu. Das scheint ihn nicht zu überraschen, und wütend macht es ihn auch nicht. Der Regen lässt so schnell wieder nach, wie er eingesetzt hat, doch er hat ganze Arbeit geleistet.

»Anna.«

Jakob hat das Gefühl, seine Stimme werde ihm gleich versagen, also versucht er etwas lauter zu sein.

»Anna.«

Dieses Mal ruft er ihren Namen laut genug, sodass sie ihn hören kann. Langsam wendet sie den Kopf. Von ihrem Kinn fallen dicke Tropfen.

»Na, komm schon.«

Anna wendet den Blick von ihm ab, starrt zu Boden und rührt sich nicht. Jakob weiß, dass er sie gekränkt hat und

258

kann ihre Reaktion verstehen. Er wird ihr so viel Zeit lassen, wie es braucht, dass sie ihm seinen Fehler nachsehen kann.

Als sie eine halbe Stunde später die Treppe zu ihm nach oben steigt, ihren Koffer in der rechten Hand, in Kleidern, die ihr, völlig durchnässt, schwer am Körper hängen, fallen weitere Wassertropfen zu Boden und hinterlassen auf jeder Treppenstufe eine Wasserlache. Oben angelangt, hält sie vor ihm inne, den Kopf gesenkt, die triefenden Haare im Gesicht, und schafft es nicht, zu ihm aufzublicken.

Wortlos folgt Anna Jakob ins Haus. Die Haustür schließt sich hinter beiden und der Frage, wie es jetzt weitergehen soll.

Anna sitzt am Tisch, ein Handtuch um den Kopf, eingehüllt in einen warmen Bademantel, der ihr fünf Nummern zu groß ist. Sie weiß nicht, ob sie sich unbedarft in dem Haus bewegen darf, oder ob sie sich lieber ganz still verhalten soll. Sie steht auf der Schwelle zwischen Besucher, unerwünschtem Gast und zurückgewiesenem Mitbewohner, und es scheint Jakob Freude zu bereiten, sie in ihrer Unsicherheit zu belassen.

»Sobald meine Kleider wieder trocken sind, werde ich nach Hause gehen.«

In dem Satz, in leisen, kaum hörbaren Worten vorgetragen, schwingt genug Enttäuschung, um Jakob zu überzeugen, dass eine andere Lösung gefunden werden muss.

»Ich glaube, ich habe noch irgendwo Magdalenas Haustürschlüssel.«

Sprachlos bleibt Anna angesichts der Tragweite dieser Entscheidung, der Jakob augenblicklich eine Tat folgen lässt, die keiner von beiden erwartet hat.

»Ach, was soll`s. Du kannst meinen haben. Hier nimm.« Mit diesen Worten nimmt er seinen Haustürschlüssel aus der Hosentasche und schiebt ihn über den Tisch zu Anna hin. Anna kann nicht aufhören, den Schlüssel anzustarren, und sie wagt nicht, ihn anzufassen.

»Nimm ihn. Behalte ihn. Er gehört von nun ab dir. Fühl dich hier wie zu Hause.«

Noch kann sich Anna nicht aus ihrer Erstarrung lösen. Es ist ihr unangenehm, weil sie das Gefühl nicht loswerden kann, sich aufgedrängt zu haben. Jakob lässt sie mit der Situation allein und verlässt, ohne weitere Erklärung, das Zimmer. Anna kann hören, dass er die Treppe nach oben steigt und die Schritte, die sie kurz darauf über ihrem Kopf hört, verraten ihr, dass Jakob offenbar in dem Raum über der Küche auf und ab läuft. Es muss sich um einen Holzfußboden handeln, überlegt sie, sonst würden die Schritte nicht so deutlich zu hören sein.

Es wird noch ein paar Stunden dauern, bis ihre Kleider so trocken sind, dass sie wieder angezogen werden können. Bis dahin wird sie die unangenehme Situation aushalten müssen. Die Schritte halten plötzlich inne. Stattdessen ist ein Knarren zu hören, dem Anna versucht, ein Ereignis zuzuordnen. Die Tür des Kleiderschrankes vielleicht. Sobald ihre Kleider trocken sind, wird sie hier verschwinden und nie wieder zurückkommen. Zaghaft bewegt sich ihre Hand über den

Tisch und ihre Finger ertasten den Haustürschlüssel, sie ziehen ihn näher heran, bis ganz dicht an die Tischkante, sodass er fast wie von selbst herabfällt. Dort bleibt er liegen, während Anna ihre Hände im Bademantel versteckt.

»Du kannst das Gästezimmer haben. Es ist groß und du hast einen schönen Blick aus dem Fenster direkt in den Garten. Den alten Kram, der sich darin angesammelt hat, werfen wir raus. Wenn du willst, kaufen wir dir neue Möbel. Alles, was du willst und dir gefällt.«

Anna starrt Jakob an, wie ein Wesen aus einer anderen Welt. Sie hat nicht mitbekommen, dass er die Küche betreten hat. Er hat sich umgezogen. Er trägt jetzt eine braune Cordhose und darüber einen hellblauen Pullover. Über dem rechten Arm hängt eine braune Jacke.

»Das Zimmer wird dir wahrscheinlich so nicht gefallen. Du kannst überlegen, ob du dir eine neue Tapete aussuchen willst. Oder lieber mit Farbe? Ich kenne einen Maler, der wird das für dich erledigen.«

Anna versteht überhaupt nichts mehr.

»Und vielleicht einen neuen Teppich. Du kannst es dir überlegen.«

Mit diesen Worten nimmt Jakob das Bild von Magdalena von der Wand und betrachtet es nachdenklich.

»Das ein oder andere werde ich wohl noch brauchen.«

Jakob wendet sich um, verlässt wortlos die Küche und lässt Anna mit den tausend Fragen, die ihr plötzlich durch den Kopf schießen, allein zurück. Sie kann hören, wie er die Schubladen der Kommode im Flur öffnet und wieder schließt. Schließlich kann sie die Ungewissheit nicht mehr länger aushalten, erhebt sich von ihrem Stuhl, zieht den Gürtel ihres Bademantels fester und schlurft durch die Küche. Der Bademantel, der dabei über den Boden schleift, verhindert, dass sie große Schritte machen kann.

Jakob zieht gerade seine Jacke an, als Anna den Flur erreicht. Neben ihm auf dem Fußboden steht ein blau weiß karierter Koffer.

»Was soll das werden?«

Jakob nickt ihr nur wortlos zu, nimmt seinen Koffer und wendet sich zur Haustür. Die Hand auf der Klinke, hält er noch einen Augenblick inne, als müsse er sich noch einmal vergewissern, dass seine Entscheidung nicht widerrufen werden will, dann öffnet er die Tür.

»Wohin gehst du?«

Annas Stimme klingt so verzweifelt, wie die eines kleinen Kindes, das Angst hat, ihre Mutter werde es für immer verlassen. Jakob schaut sie lange an, so als habe er Schwierigkeiten eine passende Antwort zu finden.

»In die Stadt. Ich werde in mein Hotel ziehen. Dort gibt es besseres Frühstück. Außerdem bin ich dort näher an meiner Bibliothek. Schließlich gibt es viel zu tun.«

Anna ringt sich zu einem zaghaften Kopfschütteln durch, welches zum Ausdruck bringen soll, dass sie nicht versteht, was gerade vor sich geht, was bei Jakob wiederum bewirkt, dass ein leichtes Lächeln ein lebhaftes Spiel um seine Mundwinkel zaubert.

»Aber eins sag` ich dir, du lässt die Finger von den Fuß-leisten und dem Boden, keine Löcher, keine Verstecke. Ha-ben wir uns verstanden? Und du rufst deine Eltern an und sagst ihnen, wo du bist und dass es dir gut geht. Ist das klar?«

Anna nickt.

»Ich denke, wir haben uns verstanden.«

Anna zögert, doch Jakob lässt nicht locker.

»Sag es. Ich werde meine Eltern anrufen.«

»Ich werde meine Eltern anrufen.«

»Und lass niemanden herein, den du nicht kennst.«

Anna nickt.

»Und denk immer daran, was das Leben von dir erwartet.« Jakob kehrt Anna den Rücken zu, verlässt das Haus und schließt hinter sich die Tür.

Anna starrt die geschlossene Haustür an und weiß nicht, was sie tun soll. Sie befindet sich jetzt allein in einem frem-den Haus und fürchtet sich vor der Furcht, die kommen könnte, wenn es dunkel wird. Noch vor einem Jahr musste ihre Zimmertür ein Spalt breit offen bleiben, damit sie sicher sein konnte, dass ihre Eltern in der Nähe waren.

Langsam schreitet Jakob, der noch ein paar Minuten nachdenklich vor der Haustür stehen geblieben ist, die Trep-pe hinunter zur Straße, auf der sich Regenpfützen gebildet haben, und folgt dem Weg, der ihn seinem Ziel Schritt für Schritt näher bringen wird. In den Regenpfützen spiegelt sich ein Stückchen blauer Himmel und die Vögel in den Bäumen zwitschern dem frühen Abend entgegen. Die dunklen Regenwolken haben sich verzogen, und es sieht alles danach aus, als würde jetzt endlich der Sommer Einzug halten.

42

Juni

Wenn der Sommer kommt, beginnt die Zeit zu rasen.

Das wissen all jene, die den Sommer herbei sehnen, und die dann, ist er endlich da, feststellen müssen, dass er immer zu kurz ist, ganz gleich wie lang die Tage sind und auch die Nächte, und der von Jahr zu Jahr immer kürzer zu werden scheint, bis er eines Tages vielleicht ganz verschwindet, oder nicht mehr wiederkommt.

Mag auch die Angst davor unbegründet sein, weil der Sommer den Menschen ein Leben lang seine ewige Wiederkehr beweist, von Generation zu Generation, doch das kann nicht darüber hinwegtäuschen, dass es im Leben eines jeden Menschen einen letzten Sommer gibt und niemand genau weiß, welcher das sein wird.

Die Kürze des Sommers gibt einen Hinweis auf den Wert des Lebens.

Und der Sommer ist immer zu kurz.

Das Schöne und Wertvolle geht immer schneller vorbei als das Unerwünschte. Es lässt sich nichts festhalten. Das Hässliche macht sich breit und breiter und kann doch nur, inmitten der bitterkalten Nacht, in der alles zu erfrieren droht, was noch lebendig ist und ungeschützt, nichts anderes, als von einer neuen Morgenröte erzählen.

Magdalena hat einen schönen Platz an der Wand des Hotelzimmers gefunden, von wo aus sie einen freien Blick aus dem Fenster hat.

»Ich habe dir immer gesagt, eines Tages werden wir woanders Urlaub machen als im Garten.«

Jakob lächelt Magdalena an und wendet sich dann wieder seiner gestohlenen Zeitung zu. Er hat sich vorgenommen, sie vom ersten bis zum letzten Satz zu lesen. Neben vielen Belanglosigkeiten ist ihm bisher nur ein einziger Artikel begegnet, dessen Gedanken ihm als wertvoll genug erscheinen, gedruckt zu werden, damit andere an ihnen teilhaben können.

Nicht einmal das Eintreten der Katastrophe selbst habe das Bewusstsein der Menschen hinsichtlich einer notwendigen Veränderung ihrer Lebensweise verändern können. Nicht im Verschwinden der Uhrzeit sei die Katastrophe zu suchen, sondern in der Tatsache, dass die Menschen die Welt auf der Grundlage einer ominösen Taktgebung in eine immerwährende Verfügbarkeit überführt hätten.

Jakob liest den Artikel mehrmals und ist gezwungen, sich den befremdlichen Gedanken des Autors so lange zu stellen, bis sein eigenes Denken ins Leere läuft.

Die Katastrophe war immer schon da.

Bei all der schweren Bürde, die jede Zeit einem jeden Lebenden aufzuerlegen nicht lassen könne, warte doch hinter jedem Unheil, das einem einzelnen Menschen widerfahren könne, gelassen und geduldig, das Leben selbst, und sonst nichts.

Das sind die Gedanken, die Jakob dazu bewegen, am dritten Tag die Zeitung zur Seite zu legen, sich aus seinem Sessel zu erheben und aus dem Fenster zu blicken. Die Fußgängerzone ist voller Menschen, die das schöne Wetter genießen.

»Was soll jetzt werden?«

»Lass dir Zeit.«

Jakob wendet sich zu Magdalena um. Sie lächelt ihn an, wie immer, wie jeden Tag.

»Zeit lassen. Womit?«

43

Der runde Tisch für zwei Personen steht unter dem Apfelbaum im Garten.

Die Wiese ist frisch gemäht, die Blumen verströmen einen starken Duft, der Jasmin ist übersät mit weisen Blüten und der Hartriegel auf der gegenüberliegenden Seite versucht ihn zu übertreffen. Auf dem Tisch steht ein Krug mit eiskalter Zitronenlimonade, von der sich Anna jetzt bereits zum dritten Mal nachschenkt. Wenn sie den Krug neigt, um ihr Glas zu füllen, klirren die Eiswürfel und ein leichter Geruch nach Zitronen steigt ihr in die Nase. Mag sein, sie haben einen weiten Weg aus Italien zurückgelegt und nennen die Gärten der Amalfiküste ihre Heimat. Es ist ein Bild, das aus einer längst vergessenen Zeit zu stammen scheint, als noch Gartenzäune mit weißer Farbe gestrichen wurden und in den Häusern noch Menschen lebten, die es gewohnt waren, die Dinge zu reparieren.

Pfeifenrauch hängt in der Luft und es will scheinen, als fände eine Beratung statt, im Geheimen, wie es so üblich ist in jenen Kreisen, die ihr Wissen und ihre Pläne gerne für sich behalten.

Das Rätsel um die Uhr ihres Großvaters, die vor ihr auf dem Tisch liegt, zu lösen, dazu fühlt sich Anna nicht mehr in der Lage.

Um sein Handgelenk trägt Huck ein Nietenband, das er niemals ablegt. Das merkwürdige Gefühl in Annas Bauch gibt ihr noch mehr Rätsel auf als die Uhr ihres Großvaters. Tom scheint unbeeindruckt, dass Anna Pfeife raucht. Etwas anderes sollte von einem, der aussieht wie Huckleberry Finn, auch nicht zu erwarten sein.

»Hallo ihr beiden.«

Tom springt von seinem Stuhl auf, sobald er Jakob erblickt.

»Kein Grund, gleich wegzurennen. Ich bin nur ein alter Mann, der mal nach dem Rechten sehen will.«

Anna erhebt sich ebenfalls von ihrem Stuhl. Obwohl sie sich diese Situation in den letzten Tagen immer wieder ausgemalt hat, fällt ihr jetzt kein einziger Satz ein.

Jakob lässt seinen Blick über den Garten schweifen. Schließlich bleibt er auf dem Krug mit der Zitronenlimonade hängen.

»Euch scheint es ganz gutzugehen.«

Anna kommt jetzt nicht mehr umhin, irgendetwas zu sagen.

»Das ist Tom.«

Jakob nickt und kramt dabei seine Pfeife aus der Tasche.

»Tom. Das ist Jakob.«

Jakob betrachtet den Jungen eingehend und schenkt ihm ein anerkennendes Nicken.

»Hallo Tom. Herzlich willkommen. In dem, was einmal mein Zuhause war.«

Dieser Huckleberry Finn scheint recht einsilbig, denkt Jakob, und muss dabei unweigerlich lächeln. Anna spürt ihren Pulsschlag und kriegt das Gefühl nicht los, dass sie etwas tun muss, was die Situation auflockert.

»Jakob ist der Mann, dem es heute gelungen ist, den Sommer anzuhalten.«

Nachdem Jakob nicht reagiert, überlegt Anna, ob sie eine Erklärung hinzufügen sollte. Dummerweise fällt ihr nichts ein. Irgendwie herrscht Flaute. Glücklicherweise kommt ihr Huck zu Hilfe.

»Es freut mich, Sie kennenzulernen. Ich habe schon viel von Ihnen gehört. Anna redet ständig von Ihnen.«

Tom trägt Huck auf, Jakob die Hand entgegenzustrecken. Und Jakob muss laut loslachen, bevor er in die dargebotene Hand einschlägt.

»Verdammt. Aus welchem Film habe ich euch beiden herausgerissen?«

Als seien sie Figuren eines Puppenspielers, wenden Anna und Tom gleichzeitig ihren Kopf und schauen sich in die

Augen. Bevor sich Verlegenheit breit machen kann, ergreift Jakob gut gelaunt die Initiative.

»Wie wär`s, wenn ihr dem Mann, dem es heute gelungen ist, den Sommer anzuhalten, einen Schluck Limonade anbieten würdet, bevor er verdurstet ist?«

»Ja. Klar.«

Tom kommt Anna zuvor und gießt Jakob ein Glas Limonade ein.

»Bitte sehr.«

»Danke.«

Jakob betrachtet nachdenklich das Glas Limonade. Als habe Anna seine Gedanken lesen können, setzt sie sich in Richtung des Hauses in Bewegung.

»Ich hole noch einen Stuhl.«

Ohne zu Zögern bietet Huck seinen Stuhl an.

»Hier, bitte, nehmen Sie meinen.«

Jakob lässt sich am Tisch nieder und macht sich daran, seine Pfeife zu stopfen, um die Wartezeit zu überbrücken, bis Anna mit dem dritten Stuhl zurück ist.

»Ich hoffe, ich komme nicht ungelegen.«

In Anbetracht der Situation muss sich Anna zu einer kleinen Lüge durchringen.

»Nein, wir haben auf dich gewartet.«

Sie gibt Tom ein Zeichen und zeitgleich lassen sich die beiden auf ihren Stühlen nieder, als hätte der Puppenspieler dafür einen ganzen Tag lang geübt. Jakob zündet seine Pfeife an und die beiden beobachten ihn dabei schweigend. Er zieht ein paar Mal kräftig und entlässt den Rauch stoßweise aus dem leicht geöffneten Mund, während seine Augen nichts von dem fokussieren, was die sichtbare Welt zu bieten hat, auch wenn es jetzt ganz reizvoll wäre, sich quasi von außen selbst zu beobachten.

»Tom hätte gerne deine Werkstatt gesehen.«

»Ich habe das Gefühl, du redest nicht von Tom, sondern von dir.«

»Kann sein.«

Anna senkt den Blick und beschließt die Sache auf sich bewenden zu lassen und den Teil des Lebens von Jakob, der auf ewig von Magdalena besetzt bleiben wird, zu akzeptieren. Ihre Hand umfasst dabei das Limonadenglas, als versuche sie sich daran festzuhalten. Mit einem Mal ist ihre Aufregung verflogen und sie findet in ihre alte Form zurück, so als habe jemand einen Schalter umgelegt.

»Glaubst du, die Toten bekommen mit, was wir hier unten treiben?«

Anna flüstert die Worte gerade so laut, dass Jakob sie noch hören kann. Tom verzieht keine Miene, woraus Jakob schlussfolgert, dass er mit dem Thema vertraut ist.

»Du bist wohl auch ein Freund von Friedhöfen?«

Tom nickt und überlegt, was er dazu sagen soll.

Anna hält den Blick auf die Taschenuhr ihres Großvaters gerichtet, die sie jetzt in der Hand hält. Jakob nimmt einen großen Schluck Zitronenlimonade und verjagt eine dicke Fliege, die sich auf dem Rand seines Glases niederlassen will. Und weil Tom nichts Besseres einfällt, greift er ebenfalls zu seinem Glas.

»Vielleicht hätten wir ihre Uhren besser dort gelassen, wo sie waren.«

Es ist das erste Mal, dass Anna Zweifel äußert. Jakob hingegen scheint fest entschlossen, sich seine gute Laune nicht verderben zu lassen.

»Dann könnten wir jetzt völlig gelassen unter dem Apfelbaum sitzen und den angehaltenen Sommer genießen.«

Anna legt den Kopf zurück, schließt die Augen und versucht an nichts zu denken, während Jakob seine Pfeife reinigt und zur Seite legt, damit sie abkühlen kann.

Es ist Sommer. Er liegt über dem Tisch unter dem Apfelbaum, während seine weißen Wolken über den strahlend blauen Himmel dahinziehen, so langsam wie ein Segelschiff über den Ozean bei leichter Brise.

Manchmal kann ein einziger Tag einen ganzen Monat ausmachen, oder, unter ganz bestimmten Umständen, sogar eine Jahreszeit, oder ein ganzes Menschenleben.

»Da fällt mir ein. Was ist überhaupt aus deiner Schule geworden?«

Anna hält weiter die Augen geschlossen und antwortet nicht. Wozu eine Frage wiederholen, denkt sich Jakob, wenn die Zeit keine Eile kennt. Hätte Jakob Magdalenas Uhr im Blick behalten, hätte er feststellen können, dass es zwei Minuten und 43 Sekunden dauert, bis Anna sich zu einer Antwort hinreißen lässt, oder dem Drängen von Anstand und Höflichkeit nachgibt.

»Keiner hat mehr Bock auf Schule. Und zu lernen, gibt's doch auch nichts.«

»Und wie stellt ihr euch das vor im Leben? Was ist mit einem Beruf?«

»Jetzt redest du wie mein Vater.«

Indem Jakob sich an seiner Pfeife zu schaffen macht, verschafft er sich Zeit zur Besinnung. Schließlich zeigt ein Kopfnicken seine Zustimmung zu etwas, das er mit sich selbst ausmachen muss.

»Ja. Ich bin alt. Ich hänge noch in einer anderen Zeit fest. Was bin ich ein Idiot, euch nach einem Beruf zu fragen. Ich mache mich lächerlich.«

Jetzt öffnet Anna die Augen, richtet sich auf und setzt sich kerzengerade hin.

»Nein. Das stimmt nicht. Du bist schließlich mein bester Freund.«

Es mag in manchen Ohren ungewöhnlich klingen, dass ein dreizehnjähriges Mädchen einen alten Mann, im Beisein ihres Freundes, als ihren besten Freund bezeichnet, doch diese Geschichte wäre keine Prise Pfeffer wert, wenn es nicht wahr wäre, oder verschwiegen werden würde. Und es ist auch die passende Gelegenheit es auszusprechen, eine bessere wird sich wahrscheinlich nicht finden lassen. Und um seine Freundin nicht ganz allein zu lassen, mischt sich jetzt Tom ein.

»Ich bin der Meinung, die Schule sollte abgeschafft werden. Denn wenn eine neue Zeit kommt, dann wird die Schule nicht mehr gebraucht.«

Jakob nickt zustimmend, während er nachdenklich an seiner Pfeife kaut. Er ahnt, dass die beiden auf dem richtigen

Weg sind, doch bereitet ihm die Vorstellung Sorgen, dass sie den neuen Herausforderungen nicht gewachsen sein könnten.

»Ihr habt euch viel vorgenommen, ihr beiden.«

Anna greift Toms Hand und lächelt ihn an. Ein deutliches Signal für Jakob, dass das Gespräch vorerst beendet ist, womit er sich einverstanden erklärt, da er weiß, dass jede Entwicklung ihre Zeit braucht, ob sie nun messbar ist oder nicht.

Dennoch drängen die Fragen und verlangen nach Antworten. Was wird wohl die junge Frau gerade jetzt machen, die mit dem weißen Schauspielerlächeln und den blonden Haaren, bekleidet mit einer weißen Bluse mit Rüschen am Kragen, deren blaue Augen von ihrem Platz hinter dem Tresen der städtischen Bibliothek jede auch noch so unübersichtliche Ecke des Raums überblicken können? Er hätte sie nach ihrem Namen fragen sollen und vielleicht auch nach ihrem Alter. Vielleicht hätte sie ihm ja eine Antwort gegeben, einem alten Mann wie ihm, der ihr nicht mehr gefährlich werden konnte. Wie war es möglich, dass lediglich eine kurze und einmalige Begegnung eine Verbindung schaffen konnte zwischen zwei Menschen, die sich dadurch offenbarte, dass irgendwann eine Erinnerung wach gerufen wurde?

»Bin gleich wieder da.«

Mit diesen Worten erhebt sich Tom von seinem Stuhl und setzt sich in Richtung des Hauses in Bewegung. Anna wartet, bis er außer Sichtweite ist.

»Du hast gesagt, ich müsse es selber herausfinden.«

»Und?«

»Weiß nicht. Ist schön.«

»Das freut mich für dich.«

»Du bist also nicht sauer?«

»Warum sollte ich? Wissen deine Eltern Bescheid?«

»Die haben genug mit sich selber zu schaffen.«

»Du wirst es ihnen sagen. Versprich es mir.«

Nachdem Jakob Anna ihr Versprechen abgerungen hat, nickt er zufrieden, klopft den Rest Tabak aus seiner Pfeife und erhebt sich von seinem Stuhl.

»Ich werde euch dann mal wieder allein lassen.«

»Wann sehen wir uns wieder?«

»Ich glaube nicht, dass du dich ohne mich langweilen wirst.«

Mit einem breiten Grinsen im Gesicht wendet sich Jakob zum Gehen und Anna fällt ein, was sie die ganze Zeit schon hatte tun wollen.

»Halt, warte.«

Jakob hält inne, Anna erhebt sich von ihrem Stuhl, kommt mit schnellen Schritten zu ihm heran und drückt ihm einen dicken Kuss auf die Wange. Jakob spürt, wie seine Augen feucht werden. Glücklicherweise fällt ihm noch eine Frage ein.

»Was ist eigentlich aus dem Lottoschein geworden?«

Anna schenkt Jakob ein geheimnisvolles Lächeln und lässt sich mit ihrer Antwort viel Zeit.

»Den habe ich Tom geschenkt.«

»Und? Hat er gewonnen?«

Anna zuckt die Schultern.

»Keine Ahnung.«

44

Obwohl zu erwarten gewesen wäre, dass der Verlust der gemessenen Zeit längerfristig zu mehr Gelassenheit und damit zu einer Abnahme von Hetze und Eile hätte beitragen müssen, ist das Gegenteil der Fall. Jakob glaubt sogar eine noch größere Anspannung und Verbitterung in den Gesichtern der Menschen ausmachen zu können, die vor dem großen Fenster des Altstadthotels vorbeihasten. Er hat sich einen Stammplatz direkt am Fenster gesichert, wo er sich jeden Morgen zum Frühstück einfindet, irgendwann nach Sonnenaufgang, und bevor die Sonne es schafft, den Schatten, den das Hotelgebäude auf den Eingang zur Fußgängerzone wirft, vollständig zurückzudrängen.

»Einen wunderschönen, guten Morgen, wünsche ich. Heute hätten wir Eier mit Speck im Angebot. Brot ist aus. Unser Hausbäcker ist letzte Nacht unerwartet gestorben. Dafür hätten wir Haferflocken mit Milch.«

Jeden Morgen wird Jakob von Toni, dem immer gleichen Kellner, mit dem immer gleichen Lächeln, begrüßt, der ihm dann das Angebot des Tages präsentiert. Das Angebot wechselt, weil die Verfügbarkeit sich ständig ändert, ebenso, wie sich immer neue Möglichkeiten der Beschaffung ergeben können, wobei Jakob glaubt eine starke Verschiebung hin zu lokalen Produkten feststellen zu können. Eier, Speck, Milch, Marmelade, Brot aus der Bäckerei nebenan, gebacken aus einem Mehl, das nicht aus dem Supermarkt zu stammen scheint. Toni hat ihm verraten, dass sich binnen kurzer Zeit ein Schwarzmarkt entwickelt hat, nachdem die Versorgung der Supermärkte erst einmal zusammengebrochen war.

»Die Menschen sind in der Not erfinderisch. Und sie halten zusammen.«

Toni lächelt, während er die Eier mit Speck serviert. Kaffee geht nie aus im Altstadthotel, dafür ist immer gesorgt. Eier mit Speck hat es in letzter Zeit ziemlich oft gegeben, denkt Jakob, aber so stehen die Dinge nun einmal.

Toni berichtet ihm jeden Morgen, wer gestorben ist, als sei er in seiner Nebentätigkeit für die Todesanzeigen der Regionalzeitung zuständig. Jakob kennt die wenigsten von ihnen. Für die Kunden im Laden war immer Magdalena da, sie wusste alle Namen, auch die, die nicht zu ihren Kunden zählten, so als habe sie eine geheime Verbindung zum Einwohnermeldeamt.

»Als Bestattungsunternehmer kann man zurzeit viel Geld machen, mehr noch als auf dem Schwarzmarkt.«

Toni hat ein gutes Gespür für gute Geschäfte. Jeden Morgen kommt er mit einer neuen Idee, um auf schnellem Weg zu schnellem Geld zu kommen. So schnell die Ideen kommen, vergisst er sie aber auch wieder. Schließlich hat Toni sein Herz am rechten Fleck und das schlägt für das Altstadthotel.

Unterdessen denkt Jakob darüber nach, wo im Sommer der Schatten auf dem Straßenpflaster vor dem Altstadthotel stehen sollte. Er schätzt, so gegen 10 Uhr am Vormittag müsste die Sommersonne es geschafft haben, den Schatten zu vertreiben.

Er war früher nicht oft am Vormittag in der Stadt unterwegs. Gewöhnlich saß er an seiner Werkbank. Auf den Stand der Sonne und die Schatten der Häuser zu achten, die langsam wanderten, bis sie sich dann irgendwann vollständig auflösten, um an anderer Stelle wieder aufzutauchen, war ihm nie in den Sinn gekommen.

Von seinem Platz am Fenster aus kann er ein gutes Stück der Fußgängerzone überblicken. Während er die Zeit verstreichen lässt, versucht er nicht darüber nachzudenken, was er mit dem Tag anfangen soll. Er darf sich nicht mitreißen lassen von dem Tempo der anderen, die den Eindruck hinterlassen, als seien sie auf der Jagd nach dem letzten Brot und dem letzten Stück Käse, was sich durchaus mit den Berichten von Toni deckt. Es scheint so, als ginge es ums nackte Überleben. Niemand weiß, was noch kommen wird, und immer weniger Menschen sind offenbar bereit, sich den ständig verändernden Bedingungen anzupassen.

Jakob, der an einem Punkt seiner Geschichte angelangt ist, an dem er nichts mehr zu verlieren hat, lässt sich sein Frühstück ebenso schmecken wie beim ersten Mal, als sich vor ihm auf dem Tisch nicht nur Eier mit Speck und schön starker Kaffee befanden, sondern auch Orangensaft, frisch gepresst, Marmelade, Wurst, Käse, jede Menge Obst, drei Sorten Brot und Brötchen und vier Sorten Müsli.

Die Welt schien immer schon chaotisch, nur hatte Jakob davon nichts mitbekommen. Immer schon waren Menschen gestorben, nur nicht so viele wie im Augenblick. Die Katastrophen ereigneten sich immer anderswo und dieses Anderswo war immer weit weg. Jetzt war es gleichzeitig und überall angekommen. Und der Tod, der Schwarze mit der Standuhr, schien entschlossen zu einem exponentiellen Wachstum seiner Erfolgsquote.

45

Irgendwann muss zu Ende gebracht werden, was angefangen ist.

Jakob liest den Satz noch einmal durch, bevor er sein Notizbuch zuklappt und zur Seite legt. Das Schreiben hat ihn ermüdet, und es ist nicht das einzige, was an diesem Nachmittag dadurch erschwert wird, dass seit Tagen eine schwüle Hitze über dem Land und seinen Bewohnern liegt, die alles, was noch Leben in sich spürt, stöhnen lässt, unter ihrer Last. Selbst die Steine scheinen davon nicht unberührt. Manchmal sieht es so aus, als bildeten sich kleine Wassertropfen an ihrer Oberfläche.

Öfter als sonst ist jetzt das Martinshorn der Ambulanz zu hören, und von Hitzetoten wird berichtet, und von einem Mann, der in einem Baggersee ertrunken sei, ganz in der Nähe. Bisher hat man seine Leiche nicht gefunden, was böse Zungen dazu veranlasst, zu spotten, er sei nur Zigaretten holen, wie das so üblich sei bei Männern, die mit einer Frau zusammen leben müssten, die mehr Haare auf den Zähnen habe als eine Katze in ihrem Fell.

Umgekehrt scheint dies noch nie vorgekommen zu sein, dass also eine Frau vom Zigaretten holen nicht wiederkam, weil der Mann ihr unerträglich geworden war. Fast zu einem Gesetz geworden, war offenbar, dass Männer gehen und Frauen bleiben, und keiner wirklich aus freien Stücken, unter der Prämisse einer wahrhaft freien Entscheidung.

Magdalena schenkt ihm ihr Lächeln immerfort, wenn er sie anblickt, und es ist nicht abzusehen, wann ihr gemeinsamer Urlaub im Hotel enden wird. Fast will es scheinen, als fordere eine Liebesgeschichte stets eine Realität ein, die sie auf einen Boden zurückholen möchte, von dem sie behauptet, er sei standfester als jene Schlösser, die mit den Wolken dahintreiben, und in denen sich Liebende gerne einrichten, weil sie von dort aus viel besser die Sterne sehen können.

Jedoch war immer schon beschlossen, dass in unserer Geschichte vom Verlust der Zeit, in der ein alter Uhrmacher, ein dreizehnjähriges Mädchen, ein fünfzehnjähriger Junge und zwei Tote sich an einem runden Tisch unter einem Apfelbaum zu einer geheimen Übereinkunft zusammenfinden können, nicht die Rede sein kann von einer Realität wie die Sterblichen sie sich vorstellen.

»Erzähl mir eine Geschichte.«

Die Stimme von Magdalena hat an Klarheit nichts verloren.

»Das hier ist die Geschichte. Unsere Geschichte. Sie handelt von dir und von mir, und von der Liebe.«

Magdalena und Jakob sind nicht dazu geschaffen, um noch länger zu schweigen, auch wenn jeder einzelne von ihnen eine Karriere als großer Schweiger vor sich gehabt hätte, wobei es keine Rolle spielt, wo sie sich befinden. Anzunehmen ist, dass es keinen Unterschied mehr macht, und der Zeitpunkt ihres Todes nicht mehr als Maß genommen werden kann für das Ende einer Zeit, die sie gemeinsam verbracht haben. Jakob kennt diese Wahrheit, und sie schmeckt bitter, wenn er an Magdalena denkt, und wenn er sich den Geschmack der Zitronenlimonade in Erinnerungen ruft, der ihm gezeigt hat, wie es ist, wenn der Sommer vorbeigeht, ohne innezuhalten und die Tage zu versüßen, die noch bleiben.

Der runde Tisch für zwei Personen unter dem Apfelbaum im Garten drängt nicht zur Eile, er wartet nur auf Magdalena und ihn, auch wenn er von einem anderen jungen Liebespaar besetzt ist, oder vielleicht gerade deswegen. Die Wiese bleibt für ewig frisch gemäht, die Blumen verströmen ihren Duft, ohne Unterlass, der Jasmin bleibt übersät mit weisen Blüten, für ewig, und der Hartriegel auf der gegenüberliegenden Seite versucht ihn immerzu zu übertreffen, noch und noch und noch, und auf dem Tisch steht ein Krug mit eiskalter Zitronenlimonade, deren Frische der Zeit zu trotzen vermag, auch wenn es gegen jegliche Erfahrung spricht, dass die einfachen Dinge des Lebens unveränderlich sind.

»Erzähl mir die Geschichte zu Ende.«

Magdalena hat noch nie schnell aufgegeben.

46

Der 21. Juni gilt auf der Nordhalbkugel als der längste Tag des Jahres, ein Tag, der einen Wendepunkt markiert.

Ebenso verhält es sich auf der Südhalbkugel, nur umgekehrt, hier werden die Tage wieder kürzer, dort wieder länger, so gleicht sich alles aus, was dem Zyklus unterliegt. An diesem Tag ziehen dunkle Gewitterwolken auf und in der Nacht erleuchten helle Blitze den Himmel bis zum Horizont. Am nächsten Tag regnet es ohne Unterlass, in Strömen, die vom Himmel auf die Erde herabfallen, als habe jemand eine Schleuse geöffnet. Der ein oder andere neigt zu der Vermutung, dass die Toten den Lebenden, die sich mit ihrer Zeit zu sehr beschäftigen, ein deutliches Signal ihres Unmuts zukommen lassen.

Doch weder Magdalena noch Jakob zeigen sich für diesen Gedanken empfänglich, im Gegenteil, sie liebäugeln beide doch eher mit der Idee, dass nicht die Toten, sondern die Lebenden in einer besonderen Beziehung zum Wetter stehen, und dieses auch zu beeinflussen vermögen. Die Lösung des Rätsels um die Uhren der Toten steht immer noch aus, und auch das herannahende Unwetter bringt kein Ergebnis.

»Wind kommt auf.«

Jakob steht am Fenster, von wo aus er die Stadt überblicken kann und weiter hinten am Horizont die schwarze Wand zu sehen vermag, die langsam auf sie zurollt.

»Das sieht nicht gut aus.«

Er begibt sich zurück zum Tisch und vertieft sich wieder in eines der Bücher, die sich darauf ausbreiten. Einige Bücher liegen aufgeschlagen auf dem Bett, andere sind mit gelben Klebezettelchen versehen, die jene Seiten markieren, die Wichtiges enthalten. Doch es nutzt alles nichts.

»Erzähl mir die Geschichte zu Ende.«

Magdalena, die unablässig über Jakob wacht, denkt nicht daran, sich mit dem bisher Erzählten zufriedenzugeben.

Jakob schlägt das Buch zu und zaubert ein kleines Kästchen hervor, woher, das kann Magdalena nicht sehen. Er stellt es so behutsam auf dem Tisch ab, als enthalte es Nitroglyzerin, und lässt sich genügend Zeit, es so intensiv zu betrachten, als könne er noch etwas entdecken, was bisher unentdeckt geblieben ist. Obwohl es schwer vorstellbar ist, dass es bei einer Schachtel, die bezogen ist mit einem Stoff aus grüner Seide, noch etwas zu entdecken geben könnte.

Magdalena, die glaubt, das Kästchen schon einmal irgendwo gesehen zu haben, lässt den kleinen Behälter nicht aus den Augen. Vielleicht ahnt sie bereits, was gleich geschehen wird.

»Weißt du. Anna ist nicht die einzige, die eine Uhr ihres Großvaters besitzt.«

Nachdem er diese einführenden Worte gesprochen hat, legt Jakob eine Pause ein, auch um sich zu sammeln und sicherzugehen, dass Magdalena ihm auch zuhört.

»Ich war etwas älter als Anna, vielleicht sechzehn, da habe ich eines Tages in einer Schublade die Teile einer Uhr gefunden, ein Zifferblatt, einen Zeiger, ein paar Zahnrädchen, nicht viel. Später habe ich herausgefunden, dass diese Teile von der Uhr meines Großvaters stammten, die er meinem Vater hinterlassen hatte. Ich schätze, mein Vater war ein Mensch, der auf Andenken nie viel wert gelegt hat. Er hat einfach nicht darauf geachtet, was mit den Dingen um ihn her passierte. Sie waren ihm gleichgültig. Und so erging es der Uhr, wie es vielen anderen Dingen ebenfalls erging. Sie löste sich auf. Es war nicht mehr festzustellen, was genau mit der Uhr geschehen war. Mein Vater wollte davon nichts wissen und wenn ich ihn mit meinen Fragen löcherte, schwieg er umso hartnäckiger. Dabei konnte ich mir nie sicher sein, ob er nichts sagte, weil er es nicht wusste, oder einfach nicht wollte. Für mich jedoch war das, was von der Uhr meines Großvaters noch übrig war, unendlich wertvoll. Vielleicht beschloss ich an diesem Tag Uhrmacher zu werden, und zwar nur aus dem einzigen Grund, um die Uhr meines Großvaters wieder herzustellen.«

Jakob hält inne, um das Gesagte einer Prüfung zu unterziehen, die nur von seinen Erinnerungen abgenommen werden kann.

»So kann es gewesen sein. Aber ich bin mir nicht sicher.«

Jakob schweigt an dieser Stelle und Magdalena wartet geduldig, bis der Erzähler fortfahren wird.

»Es hat lange gebraucht und viel Geduld erfordert, bis ich fast alle Teile zusammen hatte, um die Uhr wieder zusammenzusetzen und nicht nur das, sondern auch die erforderliche Kenntnis erworben hatte, um in der beruflichen Herausforderung meines Lebens bestehen zu können.«

Mit diesen Worten öffnet Jakob das Kästchen und zum Vorschein kommt eine Taschenuhr, die der von Anna nicht nur ähnlich sieht.

»Das gleiche Modell, das gleiche Baujahr.«

»Warum hast du mir nie von der Uhr erzählt?«

»Vielleicht wollte ich damit warten bis zum Schluss.«

»Und? Funktioniert sie?«

Jakobs Augen beginnen sich langsam einzutrüben, so scheint es zumindest, so als schiebe sich von links nach rechts ein Schleier darüber, der beschlossen zu haben scheint, den sonst klaren Blick zu verstellen.

»Es fehlt ein Teil. Ein einziges, winziges Teilchen fehlt, um sie zu vervollständigen.«

Magdalena hält ihren fragenden Blick weiter auf Jakob gerichtet, der wiederum versucht, in seinem Kopf, in dem jetzt alle möglichen Gedanken durcheinander rasen, ein klein wenig Ordnung zu schaffen.

»Ein ganzes Uhrmacherleben war ich damit beschäftigt, alle fehlenden Teile zusammenzusuchen, um die Taschenuhr meines Großvaters wieder in Gang zu setzen. Es war bisweilen eine mühevolle Suche. Oft stand ich kurz davor, alles hinzuschmeißen, und damit meine ich wirklich alles. Ich glaube, du hast das irgendwie gespürt. Aber du hast nie gefragt, was los ist, und ich habe geschwiegen.«

Jakob verstummt plötzlich und senkt den Blick, mag sein aus Verlegenheit, vielleicht aber auch, weil ihm plötzlich klar wird, dass er eine Tote, die alles wissen müsste, nicht mit seiner Lebensbeichte belasten sollte.

»Was noch?«

Manche Toten können hartnäckiger sein als viele noch lebende Erwachsene und vor allem hartnäckiger als neugierige Kinder.

»Marie Keller.«

Magdalena wartet geduldig, bis Jakob sich soweit gesammelt hat, um ihr noch einmal von jenem Abend im November zu berichten, an dem sich sein Schicksal erfüllen sollte, und der Zeit danach, die sich anfühlte wie ein Leben im Gefängnis, die immer einen Schatten geworfen hat auf das große Glück, das er sich zusammen mit ihr Stück für Stück zurückholen musste. Jakob hört sich plötzlich selbst reden, seine Stimme, die ihm die Tragödie seines Lebens mit Tränen in den Augen erzählt.

Nachdem Jakob geendet hat, schweigt auch Magdalena. Verloren in Gedanken, die nicht geteilt werden müssen, mit dem vergeblichen Versuch beschäftigt, die aufgewühlte Seele wieder in Einklang zu bringen mit den Ereignissen um ihn her, die immer da sind, ganz gleich wie es um den Zeitpunkt ihres Eintretens bestellt ist, ob sie lange schon zurückliegen oder im Augenblick sind, starrt Jakob vor sich hin, bevor er weiterredet.

»Jetzt denke ich, dass dieses eine fehlende Teilchen und die Tatsache, dass ich es nicht finden konnte, dass ich es vergessen habe, vielleicht etwas mit dem Tod von Marie Keller zu tun hat.«

Jakob schüttelt heftig den Kopf, so als wolle er die Gedanken von sich abschütteln und sie auf diese Weise loswerden.

»Ich glaube, ich fange langsam an, verrückt zu werden.«

Magdalena versteht, dass der beste Uhrmacher der Welt, der da vor ihr sitzt wie ein Schiffbrüchiger, der vergeblich auf Rettung wartet, sich der eigentlichen Aufgabe, die noch vor ihm liegt, niemals gewachsen fühlen wird. Zu lange schon hat er einsam und allein auf seiner kleinen Insel gelebt, als dass die Rückkehr in die Zivilisation noch eine Verlockung darstellen könnte.

Zum ersten Mal in unserer Geschichte bleibt Magdalena nichts weiter übrig, als klein beizugeben, wobei ihr sogar in der Niederlage die passenden Worte einfallen.

»Es ist, wie es ist.«

Jakob hebt langsam den Kopf. Er schaut Magdalena lange an. Dann schwindet die Finsternis aus seinem Gesicht und alles hellt sich auf.

47

Dass der Höhepunkt des Jahres überschritten ist und die Tage wieder kürzer werden, wird zunächst noch verborgen bleiben, und nur für diejenigen bedeutsam sein, die sich am Kalender orientieren. Die Sonne lässt sich nichts anmerken und brennt so heiß, dass es niemandem in den Sinn kommt, an etwas anderes zu denken, als an einen kühlen Platz im Schatten.

Seit Tagen treibt ein Gefühl sein Unwesen, das sich nicht fassen lassen will, und sich entzieht, sobald Jakob versucht dafür Worte zu finden, die ihm Klarheit bringen könnten. Das Haus, das einmal für ihn und Magdalena ein Heim war, hat sich an Anna und Tom gewöhnt. Anna hat ihr Versprechen eingehalten und ihren Eltern eine Nachricht zukommen lassen. Die gefürchtete Reaktion ist ausgeblieben. Keine

Drohungen, keine Polizei, nur ein Telefonat mit Annas Vater, dem Jakob versichern konnte, dass es für ihn in Ordnung sei, wenn seine Tochter in seinem Haus wohne.

Handwerker gingen aus und ein, Transporter brachten nach und nach Lieferungen von Möbeln und sonstigen Gebrauchsgegenständen, die den Wünschen einer Dreizehnjährigen so sehr entgegenkamen, dass sie sich jeden Abend, vor dem Zubettgehen, in Gedanken mit einem dicken Kuss auf eine mit Falten überzogene Wange bedankte.

»Um in gelassener Heiterkeit sein Leben zu leben, muss man bereit sein, all seinen Besitz zu opfern. An nichts darf man sich klammern, was sich fassen lässt.«

Mit diesen Worten pflegt Jakob den Begeisterungsstürmen von Anna zu begegnen, wenn er mit ihr telefoniert.

»Nicht einmal an das Leben selbst.«

Manchmal machte Jakob ihr wirklich Angst, und dann hatte Anna das Gefühl, dass es nicht mehr lange dauern könne. Sie wagte nicht, mit Tom über ihre Ängste zu reden, weil sie glaubte, dass sie dadurch in Erfüllung gehen würden. Sie versuchte die Gedanken aus ihrem Kopf zu verdrängen, und meistens gelang es ihr auch.

Gut, dass sie nicht wusste, was Jakob in jenen nächtlichen Stunden beschäftigte, in denen sie friedlich vor sich hin schlummerte und von weißen Pferden träumte, die über eine mit bunten Blumen übersäte Wiese dahin galoppierten, während sie hoch oben im Himmel ihre Kreise zog, ausgestattet mit der Fähigkeit zu fliegen, einfach so.

Das leere Blatt Papier, auf dem oben mit Großbuchstaben TESTAMENT geschrieben steht, füllt sich nur langsam mit Worten. Worte, die mit Bedacht gewählt werden wollen, entstehen nur langsam. Und doch ist klar, was das Papier sagen will. Am Ende wird es nur eine Person geben, der alles gehören wird, das Haus, die Werkstatt, der Garten, die Uhren, die Erinnerungen.

48

Juli

Der azurblaue Himmel des Sommers macht sich über dem Land breit als der erste Tag des neuen Monats heraufzieht und beschließt zu bleiben, weil die Welt, die er unter sich ausbreitet, eine ganz andere zu werden verspricht, wenn das Licht der Sonne sie wärmend und sorgend umhüllt wie eine Mutter ihr Kind mit einer flauschigen Decke, wenn es friert. Sogar die Menschen geloben Besserung, und schöpfen neue Hoffnung aus dem Versprechen des Meeres, das sich im Himmel über ihren Köpfen spiegelt und von einer Unendlichkeit erzählt, die immer dann in greifbare Nähe rückt, wenn der Blick nach oben geht und dort so lange verweilt, bis er sich satt gesehen hat.

Anna hat sich eingelebt in ihrem neuen Zuhause, das ihr zur Heimat geworden ist, zu einem Platz, an dem sie sich in besonderer Weise geborgen fühlt und sicher, auch wenn die Welt außerhalb sich in einen Ort verwandelt hat, der mehr und mehr Gefahren für diejenigen bereithält, die sich unvorbereitet von einem Punkt A zu einem Punkt B bewegen wollen. Immer und überall lauert der Tod und er trägt die Maske des Unscheinbaren.

Im Juli ist es so heiß, dass sogar der frühe Morgen keine Kühlung mehr bringt. Trotzdem geht Jakob jeden Tag zum Friedhof, oder gerade deswegen. Die Pflanzen auf dem Grab von Magdalena brauchen gerade jetzt regelmäßig Wasser. Jeden Schatten ausnutzend, macht er sich am frühen Morgen auf den Weg, ausgerüstet mit einer Thermoskanne Kaffee, zwei belegten Broten, einer Flasche Wasser und einem Notizbuch, alles gut verwahrt in seiner hellbraunen Ledertasche, deren abgewetztes Leder die Spuren eines langen Berufslebens trägt. Es ist ein gutes Gefühl, ein Notizbuch dabei zu haben, will er doch unter allen Umständen verhindern, dass ein plötzlicher Einfall, eine Idee, oder sogar vielleicht ein interessanter Gedanke vergessen wird, weil sich andere aufdrängen.

Die Bank, auf der er den Tag verbringt, steht unter einer großen Eiche, die für ausreichend Schatten sorgt. Noch steht die Sonne schräg genug am Himmel, sodass er die Blumen mit Wasser versorgen kann, ohne dass ihm selbst der Schweiß über die Schläfen rinnt. Zwei Gießkannen, in jeder Hand eine, tragen in ihrem Bauch den Stoff, aus dem das Überleben gemacht ist, und als er beobachtet, wie die trockene Erde das Nass aufsaugt wie eine lang ersehnte Verheißung, wird es ihm zur Unmöglichkeit, die anderen Gräber ihrem dürren Schicksal zu überlassen.

Immer wieder füllen sich die Gießkannen am Brunnen und ziehen ihn zu den Gräbern hin, die ihn anspornen, nicht aufzugeben, während die Erschöpfung ihn spüren lässt, dass sein Körper nicht mehr der Jüngste ist und sein Wille allein nicht ausreicht, die Kräfte zu mobilisieren, die erforderlich sind, jedem Grab gerecht zu werden. Dann muss er ausruhen und sich seinen Notizen widmen, weil die Ideen und Gedanken, die der Erschöpfung folgen wie ein treuer Hund seinem Herrn, sich nicht verlieren dürfen im Meer des Vergessens, dort, wo die Erinnerungen in den Wogen der Zeit versinken.

Und dann lichtet es sich zum zweiten Mal und er sieht alles glasklar und deutlich vor sich, sein Leben, die Zeit und den Irrtum. Es währt nur einen Augenblick, der mehr Einblick ist als Ausblick, doch dies genügt, um zu verstehen. Wie unmenschlich erscheint ihm plötzlich der Takt der Uhrzeit im Verhältnis zur Zeit selbst. Wie konnte es so weit kommen?

Vielleicht merkt man den Unterschied zwischen Leben und Tod nur daran, dass es keine Fragen mehr gibt und Worte nicht mehr gebraucht werden.

So könnte das richtige Leben aussehen.

Alle Gräber rufen nach ihm in diesen Tagen. Da gibt es keine Ausnahme, und kann es auch keine geben, und darf es auch nicht. Alle wollen sie gegossen sein, alle verlangen sie nach dem Wasser aus seinen Gießkannen.

Und so, gut behütet von dem, was ihn durch diesen unendlich dauernden Sommertag trägt, wendet sich Jakob endlich dem Grab zu, das er all die zurückliegenden Jahre gemieden hat, das nicht vergessen werden konnte, das kleine Grab mit dem weißen Stein hinter dem Liguster, das er immer nur in seiner Phantasie gesehen hat. Im Grunde wollte er es nie wirklich vergessen, auch hat er es nie ernsthaft versucht.

Lange hat er bei Magdalena gesessen und darauf gewartet, dass sein Mut wachsen würde, um diesen letzten Schritt zu gehen und sich dem zu stellen, was ihn so viele Jahre lange gequält hat. Jahrelang hat er nur dagesessen und gewartet, so kommt es ihn jetzt vor.

Es gibt Ereignisse im Leben, die nicht mehr rückgängig zu machen sind, der Tod ist nur eines davon, flüstert ganz leise und kaum zu verstehen eine sanfte Stimme, die keinem Ort und keiner Zeit zugeordnet werden kann. Die gleiche Stimme spricht ihm von Leichtigkeit und Glück, von Zuversicht, von Vertrauen, von Hoffnung und nicht zuletzt von einem ewigen Geist hinter allem Sichtbaren. Das ist nichts Neues für ihn und hilft auch nicht, wenn es darum geht, eine nicht wieder gut zu machende Schuld abzutragen und nicht zu wissen, wie das möglich sein kann.

Und dann liegt es vor ihm, das Grab eines Kindes mit einem einfachen Holzkreuz, von dem längst die Farbe abgeblättert ist. Und auch der Name, der nur noch schemenhaft zu erkennen und daher schwer zu entziffern ist, hat sich bereits aufzulösen begonnen. Marie Keller. Wieso hat er geglaubt, das Grab besitze einen weißen Stein?

Eine Täuschung, eine Hoffnung oder ein Auftrag?

Seit Jahren hat sich niemand mehr um das Grab gekümmert. Unkraut überwuchert, was gepflegt sein sollte. Vielleicht sind ihre Eltern fortgezogen, so weit, dass es ihnen nicht möglich war, sich um das Grab zu kümmern, vielleicht mussten sie vergessen, um weiterleben zu können, so sehr, dass es ihnen nicht möglich war, sich zu erinnern, an das, was notwendig war. Es ist ein schwacher Trost und eine Erkenntnis, die zu spät kommt.

Es wäre seine Pflicht gewesen, sich zu kümmern, nicht die der Eltern, so steht es geschrieben im Buch der ungeschriebenen Gesetze. Tief beschämt, sinkt Jakob auf die Knie und beginnt mit bloßen Händen das Unkraut zu entfernen, das sich mit starken Wurzeln in der trockenen Erde festhält, mit aller Kraft. Seine Nägel brechen ab, als er seine Finger in die harte Erde bohrt, um den Boden zu lockern. Sein Rücken schmerzt und die Sonne brennt sich heiß in seinen Nacken. Schweißperlen rinnen über seine Schläfen und fast glaubt er sich einer Ohnmacht nahe, sieht sich schon am Boden liegen und nach Luft ringen. Er hätte eine Flasche Wasser mitnehmen sollen. Fliegen umschwirren ihn wie fauliges Aas und er macht weiter. Sollte ihn jetzt der Tod finden, würde er nichts zu bereuen haben, außer vielleicht, dass er es nicht zu Ende gebracht haben würde, was er sich gerade vorgenommen hat.

Es wird ihn noch ein paar Tage in Anspruch nehmen, diese Frist sei ihm noch gewährt, darum bittet er. Das Grab bepflanzen, das wird er tun, und einen Stein soll es haben, so wie er ihn in seiner Vorstellung gesehen hat, so soll es sein, so wird es sein. Das verspricht er sich selbst und Marie Keller und Magdalena.

Seine Finger bluten, aufgescheuert von der harten Erde, die sich ohne Hilfsmittel seinem Fleisch zu widersetzen weiß. Das Salz seines Schweißes, den er sich aus dem Gesicht wischt, weil es in seinen Augen brennt, brennt jetzt in seinen Wunden. Die Spuren der Erde zeichnen sich in seinem Gesicht ab, dünne braune Fäden folgen dem herabrinnenden Schweiß. Aber heute soll die harte Erde keine Chance gegen ihn haben, mag sie auch noch so sehr die feinen Wurzeln des Unkrautes eng umschließen und festhalten. Bis alles Störende beseitigt ist, so lange schuftet er in der Mittagshitze dieses Julitages, an dem sich Anna mit Tom im kühlen Wasser des Freibades vergnügt, wovon er allerdings zu diesem Zeitpunkt nichts ahnt. So ist das Leben und so ist es um die Jugend und um das Alter bestellt, so war es und so wird es immer sein.

Am Abend badet Jakob seine immer noch schmerzenden Hände in Kamillentee, und sie sagen ihm, dass er noch am Leben ist, sie sagen ihm, dass er jetzt erst begonnen hat, auf andere Weise zu leben, und er dankt demjenigen, der dafür gesorgt hat, dass die Uhren stehen geblieben sind.

Der große Durst, mit dem er ins Hotel zurückgekehrt ist, ist gestillt.

Die Schmerzen im Rücken lassen langsam nach.

49

August

Der August ist ein Monat, der bereits das Ende des Sommers in sich trägt, auch wenn er die Menschen mit hohen Temperaturen heimsucht, oder vielleicht auch gerade deswegen. Er scheint sich zu verschwenden wie die Sonne, die sich selbst verzehrt, um Wärme und Licht hervorzubringen. Warum sollte ein Planet eine andere Bestimmung haben als ein Mensch oder die Zeit?

Anna scheint glücklich zu sein, und das ist gut so.

Im Hotelzimmer hält eine unerwartete Leichtigkeit Einzug und Jakob erinnert sich an eine andere Zeit. Eine Zeit, die geprägt war von dem Gefühl eines Versprechens, das immer und überall Gültigkeit haben sollte.

Jetzt wartet nur noch eine einzige Aufgabe auf ihn.

Es ist für Jakob nicht schwer, dem Steinmetz zu erklären, wie der Stein für Marie Keller auszusehen hat. Das Bild ist in seiner Phantasie so präzise und deutlich gezeichnet, dass keine Fragen unbeantwortet bleiben. Und weil er nichts anderes zu tun hat, sucht er jeden Tag die Bildhauerwerkstatt auf und beobachtet mit wachem Blick, wie der Stein Gestalt annimmt. Geld soll dabei keine Rolle spielen.

Den Steinmetz mag es nicht stören, dass Jakob ihm bei seiner Arbeit zuzieht, weil er ein Meister seines Handwerks ist, einer, der völlig in seinem Werk zu versinken in der Lage ist, wodurch die Welt um ihn her ihm nichts mehr anhaben kann. Der Meißel sucht sich seinen Weg, der Hammer findet in seinen Rhythmus und der weiße Marmor formt sich unter der Beständigkeit eines kundigen Pfadfinders, dessen Wegeverzeichnis keine Entscheidungsfreiheit lässt.

Erst das Läuten der Kirchturmglocken, das weit über die Stadt getragen wird, die unter der Last der Mittagshitze keinen störenden Laut von sich zu geben sich wagt, kündet von der Not der Pause. Es braucht keine Uhr, um einen guten Künstler zu veranlassen, Hand anzulegen, wenn er es für geboten hält.

Sorgfältig legt der Meister sein Werkzeug zur Seite und lässt sich mit Brot, Thermoskanne und Apfel auf der schweren Holzbank nieder, die vor der Werkstatt steht. Das große Tor öffnet sich zu einem ausladenden Hinterhof hinaus, zwischen dessen Kopfsteinpflaster neben anderen Kräutern auch Petersilie wächst.

Als der alte Meister feststellt, dass Jakob ohne Mahlzeit dasitzt, teilt er mit ihm Brot und Bier. Jakob zögert, sträubt sich in ihm doch etwas dagegen, dem schwer arbeitenden Mann etwas wegzuessen, was ihm die Kraft geben wird, weiterzuarbeiten. Doch der Steinmetz besteht darauf, das Brot mit ihm zu teilen. Als wolle die Welt ihre Zustimmung erteilen, ertönt in dem Moment, als Jakob die Hälfte des Brotes entgegennimmt, von weither kommend, das dumpfe Brüllen eines Löwen, das selbst die träge Mittagshitze erschaudern lässt.

»Was ist das?«

Der Steinmetz kaut gelassen zu Ende, ganz wie es seine Art ist, bevor er sich zu einer Antwort durchringt.

»Der zoologische Garten. Manchmal denke ich, man müsste des Nachts dort eindringen und alle Gefangenen befreien.«

Jakob nickt zustimmend und konzentriert sich auf den Geschmack des Brotes, dessen Verzehr ihm einen erstaunlichen Genuss bereitet. Butter und Salami zwischen zwei halben Brotscheiben mit einem starken Eigengeschmack. Und dazu ein kühles Bier. Das kann nicht schaden, auch wenn die Hitze ihren Beitrag dazu leistet, dass es einem schnell zu Kopfe steigt. Und danach eine Tasse Kaffee aus der Thermoskanne.

So verbringen die beiden nebeneinandersitzend gemeinsam die Zeit und vergeuden sie nicht durch ein Gespräch über Belanglosigkeiten, und versuchen auch nicht Geheimnisse zu ergründen, die sich zu verbergen suchen. Wären sie sich früher begegnet, dann hätte sich zwischen diesen beiden ungleichen Männern eine tiefe Freundschaft entwickeln können.

Doch dafür ist der Sommer schon zu weit fortgeschritten und einem von beiden wird nicht mehr genügend Zeit bleiben, um all das nachzuholen, was er im Leben versäumt hat. Aber das tut nichts zu Sache. Jeder Sommer muss einmal vorübergehen. Und das, was der Sommer Jakob aufgetragen hat, ist getan. Der Steinmetz wird dafür sorgen, dass der Stein, sobald er fertiggestellt ist, an den Ort seiner Bestimmung gelangt.

Dort soll er Zeugnis ablegen vom viel zu kurzen Leben eines Menschen und vom Tod.

50

September

Annas Augen strahlen vor Glück und es verbietet sich, Fragen zu stellen über eine Angelegenheit, die so offen daliegt wie eine neue Liebe. Nur für Verliebte bleibt die Zeit stehen, alle anderen sind ihr ausgeliefert wie die Blätter, die vom Herbstwind davon getragen werden.

»Es ist an der Zeit zu gehen«, hört sich Jakob zu sich selber sagen.

Die folgende Nacht ist sternenklar und Jakob wird nicht müde nach oben zu schauen. Fast will es scheinen, als sei die Nacht so unendlich wie das Universum und irgendwo da draußen, und auch sonst überall, herrscht eine Kraft, die alles trägt.

Und dann wartet da auch Magdalena auf ihn. Es kann gar nicht anders sein.

Früh am Morgen verlässt Jakob das Hotel, ohne zum Frühstück zu erscheinen.

Toni, der Kellner, wartet heute vergeblich auf seinen Stammgast.

Die Landschaft dehnt sich vor ihm aus, als er über den Feldweg wandert, und sie gibt ihm einen weiten Blick frei. Als die Sonne ihre Strahlen über die Hügelkuppen am Horizont schickt, wirft Jakob ein letztes Mal einen Blick auf Magdalenas Uhr, die er um sein Handgelenk trägt, und die er seit jenem Tag, an dem sie aus der Schublade genommen und aufgezogen wurde, nicht mehr abgelegt hat.

Unmittelbar vor ihm formt sich die Silhouette des Schlaksigen aus dem Gegenlicht der aufgehenden Sonne. Kein Lufthauch ist zu spüren. Die Vögel im nahen Gezweig trällern unbekümmert ihre Lieder, als gäbe es nichts Wichtigeres auf der Welt. Im Näherkommen erst erkennt Jakob eine mit Blattgold verzierte Standuhr, die der Schlaksige zu bewachen sich anschickt, obgleich die Vorstellung von einem Schlaksigen, der auf einem einsamen Feldweg eine Standuhr bewacht, ihm doch sehr abwegig erscheint.

Auf gleicher Höhe mit dem Schlaksigen hält Jakob inne. Sein Atem geht ruhig und flach, trotz der Anstrengung, die ihm sein Weg abverlangt hat. Ihm ist, als habe er diesen Augenblick schon tausendmal im Traum erlebt. Wortlos öffnet der Schlaksige die goldene Tür, die das Zifferblatt verborgen hält, und gibt die Zeit wieder frei.

Ohne den Blick von den Zeigern der Standuhr abzuwenden, hebt Jakob den Arm und bringt Magdalenas Uhr ganz dicht an sein Ohr. Er hört das Ticken und niemand weiß es besser als er selbst, dass Magdalenas Zeit das letzte Geräusch ist, dass er in dieser Welt hört.

51

Dann ist die Zeit wieder da. Überall und zur exakt gleichen Zeit setzen sich unzählige Uhrwerke wieder in Gang,
Zeiger springen nach vorn und nehmen ihre Bewegungen
wieder auf, Leuchtziffern erstrahlen, digitale Anzeigen gehorchen wieder den Gesetzen der Zahl.

Der junge Mann mit dem gelben Kaschmirpullover, der
das Wüten des Todes überlebt hat, trägt inzwischen ein kurz-
ärmliges Hemd und wirft instinktiv einen Blick auf seine
Armbanduhr. Während seine Freunde und Bekannten, seine
Arbeitskollegen und sogar Fremde in der zurückliegenden
Zeit nicht müde geworden sind, die Tatsache, dass er seine
Uhr nicht ablegen wollte, als merkwürdige Marotte zu bezeichnen, beharrte er wie besessen auf dem Tragen einer
Uhr, ohne sich dafür zu erklären. Kein einziges Mal legte er
sie ab, nicht einmal beim Duschen, schließlich versicherte
ihm die kleine Schrift auf dem Deckel der Rückseite der Uhr,
sie sei wasserdicht bis zu einer Tiefe von 15 Metern.

Viele der Freunde und Bekannten sind inzwischen tot, und
der junge Mann in dem gelben Kaschmirpullover denkt an
sie, als er sieht, wie der Sekundenzeiger seiner Uhr nach
vorne springt und dann immer weiter und weiter seine Kreise
zieht. Er kann den Blick nicht abwenden von dem Zifferblatt,
und wie er so dasteht und überlegt, ob es sein darf, dass jetzt
alles wieder von vorne beginnen soll, denkt er an den alten
Mann, den er nach der Uhrzeit gefragt hatte, damals, als es
noch eine Zeit gab, und es kommt ihm wie eine Ewigkeit

vor, und er fragt sich, wie es sein kann, dass eine kurze Begegnung mit einem wildfremden Menschen einen so tiefen Eindruck hinterlassen kann.

Denn kein Tag ist vergangen, seit jenem denkwürdigen Tag im Februar, an dem er nicht an den alten Mann gedacht hätte, der ihm keine Ruhe ließ, bis er sich aufraffte, Nachforschungen anzustellen über ihn, sich umzuhören, Fragen zu stellen, Antworten zu finden, die ihm nicht genügten, um daraufhin neue Fragen zu stellen. Tage verbrachte er mit der Beobachtung des Uhrmacherladens, er suchte das Grab seiner verstorbenen Frau Magdalena auf, er wartete vergeblich, dass der alte Mann, dessen Namen er inzwischen herausgefunden hatte, dort auftauchen würde. Jakob Gottlieb Tennriegel hieß er, und was die Leute über ihn zu sagen wussten, war nicht viel. Fast schien es, als handele es sich um ein Gespenst.

Dabei war ihm nicht klar, was er tun würde, sollte Jakob, das Gespenst, tatsächlich dort auftauchen, und er war immer ein klein wenig erleichtert, wenn nichts geschah, und er einen weiteren Tag mit Warten zugebracht hatte, von dem er nur zu Anfang glaubte, es sei vergebens. Im Laufe der Zeit jedoch veränderte sich sein Verhältnis zu den Dingen, zu sich selbst und zu dem, von dem er glaubte, es sei nützlich. Nichts blieb, wie es war, und er konnte sich nicht erklären, was mit ihm geschah, kaum, dass er es wahrnahm, so wie man einen zarten Lufthauch wahrnimmt, der eher einer Ahnung gleich zu spüren ist, statt klar und deutlich wie der Schlag ins Gesicht, den der schnelle Wechsel in eine andere

Klimazone mit sich bringt und genau dann erfolgt, wenn man aus dem Flugzeug steigt, das einen zuvor um den halben Erdball geflogen hat.

Und weil mit ihm im Laufe der Zeit, die ihre Zeit verloren hatte, etwas geschah, was noch keinen Namen hat, nimmt der Mann mit dem gelben Kaschmirpullover in diesem Augenblick seine Uhr vom Handgelenk. So schnell, als könne die Uhr in seiner Hand seinen Tod bedeuten, rennt er zu der Brücke, die sich unweit vom Uhrmacherladen TENNRIEGEL befindet. Von dort oben sieht er zu, wie die Uhr in den braunen Fluten des Flusses versinkt. Lange schaut er auf das Wasser und kann seinen Blick nicht abwenden.

Und so wie ihm geschieht es auch vielen anderen Menschen, in dieser Zeit ohne Zeit, einem jeden auf seine ihm zugewiesene Weise.

Es ist der erste Tag der Tage einer neuen Zeit, und um nicht zu vergessen, wie es gewesen ist, werden die Übriggebliebenen für jenen trüben Februartag, an dem die Zeit stehenblieb und an dem Jakob Gottlieb Tennriegel gegen Mittag seine Werkstatt schloss, einen eigenen Namen finden. Die Zeit dazwischen, die Zeit ohne Zeit, wird ihnen als Übergangszeit für ewig in Erinnerung bleiben, ob sie es wollen oder nicht. Es gibt Erinnerungen, die nicht verlöschen, sie prägen sich in das kollektive Gedächtnis und bleiben dort verschlossen über viele Generationen.

Und als sei es damit nicht genug, beschließen die Menschen ein Wunder, jeder einzelne von ihnen, der noch am Leben ist, und jeder für sich selbst seiner ureigenen Erkenntnis der Dinge verhaftet. Die Menschen werden ihre Zeit von nun an damit zubringen, die Fehler der Vergangenheit nicht zu wiederholen, sodass die ewige Wiederkehr des immer gleichen Unheils endlich ein Ende finden kann.

Vielleicht ist es dieser Schwur, der die Uhren der Lebenden dazu veranlasst, ihre Arbeit wieder aufzunehmen, um dann dem Vergessen übereignet zu werden, während die Uhren der Toten ihre Zeit verlieren, so wie es zu sein hat, oder aber es geschieht ohne Grund, einfach so, weil es, um zu geschehen, keiner Ursache bedarf. Ob die Uhren den Schwur hervorbringen, oder ob der Schwur die Uhren wieder in Gang setzt, wird offen bleiben. Aber es geschieht und es geschieht immer noch. Die einen mögen es Erkenntnis nennen, andere sehen darin eine Bewusstseinserweiterung, wieder andere glauben an eine Kraft jenseits aller menschlichen Machenschaften.

Das alles und die Fragen, denen sich die Zurückgebliebenen jetzt stellen müssen, lässt Jakob Gottlieb Tennriegel weit hinter sich, so wie wir, die wir wissen, dass es ohne Ende keinen Anfang gibt.

Doch was das Entscheidende ist, das alles Entscheidende, ist die Tatsache, dass sie, die große und einzige Liebe seines Lebens, an seinem Todestag wieder da ist, mitten in dem Leben, das als Tod bezeichnet wird. Leibhaftig steht Magdalena vor ihm und ist so schön wie am ersten Tag.

»Magdalena.«

Sie trägt das cremefarbene Sommerkleid, das er immer so sehr an ihr gemocht hat, und sie lächelt ihn an und strahlt. Er ist nicht sicher, ob es sich um eine seiner glasklaren Erinnerungen von ihr handelt, oder ob es mehr ist, was er hier erlebt, weitaus mehr. Umso erstaunlicher ist, dass es ihm nicht möglich ist, ihr Alter zu schätzen, offenbart doch ihr Aussehen lediglich, dass in einer Person Jugend und Alter vereint sein können in höchster Vollkommenheit.

Dann überfällt ihn die Angst, er könne plötzlich aus seinem Traum erwachen und sich wieder in seinem Leben befinden und er beschließt, nichts zu tun, was diesen Rückfall begünstigen könnte. Ganz langsam erhebt er sich von der Bank, auf der er die ganze Zeit gesessen ist. Er wartet ab, bevor er sich auf Magdalena zubewegt, stetig und langsam, wie ein Uhrwerk, obgleich ihm der Gedanke an Zeit nicht ein einziges Mal in den Sinn kommt, was daran liegen mag, dass es so etwas wie Zeit für ihn nicht mehr gibt. Auch für ihn, einen der ein Leben lang mit der Zeit gelebt hat, gibt es sie nicht mehr, und dann ist auch die Angst fort.

An diesem Ort, der nicht Ort genannt werden kann, jedoch genannt werden muss, weil uns Lebenden dafür die Worte fehlen, ist Sommer und wird immer Sommer sein, weil das einmal ihre gemeinsame Zeit war, ihre Jahreszeit, die Zeit der Liebe, zwei Wochen im Sommer, jedes Jahr ohne Ausnahme, und das ist so gewiss wie der Tod selbst, den es für die Toten nicht gibt. Und auch nicht für die Lebenden. Wie oft schon in seinem Leben hat Jakob sich gewünscht, dieser Sommer werde nie vorübergehen.

Wenn sie gemeinsam im Garten saßen an dem kleinen runden Tisch, kaum dass die Sonne über dem Horizont stand, und dort frühstückten, unter dem Kirschbaum, dessen rote Früchte über ihren Köpfen hingen. Wie oft hat er sich gewünscht, der Sommer möge nie vergehen. Und wie oft in seinem Leben hat der Herbst diesen Wunsch zerstört und ihm unmissverständlich klargemacht, dass nichts bleibt, wie es ist. Und jetzt, nach all den unbeantworteten Fragen des Lebens, gibt es plötzlich keine Fragen mehr. Alles ist. Er ist immer noch er und doch nicht.

Und Magdalena lächelt ihn an.

Es braucht keine Worte mehr und weder Ort noch Zeit.

52

Zu ihrem Entsetzen muss Anna feststellen, dass Jakob nicht neben seiner Frau Magdalena bestattet wird, was man ihr später mit lapidaren Worten erklären wird.

»Das ist heute nicht mehr üblich.«

Anna wird diese Worte ein Leben lang hassen, also noch die nächsten 73 Jahre, 4 Tage und 15 Stunden, bis sie wieder denen begegnen wird, die sie in ihrem Leben wirklich bis tief in ihre Seele hinein geliebt hat. Gott sei Dank weiß Anna an diesem heißen Septembertag darüber nicht Bescheid. Umso erstaunlicher ist es, dass der Predigt des Herrn Pfarrer zu entnehmen ist, dass Jakob Gottlieb Tennriegel heute exakt an dem Tag bestattet wird, der dem Todestag seiner Frau entspricht, will man das Datum zugrunde legen. Und Anna erinnert sich an die Worte, die zwischen ihr und Jakob gesprochen wurden, als sie sich hier zum ersten Mal begegnet sind.

»Wir haben den Tod schon voraus und sein Zurückwirken treibt das Mehr-als-Vergängliche aus uns heraus.«

Alles habe seine Zeit. So predigt es der Herr Pfarrer und bedient sich dabei den Worten aus dem Buch Kohelet.

»Alles hat eine bestimmte Zeit, und alles Vornehmen unter dem Himmel hat seine Zeit. Es ist eine Zeit geboren zu werden, und eine Zeit zu sterben; eine Zeit zu pflanzen, und eine Zeit, das Gepflanzte auszureißen; eine Zeit zu tödten, und eine Zeit zu heilen; eine Zeit abzubrechen, und eine Zeit aufzubauen; eine Zeit zu weinen, und eine Zeit zu lachen; eine Zeit zu klagen, und eine Zeit zu hüpfen; eine Zeit, Steine wegzuwerfen, und eine Zeit Steine zu sammeln; eine Zeit, zu umarmen, und eine Zeit, von Umarmung fern zu sein; eine Zeit zu suchen, und eine Zeit verloren gehen zu lassen; eine Zeit zu bewahren, und eine Zeit wegzuwerfen; eine Zeit zu zerreißen, und eine Zeit zu nähen; eine Zeit zu schweigen, und eine Zeit zu reden; eine Zeit zu lieben, und eine Zeit zu hassen; eine Zeit zum Kriege, und eine Zeit zum Frieden.«

Kaum hörbar flüstert Anna hier die Worte.

»Und eine Zeit ohne Zeit hat ihre Zeit.«

Sie flüstert sie in die kurze Pause hinein, die der Herr Pfarrer hier einlegt, bevor er fortfährt mit den Worten,

»Was für Gewinn hat der Schaffende von dem, worin er sich mühet? Ich habe gesehen die Geschäfte, die Gott den Menschenkindern gegeben, sich damit zu beschäftigen. Alles machte er schön zu seiner Zeit; auch das Verhüllte hat er in ihr Herz gelegt, so daß kein Mensch ausfindet das Werk, das Gott macht, vom Anfang bis zum Ende.«

Verstohlen wirft der Herr Pfarrer einen Blick auf seine Armbanduhr und hofft dabei, dass es niemand der Umstehenden bemerkt hat.

»Ich weiß, daß für sie nichts Besseres ist, denn sich zu freuen und Gutes zu thun in seinem Leben, ja auch, daß jeglicher Mensch esse und trinke und das Gute schaue bei all seiner Mühe, das ist eine Gabe Gottes.«

Als Anna an das Grab herantritt und eine Schaufel voller Erde auf den einfachen Holzsarg rieseln lässt, und ein Unbekannter zeitgleich in einer später als richtungsweisenden Ansprache an die Bevölkerung an jenen Februartag erinnert, an dem eine neue Ära ihren Anfang genommen habe, springt der große Zeiger der Kirchturmuhr, die sich bisher gegen alle Versuche der Korrektur beharrlich geweigert hat, die richtige Zeit anzuzeigen, auf eine Minute nach Zwölf, als wolle die Uhr ein deutliches Signal setzen.

In diesem Augenblick blickt die junge Frau mit den blauen Augen, die in den zurückliegenden Monaten immer wieder an den seltsamen alten Mann denken musste, der ihr beigebracht hatte, immer dann Feierabend zu machen, wenn sie keine Lust mehr auf Arbeit hatte, von ihrem Platz hinter dem Empfangstresen der städtischen Bibliothek instinktiv auf die Uhr an der gegenüberliegenden Wand, eine Geste, die sie sich nicht hat abgewöhnen können, und traut ihren Augen nicht. Alles hat seine Zeit, denkt sie, nimmt ihre Tasche und verlässt die Bibliothek für immer.

Als Anna sich vom Grab entfernt, fällt ihr ein junger Mann in einem kurzärmligen Hemd auf, der sich in die Schlange der sonst schwarz gekleideten Trauergäste eingereiht hat, von dem sie glaubt, sie sei ihm schon irgendwo begegnet, und den sie sich als einen verlorenen Sohn vorstellt, der endlich nach langer Zeit der Abwesenheit nach Hause gefunden hat.

Anna wartet geduldig bis der letzte der Trauergäste von Jakob Abschied genommen hat und bis alle gegangen sind, um den Rest des Tages mit ihrem Freund allein zu verbringen.

Jetzt wird es ihre Aufgabe sein, die beiden Gräber zu pflegen und auch das kleinere, das weiter hinten gelegene, das hinter dem Liguster, das mit dem neuen, weißen Grabstein aus Marmor, auf dem in roter Schrift der Name Marie Keller eingemeißelt ist.

53

Am folgenden Tag hat Anna Geburtstag. Sie ist jetzt vierzehn Jahre alt und nicht sicher, ob sie noch eine Zukunft haben wird. Aber sie ist immer noch verliebt und in diesem Zustand denkt man nicht an eine düstere Zukunft. Tom schenkt ihr eine Uhr ohne Zeiger, wie könnte es auch anders sein, und es wird ihre erste und einzige Uhr bleiben. Nichts bleibt, wie es ist. Alles ist im Umbruch. Das Leben verbirgt sich, muss sich offenbar gut verstecken, damit es nicht eingesperrt werden kann.

Anna vermisst ihren Freund Jakob Gottlieb Tennriegel, der ewig und doch viel zu kurz sein Leben mit ihr geteilt hat, und dem es gelungen ist, den Sommer anzuhalten. Und sie vermisst ihren Großvater. Beide haben sie zu früh verlassen und nun ist sie allein.

Der Werkstattschlüssel wiegt so schwer wie ein Amboss in ihrer Hand, als sie sich durch die Fußgängerzone auf den Uhrmacherladen zubewegt. Sie muss ihre gesamte Kraft aufbieten, um das Gitter nach oben zu schieben und kann sich nicht erklären, wie Jakob das in seinem Alter noch hat bewerkstelligen können.

Die Uhren an den Wänden des Ladens haben wieder ihre Arbeit aufgenommen, ungeachtet der Tatsache, dass eine Batterie nur über eine begrenzte Speicherung von Energie verfügt. Lange hält sie den Blick auf den Apothekerschrank aus Eichenholz gerichtet und zählt seine Schubladen und Schubfächer unterschiedlichster Größe und Form. Darin ist verwahrt, was Jakob, instinktiv einem inneren ihm eigenen Ordnungssystem folgend, im Laufe der Jahre gesammelt hat, von ganzen Uhrwerken bis zu den kleinsten Zahnrädchen, Zeigern und Zifferblättern, Gehäuse, geordnet nach Typen und Baujahr, Schrauben, Metallstifte, Spiralfedern, Leder-armbänder, Uhrenketten, eine Kuckuck-Sammlung, Türen und Fenster von Standuhren befinden sich darin, Pendel und Gewichte, Schraubenmuttern und Nieten.

Die Werkbank aus Buchenholz reicht von der Mitte der Stirnseite bis zur Mitte der rechten Wand. Auf ihr zurückge-bliebene sind unzählige Spuren eines Handwerkerlebens.

Nachdem sie das Fenster zum Hinterhof geöffnet und einen Blick auf den Walnussbaum geworfen hat, der so weit in den Himmel hinauf ragt, dass sie seine Krone nicht sehen kann, lässt sich Anna zaghaft an der Werkbank nieder. Mit äußerster Bedachtsamkeit öffnet sie die Schubladen und betrachtet die Werkzeuge, von denen sie eines nach dem anderen in die Hand nimmt. Sanft gleiten ihre Finger über die harte und kühle Oberfläche, fasziniert von ihrer filigranen Gestalt und Leichtigkeit, bevor sie die Werkzeuge ganz vorsichtig, als seien sie zerbrechlich wie rohe Eier, auf ihren angestammten Platz in die jeweilige, mit schwarzem Samt ausgeschlagene Schublade zurücklegt. Mit der Zeit haben sich ihre Umrisse in dem Samt eingeprägt und eine unverwechselbare Abbildung darin hinterlassen. Ein Geruch von Metall, Holz, Öl und Staub steigt ihr in die Nase und sie denkt an Jakob.

Die dicke weiße Kerze, die Anna jetzt anzündet, liegt kühl in ihrer Hand. Geduldig beobachtet sie, wie das heiße Wachs auf die Werkbank tropft und eine kleine Lache bildet. Vorsichtig drückt sie den Boden der Kerze in das Wachs und wartet ein paar Sekunden. Am Ende wird Anna nicht mehr wissen, wie lange sie in die Flamme gestarrt und sich darin verloren hat.

Fast möchte Anna glauben, sie sei der einzige Mensch auf der Welt. Alles kommt ihr plötzlich so fremd vor, insbesondere, was von Menschen gemacht ist und was sie Gesellschaft nannten. Schweigen wäre ein guter Anfang, um eine neue Welt zu schaffen, denkt sie, schweigen und staunen, das ist es, womit sich die Menschheit beschäftigen sollte. Was draußen in der Welt passiert, interessiert sie heute nicht, vielleicht wird es sie nie wieder interessieren, denn sie hat jetzt herausgefunden, was Freiheit bedeutet, jetzt, wo es schon fast zu spät ist.

Als an diesem Tag die Abendsonne ihre letzten Strahlen über den Horizont schickt und den vereinzelt am Himmel hängenden Schäfchenwolken einen gelben Bauch pinselt, schreibt Anna den letzten Satz ihrer Geschichte nieder, der ganz vorne in ihrem Notizbuch bereits skizziert ist.

Wenn ein Mensch sein Verhältnis zum Leben auf eine Haltung ausrichtet, die ständig vom Leben etwas erwartet, ganz gleich was, dann muss er unweigerlich in die Irre gehen. Und so bleibt einem Jeden keine andere Möglichkeit, als sich die wichtigste Frage von allen zu stellen, Was erwartet das Leben von mir?

Ohne diesen Wechsel der Perspektive, davon ist Anna zutiefst überzeugt, wird die Menschheit in eine neue Barbarei zurückfallen, sofern sie es noch nicht getan hat.

Was erwartet das Leben von mir?

Diese Frage will von jedem gestellt sein, darin verbirgt sich die große Hoffnung.

Sie hat zu Ende gebracht, was im Februar begonnen wurde, und sie ist stolz darauf.

In die Schule wird sie nicht mehr zurückkehren, denn dort wartet nicht das Leben auf sie, sondern eine Erzählung vom Tod, den es nicht gibt. Nichts hat sich geändert an ihrer Überzeugung, das Leben zu leben für die Toten, ein Leben für ihren Freund, den Mann, dem es gelang, den Sommer anzuhalten, für seine Frau Magdalena, die nie so glücklich war wie heute, für Marie Keller, deren Leben zu kurz war, und für ihren Großvater, den sie nie kennenlernen durfte, der sie aber nie verlassen hat.

Sich in Bereitschaft zu bringen und innezuhalten auf der Lichtung inmitten der Dunkelheit, dazu ist sie entschlossen, und Anna kniet sich nieder, dort, wo sie gerade steht, vor der Werkbank des großen Meisters. Von da unten kann sie die Krone des Walnussbaumes sehen. Sie faltet ihre Hände zum Gebet, schließt die Augen und spürt die Sonne auf der Haut.

Was war ist und was ist, wird immer sein, alles fließt und die Liebe hält für ewig verbunden, was zusammengehört.

9 783758 315275